荒野へ

ジョン・クラカワー
佐宗鈴夫 訳

集英社文庫

目次

カナダ
アナンデール
大西洋
アメリカ合衆国
アトランタ
ヒューストン
N
0
500km

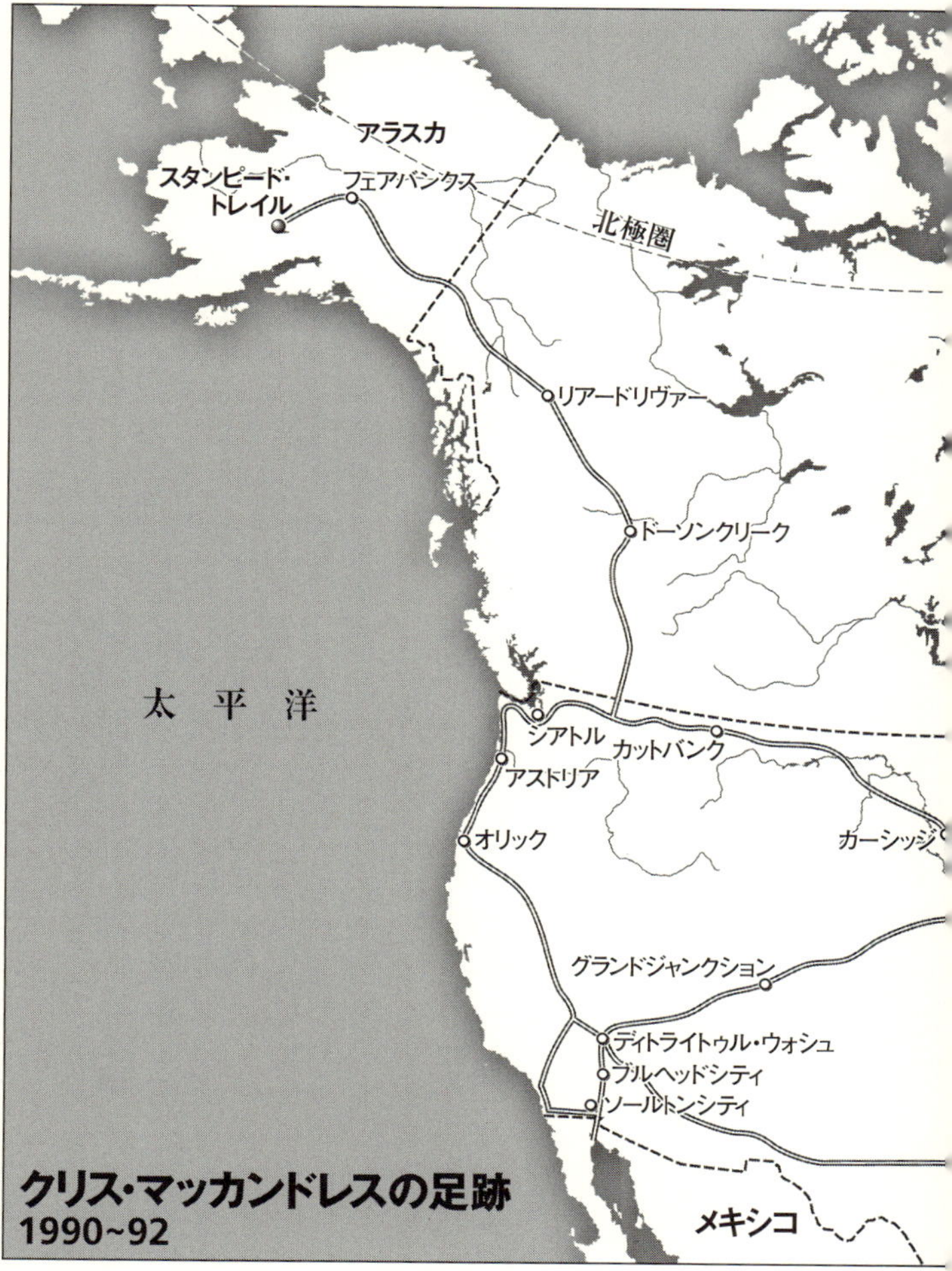

クリス・マッカンドレスの足跡
1990~92

荒野へ

リンダに

作者ノート

一九九二年の四月、東海岸の裕福な家庭に育ったひとりの若者が、ヒッチハイクでアラスカまでやってきて、マッキンレー山の北の荒野に単身徒歩で分け入っていった。四か月後、彼の腐乱死体がヘラジカを追っていたハンターの一団に発見された。

遺体が発見されて間もなく、私は〈アウトサイド〉誌の編集長から、謎めいた若者の死の周辺について記事を書くよう依頼された。若者はクリストファー・ジョンソン・マッカンドレスという名前であることがわかった。聞くところによれば、ワシントンDC郊外の高級住宅地で育ち、学業のほうも優秀であり、スポーツマンとしてもエリートだったようである。

一九九〇年の夏にエモリー大学を優等で卒業し、その直後に姿を消したのだった。名前を変え、二万四千ドルの預金を全額慈善団体に寄付し、自分の車と持ちもののほとんどを放棄して、財布にあった現金もすべて燃やした。それから、まったくあたらしい人生、社会の末端に身を置き、新鮮なすばらしい経験をもとめて北アメリカを放浪するという生きかたに身を投じた。アラスカで遺体が発見されるまで、家族は、彼がどこにいるのかも、どこへ行ったのかも、まるで知らなかった。

締切りぎりぎりまでねばって、私は九千語の記事を書き、それが〈アウトサイド〉誌の一九九三年一月号に掲載されたが、その号がニュース・スタンドから姿を消し、べつの話題がマスコミをにぎわすようになってからも、マッカンドレスにたいする私の関心はずっとつづいていた。とりわけ気になったのは、若者が餓死した顚末《てんまつ》と、はっきりしないけれども、いくつか彼と私の人生にどことなく似ている点があることだった。マッカンドレスのことが忘れられなくて、私はさらに一年、彼がアラスカの針葉樹林のなかで亡くなるまでの複雑な経緯をたどり直し、強迫観念にも似た好奇心に駆られて、彼の遍歴を細かく調べた。そして、マッカンドレスのことを解明していく過程で、私の考察は必然的にべつのもっと広範な問題へと広がっていった。つまり、アメリカ人の想像力をかきたてる荒野の魅力、ある種の性格の若者たちを惹きつけてやまないきわめて危険な行為、複雑で、つい感情的になりがちな父と息子の絆《きずな》、そういった問題へと。このとりとめのない調査結果が、いま読者の皆さんの目のまえにある書物なのである。

私は公平な伝記作者であろうとするつもりはない。マッカンドレスの奇妙な物語は私の個人的見解であり、悲劇を公平無私に解釈することはできなかった。本書では、著者はできるかぎり出しゃばらないようにしている――それは十分成功していると思う。しかし、あらかじめ断わっておくが、マッカンドレスの物語は、私自身の青春時代のいくつかの物語の断片によって中断される。それは、私の経験が間接的ながらクリス・マッカンドレスの謎の解明にすこしでも役立つかもしれないと期待してのことである。

彼は非常に情熱的な若者で、頑固な理想主義者のようなところがあり、そのために、現代の生活にはなかなか馴染《なじ》めなかった。レフ・トルストイの著作に長いこと心酔してきたマッカンドレスがとりわけ心を打たれたのは、豊かで特権的な生活を捨て、貧しい人々の間を放浪した偉大な作家の生き方であった。大学時代から、禁欲主義的でモラルに厳格なトルストイの生き方をまねるようになり、最初は親しい者もびっくりしていたが、やがて心配するほどまでになった。アラスカの森へ分け入ったとき、若者は豊饒《ほうじょう》の地を旅していると思いこんでいたわけではない。彼がもとめていたのは、まさしく危険であり、逆境であり、それにトルストイ的な克己であった。そして、もとめていたものはあり余るほどあった。

十六週間、ほとんど試練の連続だったが、にもかかわらず、マッカンドレスはけっして屈することはなかった。実際、あきらかにつまらない一、二のミスがなかったら、一九九二年の四月に森へ分け入ったときと同様、八月には誰にも気づかれずに森から出てきただろう。ところが、その単純なミスは決定的なもの、取りかえしがつかないものであり、彼の名前はタブロイド新聞の見出しのたねにされ、家族は激しくてつらかった愛の残骸《ざんがい》を手にして、ただうろたえるばかりだった。

クリス・マッカンドレスの人生と死の物語には、思いがけないほど多くの人々が感動してくれた。〈アウトサイド〉誌に記事を発表したあと、何週間も、何か月も、創刊以来もっとも多くの手紙が寄せられた。予想どおり、それらには見方がはっきり分かれていた。勇気のある高い理想をもった若者として称賛する読者もいれば、むこう見ずな愚か者、変わり者、傲慢と愚行によって命を落としたナルシストであって、こんなにマスコミが注目するほどの人物ではないと声高《こわだか》に非難する読者もいた。私の考えはすぐに明らかになるだろうが、クリス・マッカンドレスについての評価は、読者の方々におまかせするつもりである。

ジョン・クラカワー

シアトル、一九九五年四月

第一章　アラスカ内陸部

一九九二年四月二十七日
　こんにちは、いまフェアバンクスにいます！　ウェイン、これがぼくの最後の便りになるでしょう。ここには、二日まえにきた。ユーコンでは、なかなか車がひろえなかった。だが、ぼくはなんとかここにたどり着きました。
　ぼくのところに届いている手紙はどうか差出人に送りかえしてください。南にもどるのは、ずっとあとになります。この冒険で命を落とすことになり、ぼくから二度と便りがなければ、ここで言っておきたいが、あなたはすばらしい人です。ぼくはこれから荒野へ入っていきます。アレックス。
　　　　サウスダコタ、カーシッジの
　　　ウェイン・ウェスターバーグ宛てのハガキ

ジム・ガーリエンがフェアバンクスから車を四マイル走らせたところで、ヒッチハイカーが親指を高くあげ、道路わきの雪のなかに立って、薄暗いアラスカの夜明けのなかで震えているのが目に入った。そんなに年がいっている感じではなかった。十八歳か、せいぜい十九歳ぐらいだろう。バックパックからライフルが突きだしていたが、若者はひどく愛想がよかった。四十九番目の州では、ヒッチハイカーがセミオートマチックのレミントンを携えていても、運転手はためらったりはしない。ガーリエンは車を路肩に寄せて、若者に乗るように言った。

ヒッチハイカーはフォードの荷台にバックパックを振りあげるようにして載せ、アレックスと名乗った。「アレックス？」と、ガーリエンは言って、それとなく姓を尋ねた。「そう、アレックス」と、若者はその問いかけを無視して答えた。身長は五フィート七、八インチ、たくましい身体つきの彼は、自分から歳が二十四で、サウスダコタの出身だと言った。デナリ国立公園まで乗せていってもらえば、そこから森の奥へ入って、「数か月間、土地があたえてくれるものを食べて生活する」つもりだという。

ガーリエンは電気工で、ジョージ・パークス・ハイウェイをデナリから二百マイルさきのアンカレッジへ向かっている途中だった。好きなところで降ろしてやるよ、と彼はアレックスに言った。アレックスのバックパックは重さがせいぜい十二、三ポンドしかないようだった。ベテランのハンターで、森の住人であるガーリエンには、なんといってもこの早春に奥地で数か月暮らすにしては、荷物の量が信じられないほどわずかだという気がした。「ああいった旅にもっていくはずの食糧も、用具も携行していなかったんだ」ガーリエンはよくおぼえていた。

陽が昇っていた。車はタナナ川を望む木の生い茂った尾根をゆっくりくだっていった。アレックスは、南に広がる吹きっさらしの広大な湿原の、そのさきを眺めている。ガーリエンは、ジャック・ロンドンの荒唐無稽な作品を実際に体験しようとして本土から北にやってきた変わり者を乗せてしまったのだろうかと思った。アラスカは長いこと、夢想家や社会的な不適格者などの、人生のほころびを人跡未踏の広大な最後のフロンティアがなにもかも繕《つくろ》ってくれると思いこんでいる者たちを引きつけてきたのだ。しかし、森は容赦のない場所であり、希望だの憧れだのは歯牙《しが》にもかけない。

「よそからやってきた連中は」ガーリエンは母音を延ばすゆっくりしたよく響くしゃべり方で言った。「アラスカ関係の雑誌を集め、ざっと目を通して、こう考えるんだ。『そうだ、あそこへ行って、土地があたえてくれるものを食べて生活し、自分もひとつ楽しい暮らしをしてみたい』とね。ところが、連中がここへやってきて、実際、森のなかへ入ってみると、とても、雑誌に書かれているようなところじゃない。川はでっかいし、流れは速いし。蚊には刺される。たいていの場所は、狩猟用の動物などそんなにいやぁしない。森で暮らすことはピクニックとわけがちがうんだ」

フェアバンクスからデナリ公園までは、車で二時間の距離だった。話をしているうちに、ガーリエンには、しだいにアレックスがただの変わり者には思えなくなってきた。感じがよくて、教養がありそうだった。この地方にはどんな小猟獣が棲息しているのか、どんな種類のベリーが食用に適するのか、「その種のこと」について、彼はガーリエンに的確な質問をあびせた。

それでもやはり、ガーリエンは心配だった。バックパックのなかの食糧が袋入りの米十ポンドだけであることを、アレックスが認めたのだ。内陸部の苛酷な状況にたいし、彼の用具はあまりにも貧弱なようだった。四月にはまだ、内陸部は冬の雪塊氷原におおわれているのである。安物の革のハイキングブーツは防水処理もほどこされていなければ、上等な防寒靴でもなかった。ライフルは二十二口径一挺だけで、ヘラジカやカリブーのような大物を仕留めるつもりなら、口径が小さすぎて、役に立たなかった。この土地に長期滞在したければ、大物を食用にしなければならないだろう。斧《おの》も、薬も、かんじきも、コンパスももっていなかった。持ちもののなかで唯一位置確認ができるのは、ガソリンスタンドで手に入れたぼろぼろのアラスカの道路地図だけだった。

フェアバンクスから百マイルの地点で、ハイウェイは登りになり、アラスカ山脈の麓《ふもと》の丘陵地帯に入っていく。トラックがネナナ川の橋を揺れながら進んでいたとき、アレックスは急流を見おろして、自分は水を恐がっているといいだした。「一年まえにメキシコへ行き」と、彼はガーリエンに言った。「ぼくはカヌーで海に出たんだ。そして、嵐がやってきて、溺死しかけてね」

しばらくして、アレックスは粗末な地図を取りだして、鉱山の町ヒーリー近くの道路と交差する形で簡単に書きくわえられている赤い線を指さした。スタンピード・トレイルという道路だった。めったに通る者がいなくて、アラスカの道路地図にはほとんど記載されてすらいなかった。アレックスの地図には、しかし、曲がりくねった線はパークス・ハイウェイから西へ四十マイルばかりうねうねと延びていき、マッキンレー山の北の人跡未踏の荒野の真ん中で消えていた。ここへ行くつもりなんだ、とアレックスはガーリエンに言った。

　ガーリエンは、ヒッチハイカーの計画が向こう見ずに思えて、何度も思いとどまらせようとした。「奴が向かおうとしている場所では、猟がうまくできないし、何日も獲物なしではやってはいけない、と俺は言ったんだ。それでもわからないんで、熊の話をして脅かしてやろうとした。二十二口径じゃあ、たぶん、グリズリーを狂暴にさせるだけで、なんの役にも立たんだろうと言ってやった。だが、アレックスはさほど心配していないようだった。『木に登るよ』そうひとこと言っただけだ。だから、あの辺じゃあ、大木らしい大木は育たないし、熊はそんな痩せた小さな黒いトウヒなど苦もなく殴りたおしてしまうという話をしてやった。ところが、奴はいっこうに怯《ひる》まなかった。俺がなにを言おうと、奴の肚《はら》は決まっていたんだな」

　ガーリエンは途中ずっとアレックスに、このままアンカレッジまで行って、ある程度の用具を買いそろえてから、どこでもかまわないから、好きなところへもどったらどうだと言った。

「いや、とにかく、それはできない」と、アレックスは言った。「これだけの荷物で十分だよ」

狩猟許可証はもっているか、とガーリエンが聞いた。

「もってない」彼はせせら笑っていた。「どうやって食べていこうと、政府の知ったことじゃないさ。許可証なんて、まったくばかばかしいよ」

両親か友人は、なにをしようとしているか知っているのか――トラブルに見舞われて、にっちもさっちも行かなくなったときには、非常ベルを鳴らす相手が誰かいるのか、とガーリエンは聞いた。自分の計画は誰も知らないし、事実、この二年近く、家族とは話をしたことがない、とアレックスはおだやかに言った。「にっちもさっちも行かない状態におちいることなど、ぜったいにないさ」彼はガーリエンに向かって断言した。

「奴を説得して、やめさせることはとてもできなかったんだ」ガーリエンは思い出していた。「決心は固かった。まさに本気だった。興奮状態だったような気がするよ。じっとしていられなくて、あっちへ向かって出発してしまったんだな」

フェアバンクスを出てから三時間すぎたところで、ガーリエンはハイウェイを離れ、おんぼろの4WDを雪がいっぱい残っている間道のほうへ向けた。最初の数マイルは、スタンピード・トレイルもきちんと整備されていて、痩せたトウヒやポプラの木立のなかに散在する丸太小屋を越してさらに伸びていた。しかし、丸太小屋が尽きたとたん、悪路がはじまった。地面はえぐられ、ハンノキが繁茂し、でこぼこの整備の行きとどいていない道に変わったのだ。

夏でも、ここの道はひどかったにちがいないが、通行は可能だっただろう。いまは、徒歩で進むことは不可能で、半分はやわらかい春の雪だった。ハイウェイから十マイルのところで、これ以上車を走らせたら、動きがとれなくなる恐れがあると感じて、ガーリエンは低い丘のうえで車を停めた。北アメリカでもっとも高い山脈の氷でおおわれた頂上が南西の空にきらめいていた。

アレックスは腕時計と櫛《くし》と、それに八十五セントの小銭をぜひ受けとってほしいとガーリエンに言った。彼に言わせれば、それが所持金の全額だった。「そんな金なんかほしくない」とガーリエンはきっぱり言った。「腕時計はあるし」

「受けとってくれなければ、捨てることになる」アレックスは愛想よく反駁《はんばく》した。「時間なんか気にしたくないんだ。何日なのか、自分がどこにいるのかも、知りたくない。どうでもいいことさ」

アレックスがピックアップを降りるまえに、ガーリエンはシートの後ろに手を伸ばし、古いゴムの作業ブーツをとって、これをはくよう若者に勧めた。「サイズが大きすぎたんだがね」ガーリエンは思い起こしていた。「俺はこう言ってやったんだ。『ソックスは二枚はくといい。足はすこしでも暖かくして、濡らさないようにしておかなくちゃな』」

「お金はいくらだい？」

「そんな気づかいは無用だ」と、ガーリエンは言った。そして、紙に電話番号を書き、若者に渡した。アレックスはそれを丁寧にナイロンの財布にしまい込んだ。

「なにごともなくもどってきたら、電話をくれよ。ブーツをどうやって返すか、連絡してく

アラスカ、デナリ国立公園北部のスタンピード・トレイル

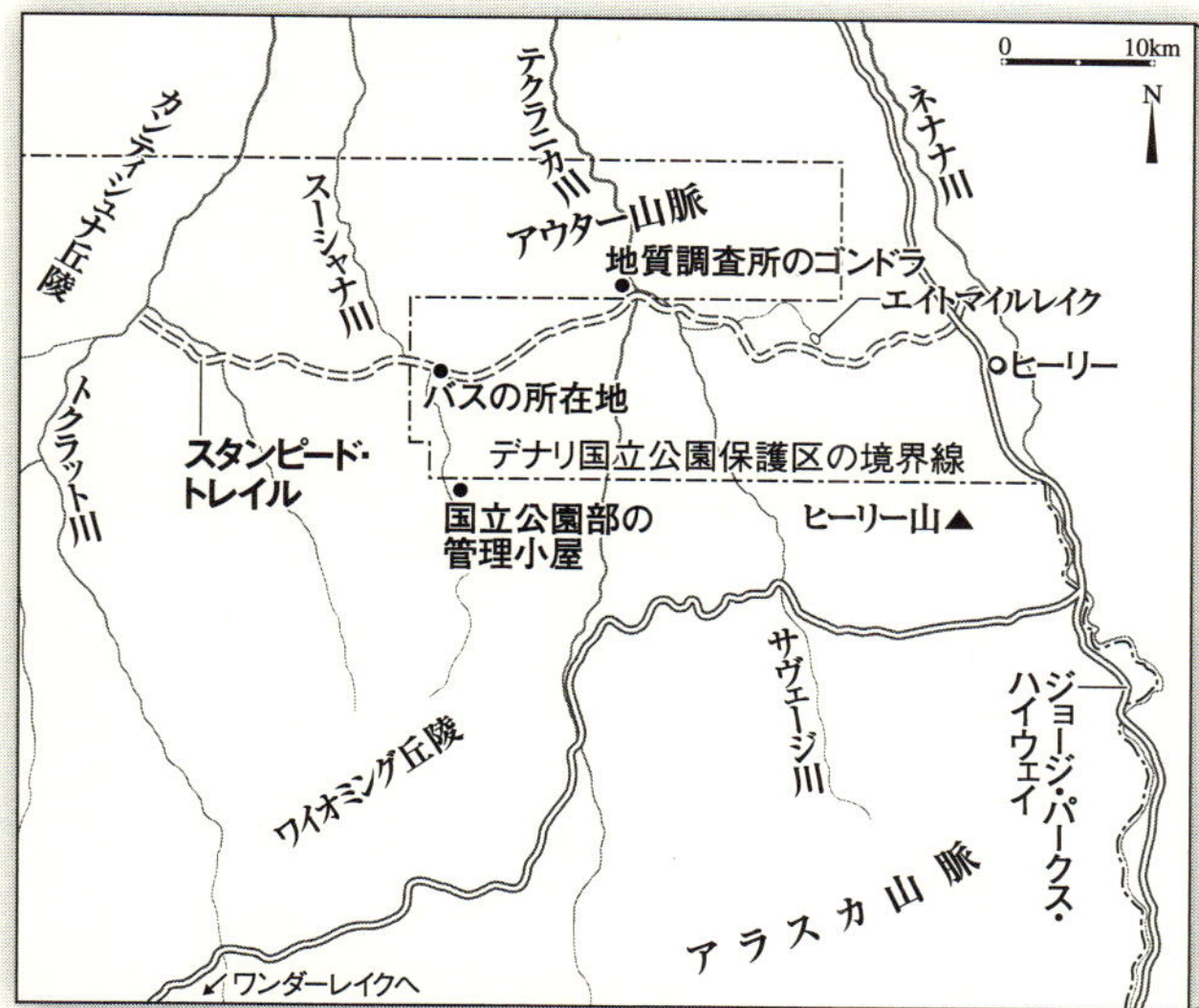
0
10km
N
カンティシュナ丘陵
スーシャナ川
テクラニカ川
アウター山脈
ネナナ川
地質調査所のゴンドラ
エイトマイルレイク
ヒーリー
バスの所在地
トクラット川
スタンピード・
トレイル
デナリ国立公園保護区の境界線
国立公園部の
管理小屋
ヒーリー山
サヴェージ川
ジョージ・パークス・
ハイウェイ
ワイオミング丘陵
アラスカ山脈
ワンダーレイクへ

れ」

ガーリエンの妻は弁当に、グリルで焼いたチーズとツナのサンドイッチ、それにコーンチップを一袋用意していた。彼は若いヒッチハイカーに食べものももっていくように言った。アレックスはバックパックからカメラを取りだし、その出発点でライフルを肩にかけ、写真を撮ってほしいと頼んだ。それから、彼はあかるく笑って、雪におおわれた道を歩いていき、姿を消した。一九九二年四月二十八日のことだった。

ガーリエンはトラックをUターンさせて、パークス・ハイウェイに引きかえし、ふたたびアンカレッジへと向かった。数マイル走り、アラスカ州警察の分署が置かれているヒーリーの小さなコミュニティーまでやってきた。ガーリエンは一瞬、車を停めて、警察にアレックスのことを話しておこうと思ったが、すぐに考えなおした。「奴なら大丈夫だろうと思ったんだ。たぶん、すぐに腹をへらして、ハイウェイに出てくるだろう。まともな人間なら、そうするに決まっている」と、彼は釈明した。

第二章　スタンピード・トレイル

ジャック・ロンドンは王様である
アレグザンダー・スーパートランプ
一九九二年五月

クリス・マッカンドレスの亡くなった現場で
発見された木片に刻まれた文字

凍りついた水路の両岸には、暗いトウヒの森があって、陰気臭かった。最近吹いた風で、木々に付着していた白い氷がはがれている。あたりがしだいに暗くなっていくなかで、木々はたがいに凭《もた》れあい、黒く不気味に見えた。広大な大地はしんと静まりかえっている。荒涼とした場所で、生きものの姿も、動くものもなく、あまりの寂しさ、あまりの寒さに、大地は悲しみにひたってさえもいられなかった。腹のなかでかすかに笑っていた。だが、それはどんな悲しみよりも恐ろしい笑い――スフィンクスの微笑と同じ陰気な笑いであり、霜のように冷たい、不可謬《ふかびゅう》性のいかめしさをわずかに含んだ笑いだった。このみごとな名状しがたい永遠の知恵は、命の虚しさと命の努力を嘲《あざけ》っていた。それが荒野、凍てついた心をもった荒涼たる北の荒野であった。

ジャック・ロンドン
『白い牙』

アラスカ山脈の北端、マッキンレー山の不格好な尾根と、下界のカンティシュナ平原のほうへ低くなっていく周辺の山々の真向かいに、アウター山脈として知られている低い山々の連なりがあり、それがベッド・メーキングされていないしわくちゃの毛布のように低地を横切って広がっている。アウター山脈のいちばん外にある、火打ち石のようなふたつの急峻な山頂と山頂の間に、谷が東西に走っている。たぶん幅五マイルはあるだろう、多くの沼沢がひとつになった湿原を、ハンノキの茂みが一面におおい、そこに丈の低いトウヒが網目を作っていた。複雑に入り組みながらなだらかに起伏している低地を蛇行しているのはスタンピード・トレイルであり、クリス・マッカンドレスが荒野へとたどっていった道である。

一九三〇年代に有名なアラスカの鉱山業者アール・ピルグリムによって切りひらかれた道で、トクラット川のクリアウォーター合流点の上流にあるスタンピード・クリークの、彼が所有権を主張していたアンチモン鉱区へとつづいていた。一九六一年に、フェアバンクスの会社、ユータン建設があたらしい州アラスカ（ちょうど二年まえに州として承認された）から道路改修と、一年中、鉱山からトラックで鉱石を運びだすことのできる道路造成の契約をかちとった。道路は奥地へ延びていき、ユータン建設はお払い箱になったバス三台を作業員宿舎用に購入し、それぞれにベッドと簡単なストーブを備えつけて、Ｄ９キャタピラーで荒野のなかへ牽引していった。

計画は一九六三年に中止になった。道路は結局、五十マイルほど造成されたが、途中にある多くの川には、一本の橋もかけられず、解けだす永久凍土と季節的な洪水で、道はたちまち不通となった。ユータン建設はバス二台をハイウェイまで運びだした。三台目のバスはハンターや罠猟師たちの奥地の避難所として、道のほぼ中間地点に残したままにしてきた。建設工事終了から三十年、路面のほとんどは土砂の流失で崩壊したり、藪《やぶ》におおわれたり、ビーバーの池になったりしていたが、バスはいまでもそこにあった。

インターナショナル・ハーベスター社の一九四〇年代もののクラシックカーである遺棄された車はヒーリーの西二十五マイルのところにあった。デナリ国立公園の境界を越えてすぐの、スタンピード・トレイル近くの開墾地の雑草のなかで、それは真黒なハエのように場ちがいな感じで錆《さ》びついていた。エンジンはなくなっていた。窓ガラスは割れていたり、完全になくなっていたりした。割れたウィスキーのビンが床に散乱している。白とグリーンのペンキはひどく酸化していた。風雨にさらされた文字によって、おんぼろバスがかつてはフェアバンクス市の交通システムのものであったことがわかる。１４２という番号の記されたバス。このごろでは、六、七か月、人がやってこないこともめずらしくないが、一九九二年九月のはじめ、三グループの六人がたまたま同じ日の午後に、人里離れた場所にあるバスを見にきたのだった。

一九八〇年、デナリ国立公園は、カンティシュナ丘陵地帯と最北端のアウター山脈のところまで広げられたが、あたらしい公園区域内にある低地は除かれていた。つまり、ウルフ・タウンシップとして知られている長い腕のような形をした土地で、スタンピード・トレイルの最初のほうの半分を取り囲んでいた。この南北七マイル東西二十マイルの地域は、三方を国立公園の保護区域に囲まれていたから、ふつうよりも多くの数の狼、熊、カリブー、ヘラジカなどの猟獣が生息していた。ハンターや罠猟師たちはそれを知っていて、その地域の秘密は誰にも口外しなかった。秋、ヘラジカ猟のシーズンになるとすぐ、数少ないハンターが例によっておんぼろバスを訪れている。それは公園の境界から二マイル以内にある、公園外区域の西端スーシャナ川のそばにあった。

アンカレッジのオート・ボディ・ショップのオーナー、ケン・トンプソン、従業員のゴードン・サメル、建設作業員で友人のファーディ・スワンソンは一九九二年九月六日に、バスをめざしてヘラジカ狩りに出発した。簡単に行ける場所ではなかった。整備された道路が終わり、そこから十マイルほど進んだところで、スタンピード・トレイルは氷礫土《ひょうれきど》で濁った冷たくて流れの速いテクラニカ川と交差していた。道は上流の狭い峡谷から川岸へくだっていく。テクラニカ川は峡谷を通るとき、はげしいうねりとなり、白濁してほとばしるのだ。この急流をまえにして、多くの人は渡るのをためらい、そこからさきへ旅するのを断念した。

　トンプソン、サメル、それにスワンソンは、しかしながら、気骨のあるアラスカの男たちであり、車が実際に行けないような場所へ入っていくのがなによりも好きだった。テクラニカ川までくると、彼らは川岸を調べて、比較的浅い水路が網目状に流れている川幅の広いところを探しあて、ただちに川のなかへと車を進めた。

「先陣をきったのは俺さ」と、トンプソンが言った。「川幅はたぶん七十五フィートはあっただろう。流れが猛烈に速かった。俺の車は４ＷＤの車高を高くしたダッジ８２で、三十八インチのタイヤをはかせていた。水は車体すれすれまできた。一か所だけ、渡れそうもないと思われるところがあった。ゴードンの車の前部に、八千ポンドのウインチが装備されていたので、こっちが沈んだら引っぱってもらえるよう、すぐ後から付いてきてもらったんだ」

　トンプソンは無事に対岸へと着き、サメルとスワンソンのトラックがそれにつづいた。二台のピックアップの荷台に載せていたのは、三輪と四輪の軽い全地勢走行車であった。彼らは大型トラックを砂利の浅瀬に停めて、全地勢走行車をおろし、小型で運転しやすいその車でバスのほうに向かった。

　川から数百ヤードのところでは、道はなくなっていて、深さが胸まであるビーバーの池がいくつも並んでいた。ためらうことなく、三人は水をせき止めている木のダムを完全に壊して、池の水を放流した。それから、車を進め、岩だらけの川床を上流へと向かい、鬱蒼《うっそう》としたハンノキの茂みをぬけた。ようやくバスのところへたどり着いたときには、午後もおそくなっていた。トンプソンの話では、彼らがそこに着いたとき、「アンカレッジからきた男と女が五十フィートさきに立って、びっくりした様子で眺めていた」という。

ふたりともバスのなかにいたのではなかったが、「内部からのひどい悪臭」に気づくことのできる近くにいた。応急で作った合図の旗――ダンサーがはいているような赤いメリヤスのレッグウォーマー――が、バスの後部ドアのそばのハンノキの枝のさきに結びつけられていた。ドアがすこし開いていて、そこに気がかりなメモがテープで貼られていたのだ。ニコライ・ゴーゴリの小説から破りとったページに手書きのきちんとしたブロック体で、こう書かれていた。

SOS。助けてほしい。怪我をしている。重傷で、ひどく弱っており、ここから脱出できないでいる。ぼくは独りぼっちです。これは悪ふざけではない。お願いだから、どうか待っていて、ぼくを助けてください。すぐ近くへベリーを採りに出かけていて、夕方にはもどってきます。よろしく、クリス・マッカンドレス。八月?

アンカレッジのカップルは意味ありげなメモと強烈な腐敗臭に気が動転し、バスの内部を調べることもできずにいた。それで、サメルが覚悟を決めて、ちょっと覗いてみた。窓ごしの一瞥《いちべつ》で目にしたのは、レミントンのライフル、プラスチックの弾薬箱、八冊か九冊のペーパーバック、数本のぼろぼろのジーンズ、調理器具、それに、高価なバックパックだった。

バスのいちばん後ろの簡易ベッドのうえに、ブルーの寝袋があり、はっきりしないけれども、なかに人かなにかが入っているようだった、とサメルは言った。

「俺は切り株のうえにのぼっていたんだ」と、サメルは話をつづけた。「それで、後部の窓からなかのほうに手を伸ばし、寝袋を揺すった。まちがいなくなにかが入っていたが、なんであれ、さほど重いものではなかった。反対側にまわって、頭が出ているのを目にするまで、それがなんであるか、はっきりとはわからなかった」クリス・マッカンドレスは死後、二週間半経っていた。

サメルは頑固一徹な男で、遺体をこのまま放置してはおけないと決心した。が、彼の走行車にも、トンプソンの走行車にも、遺体を運びだすだけの広さはなかった。とはいえ、アンカレッジのカップルの全地勢走行車にも、スペースはなかった。しばらくすると、そこに六人目の登場人物が姿を現わした。ブッチ・キリアンというヒーリーからやってきたハンターである。キリアンは水陸両用の八本タイヤの大型全地勢走行車アーゴに乗っていたから、サメルは彼に遺体の運搬を頼んだが、アラスカ州警察にまかせるべき仕事だとして、きっぱり拒否された。

炭坑労働者のキリアンは夜間、ヒーリーの自警消防団で緊急医療隊員のアルバイトをしていて、アーゴに無線をつんでいた。いまの場所からは誰とも無線交信ができずに、ハイウェイのほうへもどっていった。暗くなる直前に、五マイルほど行ったところで、ヒーリー発電所の無線通信士と連絡をとることができた。「大至急だ。こちらはブッチ。州警察を呼んでくれ。スーシャナ川近くのバスの後部に男がいる。どうやら死後しばらく経っているらしいんだ」と、彼は報告した。

翌朝の八時半、警察のヘリが騒々しい音を立てて、埃とポプラの丸まった葉っぱをはげしく舞いあがらせながら、バスの近くに着陸した。警官は犯罪の痕跡がないか、簡単にバスとその周辺を調べ、やがて出発した。警官はヘリで引きかえす際、マッカンドレスの遺体、撮影ずみのフィルム五本とカメラ、SOSをしたためたメモ、最後の数週間若者が記録していた百十三の断章におよぶ簡潔な謎めいた日記——最後の二ページに周辺の略図と食用植物のことが書かれていた日記をもっていった。

遺体はアンカレッジに運ばれ、科学犯罪捜査研究所で解剖がおこなわれた。遺体はひどく腐乱していたので、検屍官には死亡日時を特定することはできなかったが、内臓のはげしい損傷も、骨折の痕跡もないことは確認された。実際、身体に皮下脂肪がまったく残っていなかったし、筋肉も死亡まえの数日間か数週間でかなり衰弱していた。解剖時のマッカンドレスの遺体は、体重が三十キロほどだった。もっとも有力な死因として考えられたのは飢餓であった。

マッカンドレスのサインがSOSのメモの下のほうにしたためられていた。フィルムを現像してみると、自分を撮っている写真がたくさんあった。しかし、身分を証明するものがなかったので、彼が何者であるかも、どこからきたかも、あるいは、なぜここにいたかも、当局にはわからなかった。

第三章　カーシッジ

私は変化がほしかったのであり、平穏無事な生活など望んでいない。刺激と危険と、それに愛するもののために身を捨てる機会をもとめていたのだ。自分の内部には、エネルギーがありあまっていて、われわれの静かな生活には、そのはけ口がなかった。

レフ・トルストイ
『家庭の幸福』

クリス・マッカンドレスの遺体とともに発見された書物の一冊のなかで強調されていた一節。

自由気ままであることがたえずわれわれに活力をあたえてきたことは……否定すべきではない。それはわれわれの心のなかで、過去や抑圧や法律やうんざりする義務からの逃避と結びつき、絶対の自由と結びついているのだ。そして、道はつねに西部へとたどっていったのである。

ウォレス・ステグナー
『生活空間としてのアメリカ西部』

サウスダコタ州の人口二百七十四人のカーシッジは、活気のない小さな集落である。板張りの家々、こぎれいな庭、風雨にさらされたレンガ造りの店々の正面、北の広大な平原にできた貧弱な町はいまにも漂流をはじめそうだった。立派なハコヤナギの並木が碁盤目状の通りを陰でおおっている。通りを走る車はめったにない。町には、食品雑貨店も、銀行も、ガソリンスタンドも、酒場も、一軒ずつあるだけだ。そこのキャバレーで、ウェイン・ウェスターバーグはカクテルをちびちびやりながら、香りのいい葉巻を嚙み、アレックスという風変わりな若者のことを思い出していた。

ベニヤ張りの壁には、鹿の角とオールド・ミルウォーキー・ビールの広告と、それに飛翔している猟鳥のいやにセンチメンタルな絵がかけられている。オーバーオールを着て埃まみれの帽子をかぶり、炭坑労働者のように汚れた疲れきった顔をした農民たちの間から、タバコの煙が蔓《つる》のように立ちのぼっている。短いぶっきらぼうな言葉で、変わりやすい天候のことやら、雨が多すぎて、刈り取りのできない畑のヒマワリのことを心配して、騒がしくしゃべっている。頭のうえにはテレビがあり、ロス・ペローの皮肉な笑みをうかべた顔が音声の聞こえないテレビ画面にちらついていた。八日後には、国民はビル・クリントンを大統領に選ぶだろう。クリス・マッカンドレスの遺体がアラスカで発見されてから、そろそろ二か月が過ぎようとしていた。

「こいつはアレックスがいつも飲んでいたやつさ」ウェスターバーグは眉間《みけん》にしわを寄せて、ホワイト・ラッシャンのなかの氷をかき回しながら言った。「奴はいつもカウンターの端に腰かけて、そういったおもしろい旅の話をよく聞かせてくれたよ。何時間でもしゃべっていた。アレックスはこの町の連中の多くに好かれていたんだ。奴の身に起こったことは、思いがけない不運みたいなものだ」

ウェスターバーグは活動的な男で、肩は分厚く、黒いやぎひげをたくわえていた。彼は大穀物倉庫をカーシッジと、ほかにも町から数マイル離れたところに所有していたが、毎年夏には、コンバインの作業員たちを差配し、テキサス北部からカナダ国境まで収穫期を追って、請け負った刈り入れの仕事をして過ごしていた。一九九〇年の秋、クアーズ社とアンホイザーブッシュ社から依頼された刈り入れをなんとかすませ、中北部のモンタナでシーズンを終えた。九月十日の午後、彼は具合の悪いコンバインの部品をいくつか買いこみ、車でカットバンクを出発すると、ヒッチハイカーがいたので、道路わきに車を寄せた。愛想のいい若者で、アレックス・マッカンドレスと名乗った。

マッカンドレスは小柄だったが、身体つきは移動労働者のように筋骨たくましかった。目がどことなく印象的だった。感情に訴えてくる暗い目をしていて、多少エキゾチックな血筋をうけついでいることがうかがえた——たぶん、ギリシア人か、オジブウェー族の血筋だろう。見るからにひ弱そうで、ウェスターバーグは若者を庇護してやりたくなった。繊細な整った顔をしていて、きっと女たちからおおいにもてたにちがいない、とウェスターバーグは思った。若者の顔は不思議な伸縮性があり、一瞬締まりがなくなって、無表情になったかと思うと、とつぜん顔をゆがめ、大口をあけて、わざとらしく大仰《おおぎょう》に笑い、顔をくしゃくしゃにしながら、不様《ぶざま》な大きい歯を口いっぱいに剝《む》きだした。彼は近視で、スチール・フレームの眼鏡をかけていた。腹をへらしているようだった。

マッカンドレスを乗せて十分後、ウェスターバーグはエスリッジの町で車を停め、友人に包みを届けた。「そこで、ふたりにビールが出されたんだ」と、ウェスターバーグは言った。「どれくらいの間食事をしてないんだと聞かれて、アレックスは二日間食べていないことを認めた。ほとんど一文無しだと言った」それをたまたま耳にした友人の妻がご馳走をつくってあげると言ってくれた。アレックスはそれをがつがつ食べて、テーブルのところで眠りこんだ。

マッカンドレスがめざしていたのは合衆国ハイウェイ2号の二百四十マイル東にあるサコ・ホット・スプリングズだ、とウェスターバーグは聞いていた。何人かの「タイヤの放浪者」(つまり、車をもった放浪者で、自分の乗り物がなくて、そのために、ヒッチハイクか徒歩旅行を余儀なくされている『靴の放浪者』とはちがうのだ)から聞いた場所である。乗せていってやれるのは十マイルだけだ、とウェスターバーグはそのとき言った。そこで北へカーブして、サンバーストへ向かうからだった。いま刈り入れをしている畑のそばに、トレイラーが置いてあったのである。マッカンドレスを降ろそうとして、車を路肩のほうへ寄せたときには、夜の十時半になっていて、はげしい雨が降っていた。「こいつぁ弱った」と、ウェスターバーグが言った。「このどしゃ降りのなかに置いてはいけないな。おまえは寝袋をもっている。サンバーストまで行って、トレイラーに泊まったらどうだ？」

マッカンドレスは三日間、ウェスターバーグのところに厄介になり、毎朝、作業員たちといっしょに車で出かけた。彼らはブロンド色に実った広大な穀物畑で鈍重な機械を操縦していたのだった。マッカンドレスが出ていくまえに、ウェスターバーグは、もし仕事がほしかったら、カーシッジの自分のところへもどってくるようにと話していた。

「ほんの二週間ほどして、アレックスが町に現われたんだ」ウェスターバーグは記憶を探っている。彼はマッカンドレスを大穀物倉庫に雇い入れ、所有している二棟の家のうちの安い間代の部屋に住まわせた。

「この数年間、おおぜいのヒッチハイカーに仕事を世話してやったんだ」と、ウェスターバーグは言った。「大半はろくな奴らじゃなかった。実際、働く気がないんだ。が、アレックスはべつだった。あんなによく働く男は見たことがない。どんな仕事だろうと、やりとげた。穴の底から腐った穀物や死んだネズミを取りのぞく、きつい肉体労働でも。真っ黒になるんで、一日の仕事が終わったときには、誰が誰なのかわからなくなるような仕事なんだ。奴はなにごとも途中で放りだすことはなかった。仕事をはじめたら、最後までやりとげた。奴には、それが道徳みたいなものだったんだ。いわゆる極端なほど道徳的だった。自分にたいしてはかなり高い基準を設けていた。アレックスが頭がいいことはすぐにわかったよ」

ウェスターバーグは三杯目をぐっと飲みほして考えている。「本をたくさん読んでいたし。難しいことをしゃべっていたな。たぶん、トラブルに巻きこまれたのも、物事をつきつめて考えすぎたのが原因のひとつだろうと思う。ときに深刻に考えすぎるために、世間のことも、人間がなぜこうも仲が悪いのかも、理解することができなかったんだ。俺はそんなくだらないことに深入りしすぎるのはまちがいだと二度言ってやったが、アレックスはなにごとにも真剣だった。ぜったいに正しい答えが得られなければ、どうしても気がすまなくて、それが得られてからでないと、つぎのことには進めなかった」

税金の申告書類を見たウェスターバーグは、マッカンドレスの本名がアレックスではなくクリスであることに気づいていた。「改名したわけは、話しちゃいなかった」ウェスターバーグはつづけた。「奴の口ぶりから、家族とはなにかうまくいかないことがあるんだなと思ったよ。だが、ひとの事情に首を突っこむのは好きじゃないから、とくに尋ねはしなかった」

親兄弟との仲がうまくいっていない、とマッカンドレスが感じていたとすれば、ウェスターバーグとその従業員たちが、彼にとっては家族みたいなものだったのである。従業員の大半はカーシッジにあるウェスターバーグの家に住んでいた。町の中心部から数ブロック離れているその家は、シンプルな二階建てのアン女王様式のヴィクトリア風建物で、表の庭には大きなハコヤナギがそびえていた。暮らしぶりは自由で、人情味があった。四、五人の同居人がおたがいに交代で食事をつくり、いっしょに酒を飲みに出かけたり、女を追いかけたりしていた。うまくいった例はなかったが。

マッカンドレスはたちまちカーシッジが気に入った。落ち着いた地域社会も、庶民的な美徳も、それに気どらない態度も、好感がもてた。そこは、逆に渦まいて、主流に引きこまれずに漂流物がよどむ場所であって、それが彼にはぴったり合っていた。その年の秋、彼は、町ともウェイン・ウェスターバーグとも付き合いを深めて、末長い縁ができた。

現在三十代半ばのウェスターバーグは、養父母の子どもとしてカーシッジへつれてこられたのだった。彼は平原のルネッサンス的教養人であり、農民、溶接工、ビジネスマン、機械工、一流の修理工、商品相場師、ライセンスをもったパイロット、コンピュータ・プログラマー、電子機器とビデオゲームの修理工でもあるのだ。ところが、マッカンドレスと出会って間もなく、その才能のせいで、彼は法律に触れることになった。

ウェスターバーグは、「ブラックボックス」の製作・販売の計画にかかわることになったのだった。それは違法にテレビの衛星放送の暗号を解読し、暗号化された有料のテレビ番組を無料で観ることができる装置である。ＦＢＩはその噂をキャッチして、おとり捜査を入念に計画し、ウェスターバーグを逮捕した。彼は罪を深く悔いて、起訴事実を認め、マッカンドレスがカーシッジにやってきた約二週間後の一九九〇年十月十日から、スーフォールズで四か月の刑に服すことになった。ウェスターバーグが服役中だったので、マッカンドレスには大穀物倉庫での仕事がなかった。それで、十月二十三日、べつのところで働くよりも、若者は町を出て、ふたたび放浪の生活をはじめたのだった。

しかし、カーシッジにたいするマッカンドレスの愛着はあいかわらず強かった。出ていくまえに、大事にしていたトルストイの『戦争と平和』一九四二年版をウェスターバーグに贈った。題扉には、「アレグザンダーからウェイン・ウェスターバーグへ譲る。一九九〇年十月。ピエールの言葉に耳を傾けてほしい（後者は、トルストイの思想の主唱者であり、彼の分身のピエール・ベズウーホフである――利他的、思索的な人物で、私生児として生まれた）」と記されていた。マッカンドレスは西へ放浪しながら、ウェスターバーグとは連絡をとっていて、毎月ないしひと月置きに、電話をかけるか、手紙を書いた。手紙はすべてウェスターバーグ宛てで、それ以来、彼は知り合いとなったほとんどの人に、サウスダコタが故郷であると話していた。

実際には、マッカンドレスはヴァージニア州アナンデール近郊のかなり裕福な中流上層階級で育った。父のウォルトは著名な航空宇宙エンジニアで、一九六〇年代から七〇年代にかけてNASAとヒューズ航空機に勤めている間に、スペースシャトルの新型レーダーシステムや、いくつか注目すべき計画を立案した。一九七八年、ウォルトは自ら実業界に飛びこんで、コンサルティング会社ユーザー・システムズを興し、小規模ながらも、結局は成功をおさめた。新規事業の協力者は、クリスの母のビリーだった。一家は大家族で、八人の子どもがいた。クリスときわめて親しかった妹のカリーン、それに、ウォルトが最初の結婚でもうけた三人の兄弟と三人の姉妹である。

一九九〇年五月、クリスはアトランタのエモリー大学を卒業した。大学では、学生新聞〈エモリー・ホイール〉のコラムニストや論説委員をつとめ、歴史学と人類学専攻学生として学業平均点三・七二をとって、名を知られていた。ファイベータカッパ（成績優秀な学生からなるアメリカ最古の学生友愛会）の会員にも選ばれたが、肩書と名誉は無意味だとして固辞した。

最後の二年間の学費は、一家の友人から相続した四万ドルの遺産から支払われた。卒業したときには、それが二万四千ドル以上残った。その分はロー・スクールの学資に使うつもりでいるのだろうと、両親は思っていた。「息子を誤解してましたよ」と、父親は認めている。クリスの学位授与式に参列するために、ウォルト、ビリー、カリーンが飛行機でアトランタに着いたとき、クリスが近いうちに学資を全額、飢餓と闘っている慈善団体オックスファム・アメリカに寄付するつもりでいることは、家族も、誰も知らなかった。

卒業式は五月十二日の土曜日だった。家族たちは労働省長官エリザベス・ドールの延々とつづく式辞に最後までじっと耳を傾けていた。そのあとビリーは、クリスが卒業証書を受けとるために笑顔を見せながら、ステージのうえをやってくるところをスナップ写真に撮った。

翌日は母の日であった。クリスはビリーにキャンディと花とセンチメンタルな言葉をしたためたカードを贈った。彼女は驚き、ひどく感激した。この二年以上、息子からプレゼントをもらったことなどなかったのだ。今後はもうプレゼントはしないことにするし、もらわないことに決めた、と両親に宣言していたからである。事実、ついこの間も、ウォルトとビリーが卒業プレゼントに新車を買ってやろうと言ったり、残りの学資でロー・スクールの学費が足りなければ、援助してやろうと口にしたりしたことを、クリスはきびしく批判していた。

自分はすでに実にすばらしい車をもっている、というのが彼の言い分だった。一九八二年型のダットサンB210という愛車で、多少傷はあるものの、エンジンはなんの不具合もなくて、走行距離は十二万八千マイルだった。「両親が車を買ってくれようとしたことが、ぼくには信じられない」と、彼は後にカリーン宛ての手紙に書いている。

あるいは、ロー・スクールに進学するにしても、ぼくが実際に学費を出してもらうと両親はほんとうに思っていたのだろうか……自分には世界一すばらしい車があると口が酸《す》っぱくなるほど言ったのだ。マイアミからアラスカまで大陸を走破した車であり、これほど長い距離を走っても、故障ひとつしなかった車なのである。下取りに出す気はまったくないし、ぼくはこの車に強い愛着をもっている――いまだに、両親はぼくの言葉を無視して、新車を実際に受けとると思っているのだ！　これからも、両親からはぜったいにプレゼントなどもらわぬようくれぐれも気をつけなければならない。金を出せば尊敬される、と両親に思われてしまうからだ。

クリスはハイスクールの三年のとき、黄色い中古のダットサンを買った。その後、何年間か、学校の休暇には、それに乗って、長期のひとり旅に出ることにしていた。卒業式のあったその週末に、彼は間もなくやってくる夏にはやはり車で旅行をしてまわるつもりだとそれとなく両親に話しておいた。正確には、「しばらく姿を消すことになると思う」と言ったのである。

そのときは、その話を聞いても、両親はなにも感じなかった。ただ、ウォルトは息子におだやかな調子で「いいかい、旅行に出るまえに、きっと会いにきてくれよ」と念を押しておいた。クリスは微笑して、かすかにうなずいた。それで、ウォルトとビリーは息子が夏にアナンデールの家に帰ってくることを承知したと思った。そのあとで、彼らは別れの挨拶をした。

六月の終わりごろ、クリスはまだアトランタにいて、最終学年の成績表のコピーを両親に郵送した。アパルトヘイトと南アフリカ社会と人類学思想史、A。現代アフリカ政治とアフリカの食糧危機、Aマイナス。短いメモが貼付されていた。

これは、ぼくの最後の成績証明書のコピーです。成績はかなりいいほうです。最終的に高い平均点がとれました。

写真、ひげ剃り用具、パリからのハガキ、どうもありがとう。ほんとうに旅を堪能されたようですね。楽しいことがたくさんあったでしょう。

ぼくはロイド（エモリー大学におけるクリスの親友）に写真をあげました。彼はとても喜んでいました。卒業証書を渡されたときの写真をもっていなかったのです。

ほかにべつに変わったことはありませんが、ここはほんとうに暑くなり、むしむししはじめました。皆さんによろしく。

クリスから家族に宛てた便りは、これが最後であった。

アトランタにおけるその最後の年、クリスはキャンパスを出て、家具つきの修道院のような部屋に住んでいた。家具といっても、床に敷かれた薄いマットレスと牛乳かごとテーブルがあるだけだったが。部屋は兵舎のようにきちんと整頓され、塵《ちり》ひとつなかった。電話が引かれていなかったので、ウォルトとビリーには電話がかけられなかった。

一九九〇年八月はじめに、手紙で成績を知らせてきたっきり、それ以後、息子からはなんの便りもなかったので、両親は車でアトランタへ訪ねていくことにした。アパートに着いたときには、部屋はからっぽで、窓に貸室の貼紙がされていた。管理人の話によると、六月の末に引っ越したとのことだった。ウォルトとビリーは帰宅したが、夏に息子へ送った手紙が束になって、そっくりもどってきていた。「クリスは郵便局に頼んで、八月一日までそれを保管しておいてもらっていたんです。そういうわけで、もちろん、息子の身になにがあったか、わたしたちは知ることができませんでした」と、ビリーが言った。「だから、よけいに心配でたまらなかったんです」

そのころには、クリスは遠くへ立ち去っていたのだ。五週間まえに、持ちものをすべて小型自動車に積みこみ、なんの計画も立てずに西へ向かった。それは文字どおり長期にわたる放浪の旅、なにもかも変えてしまう叙事詩的な旅になったのである。彼は、それを予知していたように、ばかばかしい面倒な義務を果たす覚悟をきめてこの四年間を過ごしてきたのだった。つまり、大学を卒業することである。ようやく邪魔なものはなくなり、両親や仲間の窮屈な世界から自由になり、抽象と安全と物過剰の世界からも、生のみずみずしい感動とは残念ながら無縁だと感じていた世界からも自由になったのだ。

彼はアトランタから車で西へ向かい、自分のためにまったくあたらしい生活、濾過《ろか》されていない経験を思いのままに味わえる生活を組み立てるつもりでいた。以前の生活にきっぱり訣別する象徴として、彼は名前も変えた。もはやクリス・マッカンドレスと呼ばれても、返事をする気はなかった。いまでは、アレグザンダー・スーパートランプであり、自分の運命は自分で決めることができた。

第四章　ディトライトゥル・ウォシュ

砂漠はそこにあるすべてのものを曝《さら》けだしていて、発生論的・生理学的には異質であり、感覚的には苛酷であり、審美的には抽象的であり、歴史的には人間に敵対するものである……その姿は大胆で、暗示的である。その精神は、光と、空間と、乾燥や高温や風という身体に訴えかける新奇さに満ちみちている。空は砂漠を取り囲み、荘厳で、恐ろしい。ほかの場所では、地平線上の空は縁が乱れているか、不明瞭である。ここでは、頭上の空もそうだが、なだらかに起伏している田園や森林地帯の空よりもはるかに広い……さえぎるもののない空では、雲はいっそうの重圧感をもち、ときには、下側の凹みは、地球と同じ壮大なカーブを描いている。無骨な砂漠の地形は土地ばかりでなく、雲にもとほうもない建築の作り方を教えている……。

砂漠へ行くがいい、預言者と隠者たちよ。砂漠を通って行くがいい、巡礼者と亡命者たちよ。ここで、偉大な宗教指導者たちは、逃避のためではなく、真実を見つけようとして、隠遁の治療的・精神的な価値をもとめたのである。

ポール・シェパード
『風景のなかの人間、自然の美学の歴史的考察』

小さい丸形のポピー、アルクトメコン・カリフォルニカは、モハーヴェ砂漠の隔絶した人目につかない場所にだけ見られる野生の花で、世界中ほかのどこにもなかった。春の終わりごろに、短い間、それは優雅な金色の花を咲かせるけれども、一年の大半は、焼けつく大地に慎ましくひっそりと群生している。アルクトメコン・カリフォルニカはきわめてめずらしい植物であり、絶滅の危機に瀕している種とされてきた。マッカンドレスがアトランタを離れてから三か月以上経った一九九〇年十月、この植物がどれほど貴重なものであるか、連邦政府に実情を報告するために、国立公園部のレーンジャー、バド・ウォルシュは小さい丸形ポピーの数を調べに、ミード湖のレクリエーション地域の未開拓地へ派遣された。

アルクトメコン・カリフォルニカは、ミード湖の南岸沿いに豊富にある石膏《せっこう》質状の土壌でしか育たないのだ。したがって、そこでの植物の調査のために、ウォルシュはレーンジャーのチームをつれていったのである。一行はテンプルバー道路をはずれて、道のないディトライトゥル・ウォシュを二マイル走り、湖岸近くにトラックを停めて、急勾配の東側の土手、崩れやすい白い石膏質の斜面をよじ登りはじめた。数分後、土手のうえ近くまできたところで、レーンジャーのひとりがひと息入れようと登るのをやめ、たまたま下の川床にちらっと視線をやった。「おーい！　下を見ろよ、あそこだ！」と、彼は叫んだ。「あれはなんだ？」

乾いた川床の端のほう、車を停めた場所から遠くない塩生《えんせい》低木の茂みのなかに、茶色の防水シートがかぶせられている大きいものがあった。レーンジャーたちが防水シートを引きはがすと、そこにあったのはナンバープレートをはずされた古い黄色いダットサンだった。フロントガラスに貼られたメモに、こう書かれていた。「これは廃棄物です。勝手にもちだして、自分のものにしてもかまいません」

ドアはロックされていなかった。あきらかに最近鉄砲水が出たらしく、床は泥だらけだった。ウォルシュがなかを覗くと、ジャニーニ社製のギター、四ドル九十三セントの小銭が入っているシチュー鍋、アメリカンフットボールのボール、古着でいっぱいのゴミ袋、釣り竿と釣り道具、新品の電気カミソリ、ハーモニカ、ブースターコード、十一キロの米が目にとまり、グローブボックスには、車のイグニッションキーがあった。

レーンジャーたちは、ウォルシュの言葉によれば「なにか怪しいもの」はないか、あたりを調べてまわり、しばらくしてからその場を離れた。五日後、べつのレーンジャーがふたたび廃棄されている車のところへ赴《おもむ》き、押しがけで簡単にエンジンを始動させることに成功し、そこを出て、テンプルバーの国立公園部の整備工場へもっていった。「時速六十マイルでもどってきたんだ」ウォルシュの記憶はしっかりしていた。「聞いたところによると、車はチャンピオンのように走ったそうだ」車の所有者を特定しようとして、レーンジャーたちは関係各機関にテレタイプで問い合わせ、ダットサンの自動車登録番号がなんらかの犯罪と関わりがないか、アメリカ南西部全域のコンピュータのデータを詳細に検索した。なにひとつ発見されなかった。

ただちにレーンジャーたちは、車の製造番号から最初の所有者がハーツ社であることを突きとめた。ハーツ社の話では、ずっとまえに中古車として売りはらったもので、それを引きとる気はないと言った。「ところが！　これがすごいんだ！」ウォルシュは考えこんで思い出している。「道路に乗りすてられたこういう車は、麻薬取締りの重要なおとり捜査車になるんだよ」実際、そうだったのである。その後三年間、公園部はダットサンを麻薬売買のおとり捜査車として使い、犯罪の温床になっている国立レクリエーション地域で多くの人間を逮捕することができ、そのなかにブルヘッドシティ近くのハウストレイラー駐車場を根城に大量のヒロポンをさばいていた売人《ばいにん》もまじっていた。

「いまでも、あのオンボロ車はけっこう役に立ってるんだ」ウォルシュはダットサンを発見したあとの二年半を得意げにしゃべった。「ガソリンを数ドル分入れたら、一日中走れるだろう。ほんとうにしっかりした車だ。なぜあれに乗っていく奴が現われなかったか、不思議だよ」

ダットサンは、もちろん、クリス・マッカンドレスのものだった。アトランタを出て、車で西へ向かい、めまいがするようなエマーソンの丘を越え、六月六日には、ミード湖国立レクリエーション地域に着いた。オフ・ロードのドライブ禁止の標識を無視し、マッカンドレスは広い砂地の川床と交差しているところで車道をはずれ、ダットサンを進めた。そして、湖の南岸まで川床を二マイル走った。気温は摂氏四十八度。なにもない荒地は炎熱のなかで輝きながら、遠くまで広がっていた。あたりには、サボテンやセージ、それにちょこちょことコミカルに走るエリマキトカゲがいて、マッカンドレスはギョリュウのわずかな日陰にテントを張り、あらたに手に入れた自由を満喫した。

ディトライトゥル・ウォシュはミード湖からキングマンの北の山地へと五マイルほどつづいていて、地域のかなりの部分の排水をしている。一年のほとんどの期間、川床はチョークのように干あがっているのである。しかし、夏の数か月間は、熱せられた空気が焼けた大地から沸騰したヤカンの底の泡のように立ちのぼり、はげしい対流を起こしながら、空へと急上昇していく。上昇気流はしばしば、力強い、鉄床《かなとこ》型の入道雲となって、モハーヴェ砂漠の上空すくなくとも三万フィートの高さにまで上昇することがある。マッカンドレスがミード湖のそばにテントを張ってから二日後、異常に発達した入道雲が午後の空にそびえたち、ディトライトゥル・ヴァリーのほぼ全域にはげしい雨を降らせはじめた。

マッカンドレスは中心の川床より二フィートは高い、川の端のほうにテントを張っていた。だから、褐色の鉄砲水が高地からどっと流れくだってきても、テントや持ちものをまとめ、押し流されもせずに助かるだけの時間は十分あった。しかし、車を移動させる場所はどこにもなかった。唯一の逃げ道はそのとき、完全に泡立つ川と化していたのである。結局、鉄砲水は車を流しさる力も、それ以上のダメージをあたえる力もなかった。だが、エンジンが水をかぶってしまっていた。そのために、マッカンドレスがそのあとすぐに車をスタートさせようとしても、エンジンがかからなかった。苛立って、彼はバッテリーを使いきってしまった。

バッテリーがあがってしまったので、ダットサンは動かしようがなかった。車を舗装道路にもどしたければ、徒歩でそこを出て、当局に窮状を訴えるしかなかった。ところが、レーンジャーのところに駆けこめば、面倒な質問をされるだろう。まず、なぜ標識を無視して、車で川床を走ったのか？　車の登録が二年まえに切れていて、更新されていないことには気づいていたのか？　運転免許証もやはり期限が切れていて、車も保険に入っていなかったことは知っていたのか？

これらの質問にたいして正直に答えても、レーンジャーたちにはわかってもらえそうもなかった。マッカンドレスはもっと高次の法律に従ったのであり、ヘンリー・デイヴィッド・ソローの現代の支持者として、「公民の不服従の義務について」のエッセイをぜったいに正しいと思っていたから、州法を軽んじるのを道徳的な義務と見なしていたのである。それは説明しても説明しきれるものではなかった。連邦政府の役人たちは、彼の考え方に理解を示してくれそうもなかった。官僚的形式主義の藪《やぶ》を突破することは無理で、罰金を支払わされるだろう。おそらく、両親にも連絡されるにちがいない。だが、そのような腹立たしい思いをしないでもすむ手立てはあった。ダットサンを乗りすて、徒歩による冒険旅行にもどるだけでいいのだ。彼はそうしようと決心した。

この予期せぬ事態の展開に気落ちするどころか、マッカンドレスは意気盛んだった。鉄砲水は、不要な荷物を捨てるのにちょうどいい機会だと思った。車に茶色の防水シートをできるだけ丁寧にかけて、ヴァージニア州のナンバープレートをはずして隠した。鹿狩り用のウインチェスター銃とほかのいくつかの持ちものは、いずれ必要になるときがあるかもしれないので、掘りだせるように埋めた。それから、ソローとトルストイのふたりに褒《ほ》めてもらえるような態度で、彼は砂地のうえに紙幣をすべて積みかさねて――一ドルと五ドルと二十ドル紙幣の哀れなほどわずかな山――火をつけた。法貨百二十三ドルはたちまち煙となり、灰と化した。

紙幣を燃やしたことも、その後の出来事も、マッカンドレスは日記付きのスナップ写真アルバムに詳細に記録していて、アラスカへ発つまえにウェイン・ウェスターバーグにそれを預けていったから、こうしたことはなにもかもわかっているのである。大げさな自意識過剰の口調と三人称で書かれている日記は、往々にしてメロドラマ調になる傾向があったにもかかわらず、役に立つ証言であり、それによって、マッカンドレスが事実をいい加減に書いていないことがわかる。真実を語ることを、彼は真面目に自らの信条としていたのだ。

わずかに残った持ちものをバックパックにつめ、マッカンドレスは七月十日に出発して、ミード湖を徒歩でまわった。日記によれば、これが結局、「とんでもないまちがいだったことになる……七月の気温は、ひどいときには、おそろしく高くなるのだ」彼は熱射病にかかり、ボート遊びでそこを通りかかった連中に合図して、なんとか停止させ、湖の西端近くにあるマリーナ、コールヴィル・ベイまで乗せていってもらった。そこで、彼は親指を突き立てて、旅に出ていった。

その後、二か月間、マッカンドレスは西部を放浪してまわり、雄大で圧倒的な景色に魅せられ、軽い違法行為のスリルを味わい、ときには途中で出会ったほかの放浪者たちとの交友を楽しんだ。環境に合わせて暮らしぶりを変えながら、彼はタホー湖までヒッチハイクし、シエラネヴァダへと徒歩で入っていった。そして、北へ向かって、一週間パシフィック・クレスト・トレイルを歩き、そのあと、山脈から出てきて、舗装道路にもどった。

七月末に、マッカンドレスはクレイジー・アーニーという男の車に乗せてもらい、カリフォルニア北部の牧場で働かないかと誘われた。牧場の写真が何枚かあり、ペンキの塗られていない荒れはてた建物が写っていた。建物のまわりには、山羊やにわとりや、ベッドスプリング、壊れたテレビ、ショッピングカート、古い電気器具、それにあちこちにゴミの山があった。そこで十一日間、ほかの六人の放浪者たちといっしょに働いたが、アーニーがびた一文払う気のないことがわかった。それで、裏庭に散乱しているもののなかから十段変速の赤い自転車を失敬して、そいつでチコまで行き、ショッピングセンターの駐車場に乗り捨てた。それから、一か所にとどまらない生活をふたたびはじめ、親指を北や西に向けて、車に乗せてもらい、レッドブラッフ、ウィーヴァーヴィル、ウィロー・クリークを通りすぎた。

カリフォルニアのアーカタでは、太平洋岸の雨しずくの垂れているセコイアの森のなかで、合衆国ハイウェイ101号のほうへと右折し、海岸を北に向かった。オレゴン街道の南六十マイルのオリック・タウン近くで、古いヴァンで放浪しているカップルが地図を調べようと車を道路わきに寄せたとき、道端の茂みにうずくまっている若者に気づいた。「長めの半ズボンをはき、ほんとうに妙な帽子をかぶってたわ」と、ジャン・バーレスは言っている。観光目的で放浪している四十一歳の女性で、ボーイフレンドのボブと西部を旅しながら、フリーマーケットや不用品交換会でアクセサリーを売っていた。「彼は植物図鑑を手にして、それを見ながら、ベリーを摘んで、上部をカットした大きなミルク差しに集めていた。それがひどく哀れに見えたのよ。で、声をかけたの。『ねえ、車に乗せてもらいたいんでしょ？』わたしはなにか食べものをあげてもいいと思っていた。

話をしたんだけど、感じのいい青年だったわ。名前はアレックスと言っていた。ひどくお腹をすかせていてね。それはもうぺこぺこの状態だったの。でも、とても幸せそうだった。図鑑で調べて、食べられる植物でなんとか命をつないできたと話していたわ。実に誇らしげだった。地方を放浪して、昔風の大冒険をしていたらしいけど。車を捨て、所持金もすべて燃やしたという話をしていたわ。『どうしてそんなことをしたの？』と聞くと、お金なんか必要ないと言ってね。わたしにも、アレックスと同い歳の息子がいる。ここ数年、疎遠になっているんだけど。それで、わたしはボブに言ったの。『ねえ、この青年をいっしょにつれていくわよ。彼にいろいろ教えてやって』アレックスは車に乗りこみ、わたしたちが滞在することにしていたオリック・ビーチへ行き、一週間いっしょにキャンプをした。ほんとうに好青年だったわ。わたしたちは彼のことをすばらしい人だと思っていた。別れるときは、もうこれっきり便りもくれないと思っていたけど、ずっと連絡を忘れずにいてくれてね。その後二年間、アレックスはひと月かふた月に一度はかならずハガキをくれたわ」

マッカンドレスはオリックから海岸沿いに北へ旅をつづけた。ピストル川、クーズ湾、シール・ロック、マンザニータ、アストリア、ホウクイアム、ハンチュリップス、クイーツ、フォークス、ポート・アンジェルス、ポート・タウンゼンド、シアトルを通過した。ジェームズ・ジョイスが若い芸術家スティーヴン・ディーダラスについて書いたように、「彼は孤独だった」。「誰にも顧みられることなく、幸福で、しかも、生命の野性的な中心部の近くにいた。孤独で、若くて、気ままで、野性の心をもっていた。はげしい風や半塩水や、貝や、海藻などの海の幸や、ヴェールをかけたような灰色の陽の光にたっぷり恵まれながら、孤独だった」

八月十日、ジャン・バーレスとボブのふたりに出会うすこしまえに、マッカンドレスはウイロー・クリーク近くの、ユーレカの東にある金採鉱地域でヒッチハイクをしていて、違反切符を切られた。なんの違反かはっきりしないまま、捕まった警官に本籍地を聞かれて、アナンデールの両親の住所をしゃべってしまった。罰金未納の違反切符は、八月末にウォルトとビリーの郵便受けに届けられた。

ウォルトとビリーは、クリスが姿を消したことをひどく心配していて、すでにそれまでにアナンデール警察に捜索願いを出していたが、警察はなんの対応もしていなかった。カリフォルニアから違反切符が届いたとき、彼らは周章狼狽した。隣人に国防情報局の長官がいて、ウォルトは陸軍将官のこの人物を訪ねて、相談した。将官はピーター・カリッカという私立探偵を紹介してくれた。彼は国防情報局とも中央情報局とも、仕事の契約をしていた。優秀な男ですよ、クリスがそこにいれば、きっと見つけてくれるでしょう、と将官はウォルトに保証した。

カリッカはウィロー・クリークの違反切符をとっかかりにして徹底的な捜索をはじめ、手がかりを追って、はるか遠くのヨーロッパや南アフリカにまで出かけていった。その努力の甲斐もなく、なにひとつ明らかにはならなかった。十二月に入ってようやく、彼は税の記録簿を閲覧して、クリスが学資を慈善団体のオックスファムに寄付していた事実を突きとめた。「それにはほんとうに驚きましたよ」と、ウォルトは言った。「それまで、クリスがなにをしていたか、まったく知らなくてね。ヒッチハイクの違反切符については、わけがわかりませんでしたよ。息子はダットサンがとても気に入っていたから、車を捨てて、徒歩で旅行しているなんて信じられなかった。けれども、振りかえってみて、べつにびっくりするほどのことではないのかもしれない。クリスは全力疾走で背負って運べるもの以外、なにも所持すべきではないという主義でしたからね」

カリッカがカリフォルニアでクリスの手がかりを探していたとき、マッカンドレスはすでに遠くにいて、東へヒッチハイクをし、カスケード山脈、ヤマヨモギの高地やコロンビア川流域の溶岩盆地、アイダホ州のなかで他州に細長く入りこんでいる地域を横断して、モンタナに入っていた。そこの、カットバンクの郊外で、彼はたまたまウェイン・ウェスターバーグと出会い、カーシッジの彼のところで九月末まで働いていたのである。ウェスターバーグが刑務所に収監されたとき、仕事は休業状態になり、冬が近づいてきたので、マッカンドレスは暖かい地方をめざした。

十月二十八日には、長距離トラックに乗せてもらい、カリフォルニアのニードルズに入った。「コロラド川に着いて、おおいに喜ぶ」と、マッカンドレスは日記に書いている。それから、ハイウェイを離れ、南へ向かって歩きだし、荒地を通りぬけ、川岸をたどっていった。十二マイル歩いて、アリゾナ州トポックに着いた。州間ハイウェイ40号沿いの途中にあるつまらない町で、フリーウェイはそこでカリフォルニアの州境を越えていく。町にいる間、彼は中古のアルミ製のカヌーが売りに出されているのを見つけ、衝動的にそれを買いこみ、メキシコとの国境を越えて南に四百マイル近くを櫂《かい》で漕いでカリフォルニア湾までコロラド川をくだる決心をした。

トポックからはほぼ二百五十マイル上流のグランドキャニオンでは、川はいきなりその様相を変えて、荒々しい激流となるが、その下流のフーヴァー・ダムから湾までは、そういった箇所はほとんどない。枝分かれしている運河とダムによって、水勢は弱められ、コロラド川の下流は貯水池から貯水池へ、アメリカ大陸のなかでももっとも暑くて荒涼とした地方を通り、無気力におだやかな音を立てて流れている。マッカンドレスは厳粛な景色、美しい塩の景色に深く心を打たれた。荒地は、彼の憧れの甘いうずきをさらに刺激し、増大させて、乾ききった地質と澄明な斜光のなかでそれを揺るぎないものにした。

トポックからは、漂白されたドームのようななにもない広大な空の下を、ハバスー湖を南へカヌーを漕いでくだっていった。わき道にそれて、コロラド川の支流ビル・ウィリアムズ川をすこしさかのぼり、そのあとふたたび下流に向かい、コロラド川アメリカ先住民居留地、シーボラ国立野生動物保護区、インペリアル国立野生動物保護区を通りすぎた。そして、べンケイチュウとアルカリ土壌の平地を流浪し、先カンブリア時代の岩石が露出している断層崖の下でキャンプをした。遠方に、先端のとがった焦茶色の山々が蜃気楼の神秘的な海にうかんでいた。彼は野生馬の群れを追跡しようとして、一日川を離れ、ぜったいに立ち入りできない合衆国陸軍のユマ実験場内に入りこんでいるという警告標識に出くわした。マッカンドレスはまったく怯《ひる》まなかった。

十一月の末に、ユマの町をカヌーで通った。そこにすこし立ち寄り、食糧を補給し、ウェスターバーグが服役しているスーフォールズの受刑者通勤施設グローリー・ハウス気付でハガキを送った。「やあ、ウェイン！」と、彼はハガキに書いている。

変わりありませんか？　この間話し合ったときよりは、そっちの状況もよくなっているものと思います。ぼくはひと月ほどアリゾナ州を放浪してまわった。実にすばらしいところです！　多種多様の幻想的な風景があり、気候もすばらしい。このハガキを出したのは挨拶の意味もあるけれど、ほかにも、もう一度あなたの親切にお礼を言うためです。あなたのように寛大ないい人はめったにいない。でも、あなたに会わなければよかったと思うことがときどきありますよ。これだけの金をもって放浪するのは、あまりにも安易です。一文なしで、つぎの食事のために食べものをあさりまわる。そういうとき、ぼくの日々はわくわくしたものになった。しかし、いまは金がなくては、放浪は無理です。この時期、ここでは果実がほとんど栽培されていないからです。

　ケヴィンから衣服をもらったが、どうかもう一度彼にお礼を言ってください。あれらの服がなければ、ぼくは凍死してましたよ。彼はあの本をあなたに差し入れてくれたと思う。ウェイン、あなたはぜったいに『戦争と平和』を読むべきです。あなたはぼくが出会った人々のなかでもっとも高潔な人格を備えている、とぼくは言いました。あれは本気で言ったんです。『戦争と平和』はきわめて力強い高度に象徴的な本です。あのなかには、あなたにもきっと理解してもらえるものがあると思う。多くの人々は見逃してしまうことだけれど。ぼくはどうかといえば、この先しばらくの間、こういう生き方をつづけていくことにしました。自由とその簡素な美しさは、無視するにはあまりにも見事だ。ウェイン、いずれ、ぼくはあなたのところにもどって、親切に多少でも報いるつもりです。ジャック・ダニエルズのひと箱でも？　それまで、ぼくはずっとあなたの友人のつもりです。あなたの身に幸いあれ、アレグザンダー。

　十二月二日に、彼はモレロス・ダムとメキシコ国境に着いた。身元を証明するものを所持していなかったので、入国を拒否されるかもしれないと不安になり、開かれていた水門をカヌーで通りぬけ、余水路をいっきに流れくだった。「厄介なことが起こる気配はないか、アレックスはすばやくあたりを見まわした」日記には、そう記されている。「ところが、彼のメキシコ入国は気づかれなかったか、無視された。アレグザンダーは歓喜に酔っている！」

その歓喜は、しかし、長くはつづかなかった。モレロス・ダムの下流で、川は流れを変え、運河と湿地帯と行きどまりの水路の迷路のなかへと入っていくのだ。その迷路のなかで、マッカンドレスは何度も道に迷った。

運河はさまざまな方向に分かれている。アレックスは唖然とする。多少英語のできる何人かの運河の職員と会う。彼が向かっていたのは南ではなく、西であり、バハ半島の中心へ進んでいたのだ、と彼らは言う。アレックスはがっくりする。カリフォルニア湾への水路はいくつかあるはずだ、と彼は言いかえし、言い張る。職員たちはアレックスをしげしげと眺めている。頭がおかしいと思われているのだ。しかし、やがて、彼らの間で、地図を手にし、エンピツを振りまわして、突如としてはげしい会話がはじまる。十分後、彼らはまちがいなく海に出られる水路を教えてくれる。アレックスはおおいに喜び、いっきにまた希望がわいてくる。地図を頼りに運河を引きかえし、インデペンデンシア運河へとたどり着き、東に向かう。地図によれば、この運河はウェルテコ運河と合流している。ウェルテコ運河は南に流れを変え、そのまま海へとつづいている。ところが、運河は荒地の真ん中で流れが涸《か》れ、彼の希望はたちまちにして打ち砕かれる。しかし、アレックスはただ現在完全に干あがっているコロラド川の川床へもどってきたにすぎないことが、あたりを調べて明らかになった。川床を越えた側約半マイルのところに、べつの運河があることがわかる。彼はこの運河まで陸路を運ぶ決心をする。

マッカンドレスはべつの運河へカヌーと荷物を運ぶのにほぼ三日かかった。十二月五日の日記には、こう記録されている。

やっと見つける！　どうやらウェルテコ運河らしい。アレックスは南をめざす。運河がどんどん狭くなってくるので、不安と恐れがよみがえる……地域の住民が国境付近で運搬を手伝ってくれる……アレックスはメキシコ人たちが温かく親切であることを知る。アメリカ人よりも愛想がいい……。

十二月六日　小ぶりであるが、危険な滝が運河の流れを乱している。

十二月九日　希望はことごとく潰《つい》えさる！　運河が海にたどり着くことなく、ただ広大な湿地帯に出て消えてしまう。アレックスは困りはてる。海に近いはずで、湿地帯をなんとか抜け、海に出ることにする。しだいに進むのが困難になり、葦《あし》のなかをカヌーを押したり、泥のなかを引っぱったりしなければならない。にっちもさっちも行かなくなる。日が暮れかかり、湿地帯でキャンプのできる乾いた場所を見つける。翌日の十二月十日、海への通路をまた探しはじめるが、結局、さらに迷ってしまい、ぐるぐると同じところをまわる。すっかり意気沮喪《そそう》し、あきらめて、その日の終わりにカヌーのなかに寝て、涙を流す。しかし、やがて、思いもかけぬ幸運で、英語の話せるカモ猟のガイドたちに出会う。事情を説明し、海への出口を尋ねる。彼らの話では、海へは出られないという。だが、そのとき、ガイドのひとりがベースキャンプまで「小型のモーターボートで」牽引し、カヌーを「ピックアップトラックの荷台に」積んで、彼を海まで乗せていってくれるという。実に幸運だ。

カモ猟のハンターたちはカリフォルニア湾の漁村、エル・ゴルフォ・デ・サンタ・クララで彼を降ろした。そこから、マッカンドレスは海に出て、湾の東端を南へ進んだ。目的地に着くと、速度を落とし、彼はいちだんと静かに物想いにふける気分になった。タランチュラコモリグモ、もの悲しい夕方、長い湾曲を描いている人気のない海岸線を写真に撮った。日記の記載は短くて、おざなりになる。このあとその月には、百語に満たない字数しか書かれていない。

十二月十四日、櫂を漕ぐのに疲れはてて、海岸づたいに遠くまでカヌーを引っぱっていき、砂岩の断崖を登り、さびしい台地のはずれにテントを張った。そこに十日間とどまっていたが、はげしい風のために、険しい崖の途中にある洞穴にやむなく逃げこみ、さらに十日間そこに居つづけた。彼はグラン砂漠のうえにのぼる満月を眺めながら、新年を迎えた。千七百平方マイルの砂丘は様子が変わりやすく、北アメリカ最大の砂ばかりの荒地である。翌日、彼は不毛な浜をふたたび漕ぎだした。

一九九一年一月十一日の日記は、こうはじまる。「きわめて重大な日」彼は南へ多少遠くまで旅をし、浜から遠い砂州にカヌーを引きあげて、はげしい潮流を観察した。一時間後、強烈な突風が荒地のほうから吹きはじめ、風とはげしい潮流とが重なって、彼は沖へ流された。そのころには、海面は白い波頭が立つひどい荒れ模様になっていて、小舟は浸水して、転覆する恐れがあった。風はどんどん強まり、強風の域にまで達する。白い波頭は盛りあがり、高い波となって、砕けた。「絶体絶命のなかで」と、日記には書かれている。

> 叫び声をあげ、カヌーをオールで進める。オールが折れる。アレックスは予備にもう一本オールを用意していた。彼は気持ちを落ちつかせる。二本目のオールを失えば、命はない。懸命に頑張り、さんざん悪態を吐《つ》いて、ようやくカヌーを突堤に引きあげる。黄昏《たそがれ》どきに、疲れきって砂浜に倒れこむ。この出来事を契機に、アレグザンダーはカヌーを捨てて、北へもどる決心をする。

一月十六日、マッカンドレスは漁村エル・ゴルフォ・デ・サンタ・クララの南東の、砂丘の草が生えている小高いところにカヌーをほったらかしにし、北をめざして人気のない浜辺を歩きはじめた。三十六日間、誰に会うこともなく、誰とも話をしなかった。その間、彼が口にしたのは、わずか米二キロと海で獲れるものだけだった。その経験がのちに、アラスカの森でも同じような乏しい食糧で生きていけるという確信へとつながっていくのである。

一月十八日には、合衆国との国境にもどった。身分証明書なしでこっそり入国しようとして、出入国管理局に捕まり、留置場でひと晩過ごし、でたらめな話をして、ブタ箱から釈放された。三十八口径の拳銃、「ひどく大事にしていた、非常に美しいコルト・パイソン」は没収されたけれど。

その後の六週間は、南西部を横断するのに費やし、東はヒューストン、西は太平洋沿岸まで旅をした。彼が寝ていた町の通りやフリーウェイの高架下を縄張りにしている怪しい連中の窃盗被害にあわないよう、心得たもので、所持金を埋めて町に入っていき、あとで町を出てから掘りだした。二月三日、日記によれば、マッカンドレスは「身分証明書を交付してもらい、仕事を探そうとして」、ロサンゼルスへ行ったが、「いまや人との付き合いがまことにわずらわしく、すぐにまた旅に出なければならない」とある。

六日後、車に乗せてもらった若いドイツ人カップル、トーマスとカリンとともにグランドキャニオンの谷でテントを張った。彼はこう書いている。「これがほんとうに一九九〇年七月に旅行に出た同じアレックスだろうか？　栄養不良と放浪生活とで、痩せてしまっていたのだ。十キロ以上体重が減っていた。だが、意気軒昂としている」

ダットサンを乗りすててから七か月半後の二月二十四日、マッカンドレスはディトライトウル・ウォシュにもどった。国立公園部が車を押収してから、だいぶ経っていたが、彼はそこに埋めておいたヴァージニア州のナンバープレートSJF―421とわずかな持ちものを地中から掘りだした。それから、ヒッチハイクでラスヴェガスに入り、イタリア料理店の仕事を見つけた。「アレグザンダーは二月二十七日に荒地にバックパックを埋め、所持金も身分証明書もなしにラスヴェガスに入った」ことが、日記から読みとることができる。

彼は数週間、浮浪者、放浪者、アル中たちといっしょに路上生活をしていた。ラスヴェガスはしかし、物語の結末にはならない。五月十日、放浪癖がぶり返し、ラスヴェガスの仕事を放りだし、バックパックを掘りだしてきて、ふたたび旅をはじめた。おろかにもカメラを地中に埋めてしまって、もう写真は撮れなくなったことがわかったけれども。かくして、一九九一年五月十日から一九九二年一月七日までの間、日記には写真がない。しかし、こんなことはたいしたことではない。これは経験であり、思い出であり、せいいっぱい生きることのすばらしい勝利の喜びである。そのなかに、真の意義があるのだ。神よ、生きていることはすばらしい！　感謝いたします。感謝いたします。

第五章　ブルヘッドシティ

バック（主人公の犬）を支配している原始の野性は強力であった。獲物を追いかけるきびしい生存状況下で、それはますます逞しくなっていった。いまはまだ、見かけではわからない逞しさだったが。あらたに身につけた狡猾さのおかげで、バックには落ち着きと自制心が出てきていた。

ジャック・ロンドン
『荒野の呼び声』

圧倒的な力をもった原始の野性よ、万歳！
そしてまた、エイハブ船長よ、万歳！

アレグザンダー・スーパートランプ
一九九二年五月
スタンピード・トレイルに放置された
バスの内部で見つかった落書

カメラが壊れて、マッカンドレスは写真を撮らなくなったが、同時に、日記をつけるのもやめてしまった。翌年、アラスカへ出かけるまで、筆はとらなかった。そんなわけで、一九九一年五月にラスヴェガスを発ったあと、どこをどう旅してまわったかは、ほとんど不明である。

ジャン・バーレスに出した手紙から、七月と八月は、オレゴン海岸の、たぶん、アストリア付近で過ごしていることがわかっている。アストリアでは、「カエルと雨には我慢ならなくなることがよくあった」とぼやいている。九月には、合衆国ハイウェイ101号をヒッチハイクして、カリフォルニアにたどり着き、その後、東をめざして、ふたたび荒地に入った。十月初旬には、アリゾナのブルヘッドシティに着いている。

ブルヘッドシティは、二十世紀末における自己矛盾的な意味での、コミュニティーである。町としては、はっきりそれと認められる中心街がなく、住宅地とショッピングセンター通りが無計画かつ無秩序にコロラド川の両岸に八、九マイル広がっていて、川の上流の真正面には、ネバダ州のラフリンの高層ホテル群とカジノがある。ブルヘッドシティの際立った特色は四車線のアスファルト舗装道路、モハーヴェ渓谷ハイウェイであり、そこにはガソリンスタンド、ファストフードのチェーン店、カイロプラクティック療法院やビデオショップ、オートショップ、観光客相手に暴利をむさぼるレストランがならんでいる。

あきらかに、ブルヘッドシティは、いかにもアメリカらしい資本主義のきらびやかな姿をひたすら軽蔑していた夢想家ソローやトルストイの支持者の気に入るような場所には見えなかった。マッカンドレスは、それにもかかわらず、ブルヘッドシティがひどく気に入った。おそらく、それは、コミュニティーのハウストレイラーの駐車指定区域やキャンプ場やコインランドリーにおおぜいいる浮浪者たちにたいする親近感だったろう。ひょっとしたら、町を囲繞《いにょう》する荒涼とした荒地の風景にたちまち魅せられてしまったのかもしれない。

いずれにせよ、ブルヘッドシティに着いて、マッカンドレスは二か月以上移動しないでいた。たぶん、アトランタを出てから、最後にアラスカへ行き、スタンピード・トレイルの廃棄されたバスに移り住むまで、一か所にとどまっていた期間としてはもっとも長かっただろう。十月にウェスターバーグへ出したハガキで、彼はここについて書いている。「冬を過ごすにはいいところです。ぼくはようやくここに落ち着き、これを最後に放浪生活に終止符をうつかもしれません。春になれば、どうなっているかわかるでしょう。そのころになると、実際気持ちがうずうずしてくるからです」

そう書いた当時は、彼はフルタイムの仕事についていて、大通りのマクドナルドの店でハンバーガーのクオーターパウンダーを手際よく裏返したり、自転車で仕事に出かけたりしていた。うわべは、意外にも平凡な生活を送っていて、地方銀行に普通預金の口座まで開いた。

マクドナルドの求人に応募したとき、奇妙なことに、マッカンドレスはアレックスではなく、クリス・マッカンドレスを名乗り、社会保障番号も雇い主に正直に伝えた。身元をひた隠しにしてきた彼らしくないミスであり、もちろん、両親にたちまち消息を嗅ぎつけられかねなかった――ウォルトとビリーが雇った私立探偵の捜索でも、行方は杳《よう》として知れなかったわけだから、ミスはまったく取るに足らないことが立証されたけれども。

彼がブルヘッドシティのグリルのうえで汗をかいてから二年後、マクドナルドの同僚たちはクリス・マッカンドレスのことをあまり覚えていなかった。「ひとつだけ記憶にあるのは、彼がソックス嫌いだったってことだね」と、アシスタント・マネージャーは言った。ジョージ・ドリースゼンという肉付きのいいおしゃべりな男だった。「いつも素足で靴をはいていたよ。ソックスをはくのがまったく我慢できなかっただけだが。だけど、マクドナルドの店員はかならずきちんとしたものをはかねばならないという決まりがある。つまり、靴とソックスをね。クリスは規則を守るつもりでいただろうが、勤務時間が終わるとすぐに、もうぱっと！　彼がまずやったことは、そのソックスを脱ぐことだった。つまり、まずまっさきにね。ま、おとなしく言いなりになっていないことを伝えるための宣言みたいなものだったと思う。しかし、好青年で、なかなかの働き者だったよ。ほんとうに頼りになった」

もうひとりのアシスタント・マネージャー、ローリ・ザーザは、マッカンドレスについてややちがった印象をもっている。「正直に言って、彼が採用されたことに、わたしは驚きました」と、彼女は言った。「仕事はできました――裏でコックもしてましたからね。だけど、仕事ぶりはいつもマイペースでした。昼食時の忙しいときでさえ、どんなに彼を急がせようとしても、同じペースなんです。カウンターには、お客さんが十人も並んでしまって。わたしは彼が好きだったんですけど、その気持ちもわかってくれようとしませんでした。まったく人とは付き合わなかったんです。自分の世界に閉じこもっているようでしたね。

でも、頼りにはなる人でした。毎日店には出てきたから、あえて馘《くび》にするほどではなかったんです。時給わずか四ドル二十五セントで、川向こうのカジノではどこも、新人の時給が六ドル二十五セントでしたからね、そう、なかなか従業員の確保がむずかしくて。

仕事のあとなどでも、店の者とは誰とも付き合わなかったと思います。話をするときだって、話題はいつも木々や自然や、そんな妙なことばかりでした。ちょっと変わった人だと、みんな思ってましたね。

結局、クリスは店をやめたんですけど、たぶん、あれはわたしのせいです」と、ザーザは認めている。「最初働きはじめたときは、住むところもなくて。しかも、いやな臭いをぷんぷんさせて店に現われるんです。あれほどの臭いをさせて店にやってくるのは、マクドナルドでは規則違反なんですよ。ですから、結局、わたしが店を代表して、もっと入浴するようにって注意したんです。それ以来、わたしたちの間は気まずくなりましたけど。ほかの従業員たちも、ただの親切心から石けんかなにか必要ないかって聞くようになったんです。彼はそのことで腹を立てたようです。でも、けっしてそれを態度には表わしませんでしたね。三週間後に、店を出ていったきり、いなくなってしまいました」

マッカンドレスは各地を転々とする放浪者であることを隠そうとしてきたのだった。同僚たちには、川向こうのラフリンに住んでいると話していた。仕事が終わって、同僚から車で家まで送ってやろうと言われても、かならず口実をもうけて、丁重に断わった。事実、ブルヘッドでは、最初の何週間か、マッカンドレスは町はずれの荒地で野宿をしていたのだ。そのあとは、住み手のいないモビールハウスに無断で住みはじめた。その経緯は「こんな風だった」と、彼はジャン・バーレス宛ての手紙に書いている。

ある朝、ぼくがトイレでひげを剃っていると、老人が入ってきて、こっちをじろじろ眺めて、「野宿しているのか」と聞くんです。ぼくはそうだと答えた。すると、老人には、その古いモビールハウスがあって、ぼくが只《ただ》で住めることがわかりました。問題はただひとつ、実際はそれが彼のものではないということです。所有者の何人かが不在で、老人はただこの土地に住まわせてもらっているだけなんです。彼はべつの小さいモビールハウスに住んでいます。だから、ぼくはどちらかと言えば、目立った行動をすることなく、人目につかないようにしていなければなりません。ここには誰も住まわせていないことになっているからです。けれども、実際、まことに快適です。モビールハウスの内部が立派だからです。家具付きのハウストレイラーで、電気のソケットも使えるのがいくつかありますし、居住スペースも広い。ただひとつ欠点は、チャーリーというこの老人が多少エキセントリックで、うまくやっていくのがかなり大変なときがたまにあることです。

チャーリーはまだ同じところにいて、あばたのような錆《さび》が点々とあるブリキでおおわれた小さいしずくのような格好のキャンピングトレイラーに住んでいた。水道も電気もなく、マッカンドレスが寝ていたもっと大きいブルーと白のモビールハウスのうしろにひっそりと置かれていた。樹木が一本もない山々が、西の方角、二倍は広い隣の車の屋根の向こうにいかめしくそびえている。やわらかい明るいブルーのフォード・トリノが荒れ放題の庭のブロックのうえに駐車してあり、エンジン・コンパートメントから雑草が生えでている。人間の小便のアンモニア臭が、近くにあるセイヨウキョウウチクトウの垣根のほうから臭ってくる。

「クリス？　クリスのことかい？」チャーリーが隙間だらけの記憶装置を念入りに探って、吠えるような調子で言った。「ああ、ああ、奴のことか。そりゃあもう、もちろん、奴のことはおぼえてるさ」スウェットシャツにカーキ色の作業ズボンをはいたチャーリーはか弱い神経質そうな男で、涙っぽい目をし、顎《あご》には白い不精ひげが生えている。彼の記憶によれば、マッカンドレスはモビールハウスに一か月ばかり滞在していたという。

「いい奴だったよ、そう、ひどくいい奴だったよ」と、チャーリーは言った。「だが、あまりおおぜいの人間がいるところは好きじゃなかったな。気まぐれなところがあった。根はいい奴だが、コンプレックスをいっぱいもっていたようだ。俺の言ってることがわかるかい？あのアラスカ男ジャック・ロンドンの本をよく読んでいたんだ。余計なことは一切しゃべらなかった。よくふさぎ込んでいたし、人のお節介を嫌っていた。なにかを追いもとめているガキみたいに見えたよ、そいつがなにかはわからずに、なにかを追いもとめているガキみたいにな。俺も昔はそうだったよ。だが、俺にはそのとき、自分がなにを追いもとめているのかはわかっていた。金さ！　アッハー！　ハー！

ところで、その、アラスカのことなんだが——たしかに、奴はアラスカへ行くって言っていた。たぶん、追いもとめているなにかを探すためだろう。いい奴だった、とにかくいい奴に見えたよ。もっとも、ひどく思いつめているときもよくあったが。それを改めようともしなかった。奴がいなくなったのは、たしかクリスマスのころだったと思うが、ここに住むように勧めてくれた礼だと言って、五十ドルとタバコをひと箱くれたよ。ほんとうに親切な奴だと思ったな」

十一月の末に、マッカンドレスはカリフォルニアのインペリアル・ヴァリーにある小さな町ナイランドの郵便局のジャン・バーレスの私書箱宛てにハガキを出した。「わたしたちがナイランドで受けとったそのハガキは、長い付き合いを通して彼からもらった、差出人の住所が書かれた初めての便りだった」それがバーレスの記憶である。「で、わたしはすぐに返事を出して、来週ブルヘッドの彼のところへ会いにいくと書いたの。ブルヘッドはわたしたちのいた場所から遠くなかったからよ」

マッカンドレスはジャンからの返事に感激した。「おふたりとも健在でおられる由《よし》、たいへんうれしく思いました」と、彼は一九九一年十二月九日付けの手紙に大仰な調子で書いている。

クリスマス・カード、ほんとうにありがとう。おかげで、クリスマスであることを思い出しました……会いにきてくださるとの便りにとても興奮しています。いつでもおいでください。ほぼ一年半ぶりに再会できるなんて、実にすばらしいことです。

彼は手紙の最後に地図を描き、ブルヘッドシティのベースラインロードにあるトレイラーまでのくわしい道順を記していた。

ところが、この手紙を受けとり、ジャンとボーイフレンドのボブが車で訪ねていく支度をしていた四日後の夕方、バーレスがキャンプ地にもどってみると、「大きなバックパックがヴァンにもたせかけてあった。見覚えがあり、アレックスのものだとわかったわ。飼っている小犬のサニーがわたしよりもさきに、彼がいることを嗅ぎつけてね。アレックスになついてはいたけど、小犬がおぼえていたなんて、意外だったわ。彼を見つけると、とても喜んでね」マッカンドレスはブルヘッドシティがいやになったこと、タイムカードを押すのも、いっしょに働いていた「人形みたいな連中」にも嫌気がさして、さっさと町を去る決心をしたことをバーレスに話した。

ジャンとボブはナイランドの郊外三マイルのところに滞在していたのだった。地元の住民がスラブスと呼んでいる場所である。放置されて完全に廃墟と化したかつての海軍基地で、役にも立たないコンクリートの碁盤目状の基礎が、荒地の遠くまで広範囲にわたって散らばっていた。十一月に入って、天候が変わり、その地方全域に寒さが訪れると、五千人ほどの避寒労働者、放浪者、雑多な流れ者たちが野外で安あがりな生活をするために、俗世間から遠く離れたこの地へと集まってくるのである。スラブスはこの季節、多数の浮浪者社会の中心地としての役目をはたしているのだ。浮浪者社会の、不幸に疲れきった寛容な文化が、退職者、追放者、貧困者、永久失業者たちによって作られていた。そこにいるのは、男と女、あらゆる年齢の子どもたち、取り立て代理会社から身を隠している人々、こじれた人間関係や法律あるいは国税庁、オハイオの冬や中産階級のつらい単調な仕事などから逃れてきた人々だった。

マッカンドレスがスラブスに着いたとき、ちょうど巨大な蚤《のみ》の市――不用品交換会が戸外の荒地で開かれていた。バーレスも売り手のひとりで、折りたたみ式のテーブルをいくつか広げて、ほとんどが中古品の安い品物をならべて売っていた。マッカンドレスは彼女が売っている大量のペーパーバックの古本の店番を買ってでた。

「彼はよくわたしに協力してくれたわ」と、バーレスは認めている。「わたしがその場にいられないときには、テーブルの番をしてくれたり、本を全部分類してくれたり、たくさん売ってくれたりして。喜んでやってくれているようだった。アレックスは文学作品が大好きでね。ディケンズとか、H・G・ウェルズとか、マーク・トウェインとか、ジャック・ロンドンとか。ロンドンはとくに好きだったわ。通りかかる避寒労働者の誰彼なしに、『荒野の呼び声』を読むべきだと声をかけていたの」

マッカンドレスは幼児のころから、ジャック・ロンドンのファンだったのである。ロンドンの資本主義社会にたいするはげしい糾弾、原始の世界への賛美、多数の下層民への擁護

——それらはそのまま、マッカンドレスの熱い思いでもあった。ロンドンのアラスカとユーコン川の暮らしの誇張した描写に魅せられて、『荒野の呼び声』、『白い牙』、『焚火』、『極地のオデッセイ』、『ポルポルツュクの知恵』を繰りかえし読んだ。しかし、これらの物語にすっかり心を奪われて、それらがフィクション、つまり想像力の所産であること、北極に近い荒野の現実の生活よりもジャック・ロンドンのロマンチックな感受性と深く結びついている想像力の所産であることを忘れているようだった。ロンドン自身が北極地方で冬を過ごしたのは一回だけであり、四十歳のときには、カリフォルニアの私有地で自殺しているのだ。太った哀れをさそう愚鈍な飲兵衛《のんべえ》でもあり、書物で主張していた理想からはほど遠い活動的でない生活をつづけてもいた。そういった事実を、マッカンドレスは故意に見逃していたのである。

ナイランド・スラブスの住民のなかに、十七歳のトレーシーがいて、マッカンドレスが一週間滞在している間に、彼に恋をした。「すてきな可愛い娘だったの」と、バーレスは証言している。「四台向こうにトレイラーを停めていた放浪生活をしている夫婦の娘なんだけど。かわいそうに、トレーシーはアレックスへの片思いをどんどん募らせていった。彼がナイランドにいる間中ずっとまつわりついて、色目を使い、なんとかして自分といっしょに行動する気にさせようとしていたの。わたしも、それには苛々《いらいら》させられたわ。アレックスは彼女に親切だったけど、彼女は歳が若すぎたのね。彼としては真面目に相手にできなかった。すくなくとも一週間、彼女の思いはまったく通じないままだったはずよ」

トレーシーの求愛を拒絶しても、バーレスに言わせれば、マッカンドレスはあきらかに世捨て人ではなかった。「みんなといっしょにいても、彼は楽しそうだったわ。とても楽しそうだった。不用品交換会では、立ち寄ってくれる人とは、誰とでもよくしゃべっていたし。ナイランドでは、七十人か、八十人以上の人と会っているはずよ。しかも、そのひとりひとりと親しくなってね。たまには殻に閉じこもろうとするときもあったけど、世捨て人ではなかった。けっこう社交的だったの。独りぼっちになることが自分ではわかっていたから、とりあえずいろんな人と付き合っておこうとしていたんだって、いまから思うと、そんな気がするときがあるわ」

マッカンドレスはバーレスにはとくに親切で、なにかにつけて、彼女を相手にふざけたり、おどけたりしていた。「わたしをからかったり、困らせたりするのが好きだったの」彼女はそのことをよくおぼえている。「外に出て、トレイラーのうしろのロープに洗濯物を干しにいくと、わたしに覆いかぶさるようにして洗濯ばさみで留めてくれるの。幼い子どもみたいにふざけるのが好きでね。子犬を何匹か飼っていたんだけど、彼はいつも子犬に洗濯かごをかぶせて、なかでぐるぐる跳ねまわったり、キャンキャン吠えたりするのを眺めていたわ。最後には、わたしが腹を立てて、やめるよう大声をあげなければならなかったほどよ。でも、ほんとうは、子犬たちをとても可愛がってくれてね。犬たちも、彼にまとわりついたり、吠えながらあとを追ったり、いっしょに寝たがったりしたの。アレックスは動物のあつかい方を心得ていたわ」

ある日の午後、マッカンドレスがナイランドの不用品交換会でテーブルに本をならべて番をしていたとき、バーレスにキーボードの売却を頼んで、預けていった者がいた。「アレックスはそれを借りてね、一日中演奏してみんなを楽しませてくれたの」と、彼女は言った。「声がすばらしくて。聴衆はすっかり魅了されていたわ。それまで、音楽の才能があるなんて知らなかったの」

マッカンドレスはスラブスの住民にアラスカ行きの計画をよくしゃべっていた。毎朝、柔軟体操をして、苛酷な森に対応できる身体づくりをし、自称サバイバリストのボブと未開拓地でのサバイバル術についても十分話し合っていた。

「わたしはね」と、バーレスは言った。「彼から〝アラスカ大冒険旅行〟について聞かされたとき、頭がどうかしていると思ったわ。でも、本気だったのね。冒険旅行のことを話さずにはいられなかったのよ」

バーレスが聞きだそうとしても、マッカンドレスは家族のことはほとんどしゃべらなかった。「わたしはよく聞いたのよ」と、バーレスは言っている。「『なにをしているの？　お父さんは連絡しているの？　アラスカへ行くことは、お母さんは知ってるの？　お父さんは？』でも、彼は答えなかった。目をぎょろつかせて、わたしを見つめ、腹を立て、母親みたいに世話をやくのはやめてほしいと言ってね。すると、ボブがきまってこう言うの。『放っておけよ！　もう一人前の大人なんだ！』でも、わたしは彼が考えを変えるまで、うるさく言いつづけた。わたしには、実の息子の一件もあってね。息子がどこかへ行ってしまったのよ。わたしがアレックスの世話をしようとしているように、誰か息子の世話をしてくれる人がいればいいと思っていたの」

ナイランドを去るまえの日曜日、マッカンドレスはバーレスのトレイラーのテレビでナショナル・フットボール・リーグのプレーオフを観ていた。そのとき、彼がワシントン・レッドスキンズをひどく熱心に応援していることに、彼女は気づいた。「それで、ワシントンDCの出身なのって聞いたの」と、彼女は言った。「すると、『ああ、実はそうなんだ』って答えてね。彼が自分の素性について認めたのは、それだけだったわ」

つぎの水曜日、マッカンドレスはそろそろお暇《いとま》するよと告げた。そして、ナイランドから五十マイル西にあるソールトンシティの郵便局に行かねばならないと言った。ブルヘッドのマクドナルドのマネージャーに最後の給料を局留で送ってもらうよう頼んでおいたのだ。そこへ車で送ってあげるというバーレスの申し出を彼は受けいれたが、不用品交換会を手伝ってくれたので、多少の金を渡そうとした。そのときの様子を、彼女はおぼえている。「ほんとうに気を悪くしたような態度だったわ。で、彼に言ってやったの。『この世の中を生きていくには、お金が必要よ』でも、受けとろうとしなかった。スイスアーミーナイフとベルトナイフを何本か、なんとか受けとってもらったけど。アラスカでは役に立つし、なにかと物々交換してもいいからって説得してね」

長い押し問答のすえに、バーレスはまたアラスカで必要と思われるかなり長めの下着とさらに暖かい衣類をマッカンドレスにもたせた。「彼はわたしを黙らせようとして、結局それを受けとったの」彼女は笑い声をあげた。「でも、いなくなった翌日、そのほとんどがヴァンのなかにあったわ。わたしたちの見ていない隙に、バックパックから引っぱりだして、シートの下に隠したのね。アレックスはすばらしい若者だけど、実際、苛々させられたこともよくあったの」

マッカンドレスのことを心配していたとはいえ、バーレスは、とうぜん彼ならなんとかやっていけるだろうと思っていた。「最後まで元気だろうって思っていたわ」彼女は考えこんだ。「頭もよかったし。カヌーを漕いで、どうやってメキシコまでくだっていくか、貨物列車へどうやって飛び乗るか、町のセツルメント・ハウスではどうやってベッドを確保するか、彼は解決してきたのよ。なにもかも、すべて自分の手で。アラスカのこともよくわかっているって、わたしは確信してたわ」

第六章　アンサーボレッゴ

自分に正直に生きて、誤った方向に進んだ者はこれまで誰もいない。それによって、肉体的に弱ったとしても、まだ残念な結果だったとは言えないだろう。それらはより高い原則に準拠した生き方であるからだ。もし昼と夜が喜んで迎えられ、また、生活が花々やいい香りのハーブのように芳香を放ち、もっとしなやかになり、星のように輝き、不滅なものになれば、しめたものである。自然全体が祝福してくれているのだし、それだけでも、自分の幸福を喜んでいいのだ。最大の利益と価値はいちばん気づきにくいものなのである。そんなものなどあるだろうか、とわれわれはつい思ってしまう。また、すぐに忘れる。が、それらは最高の真実なのである……私の日常生活における真の収穫は、朝や夕方の淡い色合と同様、漠としたものだし、名状しがたいものだ。それは捕えられた小さな星くずであり、自分でしっかり摑みとった虹の切片である。

ヘンリー・デイヴィッド・ソロー
『ウォールデン、森の生活』

クリス・マッカンドレスの遺品とともに発見された
書物の一冊のなかで強調されている一節

一九九三年一月四日、作者の私はめずらしい手紙を受けとった。時代遅れの書体で書かれた震えた筆跡の手紙で、差出人はどうやらかなりの年配者のようだった。「関係当事者殿」それが書き出しだった。

アラスカで亡くなった若者（アレックス・マッカンドレス）の記事が掲載されている雑誌を一冊いただきたい。事件について調べたことを書きたいのです。私は一九九二年に……カリフォルニアのソールトンシティから……コロラドのグランドジャンクションまで……彼を車に乗せました……そして、サウスダコタへヒッチハイクするアレックスをそこで降ろしました。連絡をする、と彼は言ってました。彼からもらった便りは一九九二年四月第一週の手紙が最後でした。私は8ミリビデオのカムコーダー、アレックスはカメラをもっていたので、旅の途中で写真を撮っています。

もしあの雑誌を一冊おもちでしたら、どうかその雑誌を譲っていただきたい……。

彼はきっと怪我をしたのです。もしそうであれば、どうして怪我をしたのか知りたいのです。彼はいつもバックパックに米を十分もっていたし、防寒用の衣類も、多額の金ももっていたからです。

彼の死について、もっと事実が明らかになるまで、どうかこれらのことは伏せておいていただきたい。彼はただの平凡な旅行者ではなかったからです。どうか私の言葉を信じてください。

敬具

ロナルド・A・フランツ

フランツが譲ってほしいと言ってきた雑誌は、〈アウトサイド〉誌の一九九三年の一月号であり、その号は亡くなったクリス・マッカンドレスのカバーストーリーを特集していた。フランツの手紙は、シカゴにある〈アウトサイド〉誌のオフィス宛てになっていた。私はマッカンドレスについて短い記事を書いていたから、手紙は私のもとに転送されてきたのである。

マッカンドレスは放浪の途中で、多くの人々に忘れられない印象をあたえていた。その大半は、彼といっしょに過ごしたのがわずか数日、長くても一、二週間にすぎなかった。しかし、男性にせよ、女性にせよ、若者との短い付き合いで、ロナルド・フランツほど深く心を動かされた者は、誰もいない。一九九二年一月にふたりの進んでいた道が交差したとき、彼は八十歳だった。

マッカンドレスはソールトンシティ郵便局でジャン・バーレスと別れたあと、ヒッチハイクで荒地へ入っていき、アンサーボレッゴ砂漠州立公園のはずれにあるハマビシ科の常緑低木の茂みのなかにテントを張った。東のほうには、近くにソールトン湖がある。とんでもない工事ミスによって一九〇五年にできたおだやかな海のミニチュアみたいな湖で、湖面は海面下二百フィートだった。インペリアル・ヴァリーの豊かな農地を灌漑《かんがい》するために、コロラド川から運河を掘って間もなく、大洪水が連続して起こり、川の土手が決壊して、あらたな流れができ、それがそのままインペリアル・ヴァリー運河に流れこみはじめたのである。二年以上にわたって、運河は偶然にも、川の流れを変え、厖大《ぼうだい》な量の水をすべてソールトンの低地に事実上流入させた。水はかつて干あがっていた低地全体に押し寄せ、農地と開拓地ばかりでなく、ついには四百平方マイルの荒地を水浸しにして、陸地にかこまれた海を出現させたのである。

リムジン、高級テニスクラブ、それにパームスプリングズのみずみずしい青のフェアウェーからわずか五十マイル離れただけのソールトン湖の西岸は、以前、実際にはげしい土地投機がおこなわれてきた場所だった。贅沢《ぜいたく》なリゾートが計画され、広大な分譲地の図面が引かれた。しかし、夢の開発はほとんど実現されることはなかった。土地の大部分はいまだに住み手がなく、すこしずつまた荒地へと変わろうとしていた。球状になった回転草がソールトンシティの広い場所、人気のない大通りをあわただしく転がっていく。日に焼けて色の褪せた「売り物件」の看板が、歩道の縁石沿いにずらりとならび、空きビルのペンキは剝《は》げている。ソールトン湖不動産開発会社の窓の貼り紙には、CLOSED／CERRADO（閉店）と書かれていた。風が立てるがたがたいう音だけが空虚な静けさをやぶった。

湖に面した土地のむこうは、ゆるやかな上りになっていて、そのさきは、いきなりアンサーボレッゴの乾燥しきった幻の荒地になっている。荒地の真下にある砂地は広々しているが、切り立った崖の涸れ谷ができている。日に焼かれたこの低い丘のうえには、ウチワサボテン、インジゴの茂み、十二フィートのトゲの多い低木の幹が点在していて、マッカンドレスは低木の枝に防水シートを張り、砂のうえで眠った。

食糧がなくなると、ヒッチハイクか徒歩で四マイル離れた町へ行き、マーケットや酒屋や郵便局がある、広いソールトンシティの文化的施設が集中しているベージュ色の化粧漆喰《しっくい》のビルで、米を買いもとめ、プラスチックの水差しに水を満たした。一月中旬のある木曜日、水を満たして、ヒッチハイクで砂地へもどろうとしていたとき、ロン・フランツという老人が車を停めて乗せてくれたのである。

「どこでキャンプしているんだい？」と、フランツが尋ねた。

「オー・マイ・ガッド・ホットスプリングズのそのさきだよ」と、マッカンドレスは答えた。

「六年間、この地域に住んでいるが、そんな場所は聞いたことがないな。そこへ行く道順を教えてくれ」

車で数分間ボレッゴ＝ソールトン湖道路を走り、やがて、マッカンドレスが荒地のほうへ左折するように言った。四輪駆動車のでこぼこの轍《わだち》が、狭い乾いた川床を曲がりくねってつづいていた。一マイルほど行くと、奇妙なキャンプ地に着いた。二百人ぐらいの人々が車の外で、冬を過ごすために集まってきていたのだ。過激派グループよりもさらに過激なコミュニティーであり、黙示録後のアメリカの将来の姿もこれにはおよばなかった。安物のテントトレイラーで雨風をしのいでいる家族が何組もいたし、蛍光塗料の塗られた数台のヴァンのなかには、年とったヒッピーたちがいた。アイゼンハワーがホワイトハウスの住人になって以来、エンジンをかけたことのないような錆びたスチュードベーカーのなかには、チャールズ・マンソンそっくりの連中が寝ていた。あたりにいる多くの者は真っ裸で歩きまわっている。キャンプ地の中央には、湯気の立っている浅い池が二か所あり、温泉からの湯がパイプで運ばれている。岩に囲まれ、ヤシの木陰ができていた。オー・マイ・ガッド・ホットスプリングズである。

マッカンドレスは、しかし、そのスプリングズに住んでいるのではなかった。さらに半マイルさきの砂地に独りでキャンプしていた。フランツはそこまでアレックスを車に乗せていき、しばらくそこで談笑し、そのあと、町にもどった。フランツは独り暮らしで、ぼろアパートの管理を引きうけ、その代わりに家賃を只にしてもらっていた。

敬虔なクリスチャンであるフランツは、成人後の人生の大半を軍隊で過ごし、上海《シャンハイ》と沖縄に駐留していた。海外勤務をしていた一九五七年の大晦日《おおみそか》に、妻とひとり息子が交通事故に遭い、酔っ払い運転の車に轢《ひ》き殺された。フランツの息子は翌年の六月、医学部を卒業することになっていたのだ。フランツは浴びるように酒を飲みはじめた。

半年後、彼はなんとか立ち直り、きっぱり酒を断つことができたが、実際、妻子の死を忘れることはできなかった。事故後、数年間、寂しさをまぎらすために、彼は個人で沖縄の貧しい子どもたちの「世話」をするようになり、結局、十四人の面倒をみた。フィラデルフィアの医学校へ進んだ最年長の子どもと、日本で医学の勉強をしていたもうひとりには、学資も出した。

マッカンドレスと会ったとき、長いこと眠っていたフランツの父性にあらたに火がついたのである。若者のことが忘れられなくなった。若者はアレックスと名乗り――名字は明かさなかった――ウェストヴァージニアからきたと言った。礼儀正しくて、愛想がよくて、身なりがきちんとしていた。

「ひどく頭がよさそうな感じだった」フランツはエキゾチックな地方訛《なま》りで言った。スコットランド語、ペンシルヴェニアオランダ語、カロライナのゆっくりした話しぶりがごちゃ混ぜになっているようだった。「あのヌーディストや酔っ払いや麻薬常用者たちがいるホットスプリングズの近くで暮らすには、彼はまともな若者すぎるような気がしたんでね」日曜日に教会へ行ったあと、フランツはアレックスと「彼の生き方について」話し合おうと決心した。「教育を受けて、就職して、出世をするように、誰かが説教してやる必要があったんだ」

だが、キャンプ地にもどり、彼の生き方をどう変えるかについて話がおよぶと、マッカンドレスはいきなり相手をさえぎった。「いいですか、ミスター・フランツ」彼ははっきり言った。「ぼくのことは心配いらない。大学教育は受けているし。ぼくは貧乏人なんかじゃない。好きで、こういう生き方をしてるんだ」最初はとげとげしい口調だったにもかかわらず、そのうちに、若者は老人に好感をいだき、ふたりは長いこと話し合った。日が暮れるまえに、彼らはフランツのトラックでパームスプリングズに着き、立派なレストランで食事をし、サンジャシント・ピークの頂《いただき》までロープウェイに乗った。その麓には、一年まえ、マッカンドレスはメキシコの肩掛け《セラーペ》やほかにもいくつか所持品を埋めておいたが、それを掘りだすのはやめた。

その後、数週間、マッカンドレスとフランツは長い時間いっしょに過ごした。若者のほうが定期的にヒッチハイクでソールトンシティへ出かけていき、フランツのアパートで洗濯をしたり、ステーキを焼いたりしたのである。春になったら、アラスカへ行って、「最大の冒険」に乗りだすつもりでいたから、彼は春の到来を待っていることを打ち明けた。また、今度は逆に、活動的でない生活はよくないと言って、祖父のような相手に説教をはじめ、財産などほとんど売りはらい、アパートを出て、放浪生活をするよう、八十歳の男を盛んにけしかけた。フランツはその熱弁を冷静に聞き流し、要するに、若者との交友を楽しんでいた。

フランツは腕のいい革職人で、その技をアレックスに伝授した。はじめての挑戦で、マッカンドレスは細工をほどこした革のベルトを作り、そこに放浪の記録をみごとな絵で表現した。ベルトの左端にALEXの文字を彫り、さらには、(クリストファー・ジョンソン・マッカンドレスの)イニシャル、C・J・Mで髑髏《どくろ》を縁どった。細長い牛革には、二車線のアスファルト道路、Uターン禁止の標識、車を呑みこむ鉄砲水を引きおこす雷雨、ヒッチハイカーの親指、ワシ、シエラネヴァダ、太平洋で跳ねているサケ、オレゴンからワシントンまでの太平洋岸のハイウェイ、ロッキー山脈、モンタナの小麦畑、サウスダコタのガラガラヘビ、カーシッジのウェスターバーグの家、コロラド川、カリフォルニア湾の強風、テントのかたわらに引きあげられたカヌー、ラスヴェガス、T・C・Dのイニシャル、モロ湾、アストリア、そして最後に、バックルの端にN（たぶん、北を意味しているのだろう）の文字、それらが横にずらりとならんでいた。非凡な技術と独創性によって仕上げられたこのベルトは、クリス・マッカンドレスが残したどの工芸品にもおとらない、すばらしい出来映えである。

フランツはますますマッカンドレスが気に入った。「頭のいい若者だったよ」老人の声はしゃがれて、聞きとりにくかった。そう言いながら、彼は両足の間の砂をじっと見つめている。そして、しゃべるのをやめた。汚れでもついていると思ったらしく、腰をぎこちなく曲げて、ズボンを拭いた。気まずい沈黙のなかで、老化した関節がゴキッという大きな音を立てた。

フランツがふたたび口を開くまでに、一分以上かかった。彼は目を細めて空をあおぎ、若者とともに過ごしたころの記憶をさらにたどっていく。たがいに行き来している間に、マッカンドレスがよく怒りで顔をくもらせ、両親、政治家、大多数のアメリカ人に特有の空疎《くうそ》な生き方を非難していたことを、フランツははっきりおぼえていた。若者との仲がぎくしゃくするのを恐れて、フランツは相手がそんな風にひどく腹を立てているときには、ほとんど口を差しはさむこともなく、そのまま言いたいだけ言わせておいた。

　二月はじめのある日、マッカンドレスはアラスカ旅行の費用をもっと稼ぐために、サンディエゴへ行くと言いだした。

「サンディエゴなんかへ行くことはない」と、フランツが反対した。「金が必要なら、私があげよう」

「いや。わかってないな。ぼくはサンディエゴに行くよ。出発は月曜日なんだ」

「よし、わかった。そこまで車で送ろう」

「馬鹿なことを言わないでもらいたいな」マッカンドレスは嘲笑した。

「とにかく、私にも用事があるんだ」フランツは嘘をついた。「革の仕入れでね」

　マッカンドレスは折れた。彼はテントをたたみ、フランツのアパートに所持品のほとんどを預けた――寝袋やバックパックを町のあちこちへ持ち歩きたくなかったのだ――そして、老人の車に乗って、山を越え、海岸に行った。フランツがサンディエゴの海岸地区でマッカンドレスを降ろしたときは、雨が降っていた。「ひどくつらかったよ」と、フランツは言った。「彼を置いていくのが悲しくてね」

　二月十九日に、マッカンドレスがコレクトコールでフランツに電話をかけてきて、八十一歳の誕生日を祝ってくれた。自分の誕生日が一週間早いので、日にちをおぼえていたのである。二月十二日に二十四歳になっていた。その電話で、彼は仕事を探すのに苦労していることも告白していた。

二月二十八日に、彼はジャン・バーレスにハガキを出した。「こんにちは！」そして、こう書いている。

この一週間、サンディエゴの路上で暮らしています。ここに着いた最初の日は、どしゃぶりの雨でした。ここで果たすべきことは失敗に終わり、ぼくは耐えがたいほど落ちこんでいます。職に関してはほとんどなにもなく、それで、ぼくは明日、北へ向かいます。おそくとも五月一日までには、アラスカへ行くことにしましたが、必要なものを用意するには、多少の現金を工面しなければなりません。サウスダコタの友人のところで雇ってくれるようでしたら、働きにもどってくるかもしれません。いまは行く当てはありませんが、着いたら、お便りします。つつがなくお暮らしのことと思います。ご自愛ください、アレックス。

三月五日に、マッカンドレスはまたバーレスとフランツにハガキを出している。バーレス宛ての内容は、こうである。

シアトルから、こんにちは！　ぼくはいま、浮浪者です！　これはほんとうのことで、ぼくは汽車に乗っています。とても愉快で、もっと早く列車に飛び乗っていればよかったと思っています。だが、汽車にはやや難点があります。第一は、ひどく汚れることです。第二は、頭のおかしいお巡りと喧嘩をしなければならないことです。ロサンゼルスで列車のなかに座っていると、午後十時ごろ、懐中電灯をもったお巡りに見つかってしまいました。「殺されないうちに、ここから出ていけ！」と、お巡りはわめきました。外に出て、相手を見ると、拳銃をぬいていました。そして、銃をむけてぼくを尋問し、怒鳴りつけました。「今度、この列車のまわりをうろついたら、命はないぞ！　失せろ！」実に馬鹿な奴です！　ぼくは五分後に、同じ列車に乗りこみ、その列車で、オークランドまで行きました。最後に笑ったのはぼくです。また連絡します。

アレックス

一週間後、フランツの電話が鳴った。「オペレーターからでね」と、彼は言った。「アレックスという方からのコレクトコールをお受けしますかと聞かれた。彼の声を耳にしたときは、雨が一か月降りつづいたあとの晴天のようだったよ」

「ぼくを迎えにきてくれないか？」と、マッカンドレスが聞いた。

「いいよ。シアトルのどこにいるんだい？」

「ロン」マッカンドレスは笑った。「シアトルにいるんじゃない。カリフォルニアにいるんだ。そっちからすぐのコウチェーラに」雨がちの北西部では仕事が見つからず、マッカンドレスは荒地にもどろうと貨物列車に飛び乗ったのだった。カリフォルニアのコルトンでは、べつのお巡りに見つかり、留置場に放りこまれた。釈放されたあと、パームスプリングズのちょうど南東にあるコウチェーラまでヒッチハイクしてきて、フランツに電話をしてきたのである。電話を切るとすぐ、フランツはマッカンドレスを迎えに飛びだしていった。「私たちはシズラー（ステーキハウス）へ行き、そこで彼にステーキとロブスターを腹いっぱい食べさせてやってね」フランツはそう記憶している。「そのあと、ソールトンシティに車で帰ってきたんだ」

一日いれば、衣類を洗濯したり、バックパックに物をつめたりするには十分だ、とマッカンドレスは言った。ウェイン・ウェスターバーグからの便りで、カーシッジの大穀物倉庫の仕事があるとのことなので、すっかりそこへ行く気になっていた。その日は三月十一日の水曜日だった。フランツはコロラドのグランドジャンクションまで送っていくよと申し出た。翌週の月曜日にソールトンシティで人と会う約束をすっぽかすことなく、車で送っていけるもっとも遠い場所だった。フランツには意外に思えたし、心の底からほっとしたけれども、マッカンドレスはすんなりとその申し出を受けいれた。

出発まえに、フランツはマッカンドレスに鉈《なた》と、極寒用のパーカと、折りたためる釣り竿と、それに、アラスカでの冒険に必要な用具をいくつかプレゼントした。木曜日の夜明けに、彼らはフランツのトラックでソールトンシティを出た。ブルヘッドシティで車を停め、マッカンドレスの銀行口座を解約して、チャーリーのキャンピングトレイラーに立ち寄った。本を数冊と、ほかに、コロラド川をカヌーでくだったときの日記や写真のアルバムなどの所持品を預かってもらっていたのだ。そのあと、マッカンドレスは川の対岸にあるラフリンのゴールデン・ナゲット・カジノで、フランツにぜひ昼食をおごりたいと言った。ナゲットのウェートレスがマッカンドレスをおぼえていて、大げさにしゃべりたてた。「アレックス！　アレックス！　帰ってきたのね！」

　その旅のまえに、フランツはビデオカメラを買っていて、途中で、ときどき車を停めては景色を撮影していた。マッカンドレスにレンズを向けると、たいていの場合逃げだしたにもかかわらず、ブライスキャニオン国立公園の高いところにある雪のなかで落ち着かない様子で立っている彼を撮った短いフィルムがいくつかあった。「もういいよ、さあ、行こう」カメラ一体型VTRカムコーダーをまわしていると、マッカンドレスはすぐに文句を言った。「さきはまだまだ長いよ、ロン」ジーンズをはき、ウールのセーターを着ている彼は日焼けしていて、逞しくて、健康的だった。

　あわただしい旅だったが、楽しかった、とフランツは語っている。「ときには、一言もしゃべらないで、何時間も車を走らせたこともあったがね」そんなことを覚えていた。「眠っているときでも、彼がいっしょだから、幸せだったよ」一度、フランツは思いきってマッカンドレスにとくべつなことを頼んでみた。「私のおふくろはひとりっ子だったんだよ」と、彼は言った。「親父も、そうでね。そして、私もひとりっ子だ。子どもは亡くなってしまったから、いまわが家で残っているのは私だけなんだ。私が死ねば、家系は絶える。永久にね。それで、養子になってくれないか、孫になってくれないかって、アレックスに頼んだんだ」

　マッカンドレスはその頼みに困惑し、質問をうまくはぐらかした。「その話は、ぼくがアラスカから帰ってきてからにしようよ、ロン」

三月十四日、フランツはグランドジャンクションを出たところで、州間ハイウェイ70号の路肩にマッカンドレスを降ろし、カリフォルニアの南部へ引きかえした。マッカンドレスは北へ向かいながら、興奮をおぼえると同時に、ほっとしてもいた。人との付き合いや友人との交わりや、それに付随するさまざまなわずらわしい思い、そうした頭のうえにおおいかぶさるような強迫感からふたたび解放されたことで、ほっとしていたのだ。家族という閉所恐怖症を引きおこす場所から逃げてきたのである。ジャン・バーレスやウェイン・ウェスターバーグとは、適当にいくらか距離を置き、相手がなんの期待もいだかないうちに、彼らのところから飛びだしてきた。今度もやはり、ロン・フランツのところから苦もなくするりと抜けだしてきたのだ。

苦もなくというのは、マッカンドレスの見方であって、老人の見方ではないけれども。どうしてフランツがたちまちマッカンドレスをこれほどまでに気に入ったかについては、ただ推測するしかないが、彼がいだいていた愛情は心からのものであり、真剣なものであり、しかも純粋なものであった。フランツは長年、孤独な生活をつづけてきた。家族はなく、友人もほとんどいなかった。熟練した腕をもつ独立独行の男で、年をとり、孤独ではあるものの、世渡りは非常にうまかった。ところが、マッカンドレスが彼の世界に入りこんできて、老人がこつこつ築いてきた孤塁は根底から崩されたのである。マッカンドレスといっしょにいることは楽しかったが、彼らの間に芽生えはじめた友情はまた、自分がいかに孤独であったかを彼に気づかせた。若者はフランツの生活のなかにぽっかり口をあけている空虚さを埋めてはくれたが、その仮面を剝ぎもしたのだ。やってきたときと同様、マッカンドレスがとつぜん出ていったとき、フランツは自分が意外に深く傷ついていることに気づいた。

四月はじめ、サウスダコタの消印の押された長い手紙がフランツの私書箱に届いた。「こんにちは、ロン」手紙は、こうしたためられていた。

アレックスはここにいます。ここサウスダコタのカーシッジで、ぼくはもう二週間近くきびしい仕事に汗をかいています。ここには、コロラドのグランドジャンクションで別れてから、三日後に着きました。ソールトンシティへは、たいしたトラブルもなく帰りつかれたことでしょうね。ここでの仕事は楽しいし、うまくいっています。陽気もなかなかよくて、おだやかな日が多いのは驚くほどです。農民たちのなかには、もう畑に出ている者がいます。いまごろ、そちらのカリフォルニア南部は、かなり暑くなっているることでしょう。三月二十日には、ホットスプリングズにさまざまな人種のさまざまな連中が集まってくるので、どれほどの人出があったか、出かけていって、ご覧になりましたか。とても楽しそうな気がしますけど、ああいった連中のことはよくわからないでしょうね。

このサウスダコタには、そんなに長いこといるつもりはありません。友人のウェインから、五月中は大穀物倉庫で働き、その後、夏の間コンバインで刈り取りにまわってくれないかと言われていますが、ぼくの気持ちはすっかりアラスカ冒険旅行のほうに向いていて、おそくとも四月十五日には出発したいと思っています。つまり、すぐにもここを離れるつもりでいるということです。ですから、これからぼく宛ての手紙は末尾の宛て先へ送ってください。

ロン、あなたにはいろいろと助けていただいたし、ほんとうに楽しい時間をともに過ごしました。別れ別れになったことで、ひどく気落ちしてはいないでしょうね。再会できるのは、かなりさきになりそうです。しかし、ぼくがこのアラスカ冒険旅行を無事に終えましたら、いずれまた便りをします。あなたには、もう一度以前と同じアドバイスをさせてください。あなたは思いきってライフスタイルを変え、これまで考えてもみなかったこと、あるいはなかなか踏んぎりがつかずに躊躇《ちゅうちょ》していたことを大胆にはじめるべきだと思っているからです。多くの人々は恵まれない環境で暮らし、いまだにその状況を自ら率先して変えようとしていません。彼らは安全で、画一的で、保守的な生活に慣らされているからです。それらは唯一無二の心の安らぎであるかのように見えるかもしれませんが、実際、安全な将来ほど男の冒険心に有害なものはないのです。男の生きる気力の中心にあるのは冒険への情熱です。生きる喜びはあらたな体験との出会いから生まれます。したがって、たえず変化してやまない水平線をわが物にしているほど大きな喜びはありません。毎日、あたらしいべつの太陽を自分のものにできるのです。人生からもっと多くのものを得たければ、ロン、単調な安全をもとめるのはやめて、最初は常軌を逸しているようないい加減な生き方をしなければならないのです。でも、そうした生き方に慣れてくれれば、その真の意味とすばらしい美しさがわかるでしょう。そんなわけで、ロン、要するに、ソールトンシティを離れて、旅に出るのです。きっとそうしてよかったと思いますよ。しかし、ぼくのアドバイスなど聞いてはもらえないでしょうね。ぼくのことを頑固だと思っているようですが、あなたのほうが頑固者です。車での帰途、あなたはグランドキャニオンという最高の景色のひとつを眺めるすばらしいチャンスにめぐまれました。アメリカ人なら、一生に一度は見ておくべき景色です。だが、ぼくにはわからないなんらかの理由で、あなたは家にまっすぐ帰ることばかり考えていました、くる日もくる日も、目にしている同じ場所へいっさんに。これからも、こういう生き方をつづけて、そのために、神がぼくたちに発見させようとして周囲に配置してくれたすばらしいものを、あなたはなにひとつ発見できないのではないかと思います。定住したり、一か所に腰を落ちつけたりしてはなりません。あちこち動きまわり、放浪し、毎日毎日、水平線をあらたなものにしていくのです。人生の残り時間はまだまだたっぷりあります。ロン、この機会に生活を根本から変えて、まったくべつの体験領域に入っていってくれればいいのですが。

楽しみをもたらしてくれるのは人間関係だけであるとか、人間関係を中心にそれを期待しているとすれば、それはまちがいです。神は楽しみをぼくたちの周囲のあらゆるところに配してくれています。ありとあらゆること、なんにでも、ぼくたちは楽しみを見出せるのです。習慣的なライフスタイルに逆らって、型にはまらない生き方をするには、勇気が必要です。

要するに、あなたの生活にこの種のあたらしい光を灯《とも》してくれるのは、ぼくでもほかの誰でもないということです。あなたはただそこにじっと待っていて、それを摑もうとしているだけです。なすべきことはただひとつ、自分でそれを摑みにいくことです。あなたが闘っている相手はまさに自分自身であり、あたらしい環境に入ろうとしない頑固さです。ロン、できるだけ早くソールトンシティを出て、ピックアップのうしろに小さなトレイラーをつけ、まず神がここアメリカ西部で制作した偉大な作品をいくつか見ることからはじめてください。物を見たり、人と会ったりするのです。学ぶことはいっぱいあります。しかも、それは慎ましいライフスタイルで実行しなければなりません。一般の習慣にはできるだけ頼らないようにして、モーテルに泊まることもなく、料理も自分で作るのです。もっとずっと楽しみが広がるでしょう。つぎに会えるときには、数々のあらたな冒険と幅広い経験を積んだ別人になってくれているといいのですが。ためったり、あるいは、自分に言い訳するのを許さないでください。ただ、飛び出して、実行するだけでいいのです。飛び出して、実行するだけで。そうすれば、ほんとうによかったと心から思えるでしょう。

ご自愛ください、
アレックス

どうかここに返事をください
アレックス・マッカンドレス
マディソン、SD57042

驚いたことに、八十一歳の老人は二十四歳の生意気な放浪者のアドバイスを真面目に受けとめたのだった。フランツは家財道具のほとんどを倉庫に預け、GMCのデュラヴァンを購入し、ベッドとキャンプ用品を用意した。それから、アパートを出て、砂地にテントを張ったのである。

フランツは温泉のさきにあるマッカンドレスのキャンプ地に住んだ。いくつか岩をならべてヴァンの駐車場を作り、オプンチア（サボテンの一種）とクロバナエンジュを移植して、「庭」を作った。そして、戸外の砂地に座って、くる日もくる日も、若い友人の帰りを待っていたのだ。

ロナルド・フランツ（これは本名ではなかった。本人の希望で、偽名を使っている）は八十代で、二度の心臓発作を経験しているわりには、ひどく元気そうに見えた。身長は六フィート近く、腕が太く、胸も広くて厚く、背筋がぴんと伸びていて、背中も曲がっていない。顔のほかの部分とくらべて、耳が大きかった。手も大きく、節くれだっていて分厚かった。作者の私が砂地のそのキャンプ地へ徒歩で入っていき、自己紹介をしたとき、彼はよれよれのジーンズをはき、真っ白いTシャツを着て、飾りのほどこされた手作りの革のベルトを締め、白いソックスにすり減った黒いローファーをはいていた。年齢を感じさせるのは、額のしわとあばたのような穴がぶつぶつあいた高い鼻だけだった。鼻には、紫色の透かし模様の静脈がみごとに彫られた刺青《いれずみ》のように広がっていた。マッカンドレスの死後一年余り、彼は用心深いブルーの目で世界を眺めてきたのだ。

疑いをいだいているフランツに信用してもらうために、私は前年の夏にアラスカ旅行をして、マッカンドレスが最後に旅をしたスタンピード・トレイルをたどりなおしたときに撮った写真をひと揃い手渡した。たくさんあるなかの、最初の数枚は風景写真である。まわりの茂み、草におおわれた小道、遠くの山々、スーシャナ川のスナップ。フランツは黙って、それらをじっと眺め、私がそこに写っているものを説明すると、ときおりうなずいていた。

若者が死んでいたバスの写真のところにくると、しかし、彼はとつぜん、身体を強《こわ》ばらせた。放置された車の内部の、マッカンドレスの所持品が写っているのが、何枚かあったのだ。フランツはそれがなんであるか気づくやいなや、目を曇らせ、残りの写真には目もくれないで、突きかえした。私がへたな言い訳をぼそぼそ言っていると、老人は気を静めようとして、その場を離れた。

フランツはいまやもう、マッカンドレスのキャンプ地には住んでいない。急ごしらえの道路が鉄砲水で押し流されてしまったので、ボレッゴの荒地のほうへ二十マイル移動していたのである。そこに一本だけ立っているハコヤナギのそばでキャンプをしていた。オー・マイ・ガッド・ホットスプリングズも、現在はなく、ブルドーザーでならされて、インペリアル・ヴァリー保健委員会の命令でコンクリートで埋め立てられていた。郡の職員の話では、温泉内で繁殖したと考えられる危険な細菌に感染し、泳いだ連中が重い病気にかかったらしく、温泉は見向きもされなくなっていたという。

「たしかに、そうだけど」これはソールトンシティの店の売り子の話である。「でも、温泉があったから、ああいうヒッピーや放浪者やろくでなしたちがどんどん集まってきたのよ。だから、ブルドーザーでならしてしまったんだって、たいていの人は思ってるわ。わたしに言わせれば、いい厄介払いよ」

マッカンドレスと別れてから八か月以上、フランツはずっと彼のキャンプ地にとどまっていた。大きなバックパックをもってやってくる若者はいないかと、道路をじっと見つめていた。アレックスの帰りを待っていたのである。一九九二年、クリスマスのあとの最後の一週間、郵便物を確かめにソールトンシティへもどる途中で、ヒッチハイカーをふたり乗せた。「ひとりはミシシッピーからきた男だと思う。もうひとりはアメリカ先住民だった」と、フランツは記憶している。「温泉へ向かっているとき、私は友人のアレックスのことや彼がアラスカの冒険旅行に出かけた話を切りだした」

とつぜん、先住民の若者がさえぎった。「彼の名前はアレックス・マッカンドレスって言うのかい？」

「そう、そのとおりだ。じゃあ、彼と会って、それから――」

「話しづらいことだが、あんたの友だちは亡くなってる。奥地のツンドラで凍死して。アウトドア雑誌で読んだんだ」

衝撃を受けたフランツは、やっとのことでヒッチハイカーに尋ねた。詳細にわたる話には信憑《しんぴょう》性があるようだった。納得がいった。なにかとんでもない失敗をしたのだ。マッカンドレスはもう帰ってくることはないだろう。

「アレックスがアラスカへ出発したときに」フランツはそのときのことをよくおぼえていた。「私は祈ったんだ。アレックスの肩にかけた指を放さないでください、と神に願いごとをしたわけさ。あれはとくべつな若者だって、神に言ったんだよ。だけど、神はアレックスを死なせてしまった。それで、なにが起こったか、私は十二月二十六日に知り、神を捨てた。教会員であるのをやめ、無神論者になった。アレックスのような若者の身に恐ろしいことをもたらす神を信じないことに決めたんだ。ヒッチハイカーを降ろしたあと」フランツはさらに話をつづけた。「ヴァンをUターンさせて、店に引きかえし、ウィスキーを一本買った。それから、荒地へ入っていき、酒を呷《あお》った。ふだん飲んでいないので、胸がむかむかした。これで死ねたらと思ったが、死ねなかったよ。ただ、ほんとうに吐きそうになったがね」

第七章　カーシッジ

何冊か本がある……一冊は家族を捨てた男の『天路歴程』で、捨てた理由は書かれていなかった。ときどき、それを読んで、多くのことを学んだ。主張は面白かったが、冷酷なまでに現実的だった。

マーク・トウェイン

『ハックルベリー・フィンの冒険』

たしかに、独創的な人々の多くが成熟した個人的な人間関係を築くことができない。なかには、完全に孤立する人々もいる。また、たしかに、たとえば早い時期の別離とか死別による心の傷が、独創的な可能性を秘めた人間を伸びようとしている個性のほうへ向かわせたケースがいくつかある。それは相対的な孤独のなかで実現されるのである。しかし、これは孤独で創造的な追求それ自体が病的であるという意味ではない……。

回避の行動は、無秩序な行動から子どもを守るために必要な反応である。この概念を大人の人生にあてはめれば、回避の行動をとる子どもは、人生にある種の意味と秩序をまず見つけようとする人間へとまちがいなく成長していくことが認められる。人生はかならずしも、あるいは、それほど対人関係に左右されはしないものである。

アンソニー・ストウ
『孤独、自己への回帰』

大型のジョンディア8020は斜めから射してくる夕方の光のなかで静かにうずくまっている。どこからも遠く離れた場所で、あたり一面半分刈り取られたサウスダコタのモロコシ畑である。まるでいままさに呑みこまれようとしているかのように、ウェイン・ウェスターバーグの泥だらけのスニーカーがコンバインの口から突きだしている。餌食《えじき》を消化している大きくなりすぎた金属の爬虫類《はちゅうるい》。「くそっ、そこのレンチをとってくれないか？」腹立たしげな聞きとりにくい声が機械の奥から要求した。「おまえたちはただポケットに両手を突っこんで、まわりに突っ立っているしか能がないのか？」コンバインが例のごとく、三度目の故障を起こし、ウェスターバーグは日没前に、手の届きにくいところにある軸受け筒を大急ぎで交換しようとしていたのだ。

一時間後、彼は油だらけ、モロコシのくずだらけになりながら、なんとか交換しおわって、外に出てきた。「あんなにがみがみ怒鳴って、悪かったな」と、ウェスターバーグが詫びを言った。「一日十八時間労働がもう長いことつづいている。シーズンも終わりに近いし、それに人手も足りなくて、ちょいと怒りっぽくなっているんだ。いまごろはアレックスが働きにきてくれるはずだったんだが」アラスカのスタンピード・トレイルで、マッカンドレスの遺体が発見されてから、五十日が経っていた。

七か月まえの、凍るように寒い三月のある日の午後、マッカンドレスはカーシッジの大穀物倉庫のオフィスにぶらりとやってきて、いつでも働きに出られると言ったのだった。「俺たちはオフィスにいて、午前の伝票をつけていた」ウェスターバーグはそう記憶している。「アレックスは大きな古いバックパックを肩にかけて入ってきたんだ」そして、四月十五日まで滞在する予定でいるとウェスターバーグに言った。資金を稼ぐには十分の長さだった。アラスカへ行くので、あたらしい用具をいろいろと買わなければならない、と彼は説明した。マッカンドレスは秋の収穫の手伝いに間に合うようサウスダコタにもどってくると約束したが、そのまえに、できるだけ長い時間をかけて北へ分け入ってみるつもりでいたから、四月末までにはフェアバンクスに着きたいと思っていた。

このカーシッジでの四週間、マッカンドレスはせいいっぱい働き、誰もやりたがらない汚い単調で退屈な仕事をした。倉庫の掃除、害虫駆除、ペンキ塗り、大鎌での草刈り。あるとき、ウェスターバーグは彼にもうすこし技術を要する仕事をさせてやろうとして、フロント・エンド・ローダーの操縦を教えようとした。「アレックスはあまり機械類をいじったことがなかったんだ」ウェスターバーグは頭を横にふって言った。「クラッチやそうしたレバー類の扱いを習得しようとしている奴の姿はひどく滑稽だったよ。たしかに、いわゆる機械いじりは向いていなかったな」

また、マッカンドレスには、常識もあまりないようだった。彼を知る多くの者が、聞かれなくともまず口にするのが、いわば森を見て、なかなか木が見られない人間のようだという批判だった。「アレックスはかならずしも薄のろでもなんでもなかったがね」と、ウェスターバーグは言っている。「誤解しないでもらいたい。しかし、奴の考え方にはおかしなところがあったよ。たしか、一度家に訪ねていき、キッチンに入って、ひどい悪臭に気づいたことがあるんだ。いやな臭いがしていた。電子レンジをあけると、下に脂が溜まっていて、腐ったような臭いがしている。アレックスはそれでチキンを焼いていたんだ。脂はどこかへ流れでる。奴には、そのことがまったく頭になかった。ひどい不精者で、掃除をしないからじゃない──アレックスはふだん、きれい好きで、整頓好きだったんだ──ただ、脂に気づかなかっただけさ」

その年の春、マッカンドレスがカーシッジにもどるとすぐ、ウェスターバーグは長年、縒《よ》りをもどしたり別れたりしているガールフレンド、ベイル・ボウラを彼に紹介した。悲しげな目をした、小柄な、上品な顔立ちの、長いブロンド髪の女性で、アオサギのようにほっそりしていた。年齢は三十五歳、離婚歴があり、十代の子どもがふたりいた。マッカンドレスとはたちまち親しくなった。

「はじめのうち、彼はちょっと内気だったわ」と、ボウラは言っている。「人付き合いが苦手のようでね。長い間ひとり暮らしをしてきたせいだと思っていたけど。わたしはほぼ毎日、アレックスを夕飯に呼んだの」と、ボウラは話をつづけた。「彼は大食漢だった。出されたものはけっして残さないの。一度もよ。料理の腕もなかなかのものだった。ときどき、わたしをウェインの家に招いて、皆に夕食を作ってくれたりもしたわ。お米の料理をどっさり出してくれて。飽きそうに思えるけど、それがけっして飽きないの。一か月間、二十五ポンドのお米だけあれば、生きていけるとも言ってたわ。アレックスは、会えば、よく話をしたわよ」

ボウラはそのことをよくおぼえていた。「どちらかといえば、真面目な話で、自分の思いを打ち明けているようだった。ほかの人には言えないことでも、わたしには話せると言ってね。なにかに悩んでいたことはたしかだわ。家族との折り合いが悪いことははっきりしていたけど、でも、家族のことは、カリーンのこと以外、あまりしゃべらなかった。妹さんとはとても親しいって聞いていたけど。美人で、街を歩いていると、男たちが振りかえってじっと見ていたそうよ」

ウェスターバーグのほうは、マッカンドレスの家族問題については気にかけていなかった。「どんな理由で、家を出てきたとしても、それだけの理由はあったにちがいないと、俺は思っていたよ。もっとも、本人が死んでしまったから、もうなにもわからないが。アレックスがいまここにいれば、こっぴどく叱らずにはいられなかっただろうな。『いったいなにを考えてるんだ？　家族とずっと口をきかなかったり、汚らわしいもののように扱ったりして！』うちで働いている若い者のなかにゃ、ふた親がいないのさえいるが、愚痴ひとつ聞いたことがない。家族との関係がどうであれ、たしかに、そんなに深刻だったとは知らなかったよ。アレックスのことだから、父親との間になにかあって、それにこだわり、穏便にすますことができなかったんだろう」

ウェスターバーグのその推測は、あとになってみると、クリスとウォルト・マッカンドレスの関係について、かなり的を射た分析であることが判明した。父も息子も頑固で、かっとなりやすい質《たち》だった。頭から押さえつけずにいられないのが、ウォルトの生まれつきの性格であり、クリスのほうは人一倍独立心が強かったから、対立は避けられなかった。ハイスクールとカレッジへ通っている間は、いかめしいウォルトの言うことをおどろくほどよく聞いていたが、若者は内心ずっと腹立たしく思っていたのだ。父には精神的な欠陥があること、両親のライフスタイルは偽善的で、厳格なその愛は条件つきであることがわかり、長い間それを気に病んでいた。結局、クリスは反抗した――いよいよ行動を起こしたときには、そのやり方はいかにも彼らしく徹底していた。

姿を消す直前に、クリスは妹のカリーンに愚痴をこぼしている。両親の態度が「あまりにも理不尽で、圧制的で、無礼で、侮辱的なので、ぼくはとうとう堪忍袋の緒が切れたんだ」愚痴はそれだけで終わらなかった。

ぼくのことを本気でわかってくれようとしないから、卒業後数か月間は、両親の言いなりになって、ぼくが「意見を変え、彼らと同じ物の見方をしている」ふりをし、親子関係も安定しているように思わせるつもりだ。そのあと、ころあいを見て、いきなりすばやい行動に出、ぼくの人生からふたりをいっきょに叩きだしてやる。ぼくが生きているかぎり、もう二度と両親がそうしたくだらない話ができないように絶縁するつもりだ。これを最後に永久に親子の縁を切るよ。

ウェスターバーグが感じとったアレックスの冷たい親子関係は、マッカンドレスがカーッジで見せた温かさとはあきらかに対照的だった。その気になれば、彼は社交的で、とても感じがよくて、多くの人々の心を引きつけた。サウスダコタに帰ると、彼のところには手紙が届いていた。旅の途中で出会った人々からの便りで、そのなかには、「奴にすっかりのぼせあがった女の子からの手紙」があったことも、ウェスターバーグはおぼえている。「どこかひどく遠いところ――どこかのキャンプ地だろうと思うが――で知り合った相手だった」しかしながら、ロマンチックな男女の関係のことは、ウェスターバーグにもボウラにも、マッカンドレスは一言もしゃべっていない。

「アレックスからガールフレンドのことを聞いた記憶はないな」と、ウェスターバーグは言っている。「結婚したいし、いつかは家庭をもちたいと話していたことは二度ある。男女関係を手軽に考えていないことがわかったよ。ただ寝るだけのために、女をひっかけるような男じゃなかった」

女をあさるために、シングル・バーに入りびたっていなかったことは、ボウラも明らかにしている。「ある晩、わたしたちはみんなで繰りだして、遠くのマディソンのバーへ行ったの」と、彼女は言った。「ダンスをしようとフロアーに引っぱりだすのも、むずかしかったわ。でも、フロアーに出てきたら、今度は腰かけようとはしなかったの。わたしたちは飲んで、大騒ぎをした。アレックスが死んだあと、カリーンから聞いた話だけど、彼女の知るかぎり、彼はわたしとしかダンスに行ったことがないそうよ」

ハイスクールでは、二、三人の女の子と親密な関係を楽しんだこともあった。カリーンはひとつだけ、こんな例をおぼえている。彼が酔っぱらって、真夜中に女の子を二階のベッドルームにつれこもうとしたことがあったというのだ（ひどく騒々しくよろめきながら階段をあがっていったので、ビリーが目を覚まし、女の子を家へ送っていった）。けれども、彼が十代のとき、異性との付き合いに積極的であったという証拠はほとんどない。ハイスクール卒業後、女と寝たことを示す証拠はなおのことすくなかった（さらに言えば、男と性的関係があったという証拠もない）。マッカンドレスが惹かれたのは女性だったが、その女性との関係はほとんど、あるいは、まったくなくて、修道士のように純潔のままであったと思われる。

性的禁欲と道徳的潔白は長所であり、マッカンドレスはそのことについて繰りかえし思索をめぐらしている。事実、所持品とともにバスのなかにあった一冊の本は小説集で、そのなかには、苦行者となった貴族が「肉欲」を糾弾するトルストイの『クロイツェル・ソナタ』

も入っていたのである。ページのすみが折られた本には、そうした文章の何か所かに星印がつけられたり、強調されたりしていた。余白には、マッカンドレスのものとはっきりわかる筆跡で短いメモがぎっしり書かれていた。やはりバスのなかで発見されたソローの『ウォールデン』の「より高い法則」の章では、「性的禁欲は男の開花期であり、いわゆる才能、英雄的行為、聖性といったものは、そのあとにもたらされる、まさにさまざまな果実である」という箇所が丸で囲われていた。

われわれアメリカ人は性に興味をそそられ、性に取りつかれ、性に怯《おび》えている。見るからに健康的な人間、とりわけ健康的な若者が肉欲の誘惑を断ちきろうと決心したとすれば、それは衝撃的なことだし、われわれは意地悪い目つきで見てしまう。疑いが頭をもたげてくるのだ。

マッカンドレスの明白な性的純潔は、しかしながら、個性的な人間に特有のものとして、われわれのカルチャーでは、賞賛すべきものとされている。もっと著名な信奉者については、すくなくともそうである。性にたいする彼の心の揺らぎは、ひた向きな情熱をもって荒野と抱擁をかわしたほかの著名人たちのそれと似ている——ソロー（彼は生涯、童貞だった）と博物学者ジョン・ミュアはもっとも有名である——数えきれないほどの無名の巡礼者、求道者、社会的不適応者、冒険家たちは言うまでもない。荒野に魅せられた多くのこうした人々と同様、マッカンドレスも、性欲に取ってかわるさまざまな激しい欲望に駆り立てられていたように思われる。ある意味で、彼の憧れはあまりに強力で、人間との触れ合いによっては満たされなかったのだ。マッカンドレスは女性たちからの援助の申し出に心を動かされてきたかもしれないが、自然や宇宙そのものとの素朴な出会いにたいする期待にくらべれば、それは見劣りがした。このようにして、彼は北のアラスカへと引き寄せられたのである。

北での滞在が終われば、サウスダコタにもどる、すくなくとも秋にはもどる、とマッカンドレスはウェスターバーグとボウラにはっきり言っていた。その後のことは、決まっていなかった。

「このアラスカ行きは、奴の最後の大冒険になるだろうという気がしたんだ」と、ウェスターバーグは言っている。「奴はどこかに落ち着きたがっているようだったよ。旅行記を書くと言っていた。カーシッジが気に入っていたんだ。教養があったから、一生、穀物倉庫で働くとは、誰も考えていなかった。だが、たしかに、しばらくの間はここに帰ってきて、仕事を手伝うつもりでいたし、つぎになにをするか、それも見つけるつもりでいたんだ」

その年の春、マッカンドレスの目はしっかりアラスカのほうを向いていた。彼はあらゆる機会をとらえ、旅行のことを話していた。町にいるベテランハンターを探し歩いては、獲物の追跡やそのさばき方や肉の塩漬けについて、いろいろアドバイスを受けていた。ボウラは彼にミッチェルのKマートへ用具をいくつか買いにいかせた。

ウェスターバーグのところでは、四月中旬まで仕事がひどく立て込んでいて、しかも人手不足だった。それで、マッカンドレスに出発を延期して、あと一、二週間働いてくれないかと頼んだ。彼は考慮しようとすらしなかった。「アレックスはいったん事を決めると、ぜったいに変えることはなかった」と、ウェスターバーグは嘆いている。「フェアバンクスまでの航空券を買ってやるとも言ったんだが。そうすれば、あと十日働いても、やはり四月末までにはアラスカへ行ける。ところが、奴はこう言ったんだよ。『いや、ヒッチハイクで北へ行きたい。飛行機で行ったら、ごまかしになる。そんなことをしたら、旅そのものが台なしだ』とね」

マッカンドレスが予定していた北へ向かう二晩まえに、ウェインの母親のメアリー・ウェスターバーグが彼を自宅へ夕食に招いてくれた。「おふくろは俺のところで働いている連中の大半を嫌ってる」と、ウェスターバーグは言った。「実は、おふくろはアレックスを呼ぶのも、気が進まなかったんだ。だが、俺が『この若いのには会っておかなくちゃ』とうるさく言いつづけてね。それで、やっと夕食に呼ぶことにした。が、ふたりはたちまち意気投合した。五時間ずっとしゃべりづめだった」

「彼には、なんとなく魅力があるわね」ミセス・ウェスターバーグは、マッカンドレスがあの夜食事をした、磨かれたクルミ材のテーブルのところに腰をかけて言った。「アレックスはとても二十四歳には思えなかったわ。わたしが話をすると、いちいちそれはどういうことか、どうしてこんな風に、あるいはあんな風に考えたりするのか、もっともっと知ろうとした。貪欲に物事を吸収しようとしていたわ。ふつうの人とちがって、なんとしても信念をつらぬきとおそうとするタイプの人だったの。

何時間も、本のことを話したんだけど、本の話をしたがる人なんて、カーシッジにはそんなにいないのよ。マーク・トウェインのこととなると、彼の話はとめどもなくてね。もちろん、楽しそうにおしゃべりしていた。わたしも、このまま夜が明けてほしくないと思っていたわ。今年の秋にまた会えることを、とっても楽しみにしてたのよ。彼のことは忘れられないわ。あの顔がいつも頭にうかんできてね。あなたがいま座っている椅子に腰かけていたのよ。アレックスと話したのはほんの数時間なのに、彼が亡くなったときは、自分でもびっくりするほどうろたえたわ」

カーシッジでの最後の夜、マッカンドレスはウェスターバーグの従業員たちとキャバレーでどんちゃん騒ぎをした。ジャック・ダニエルズがふんだんに振る舞われた。誰もが驚いたのは、マッカンドレスがピアノのまえに座って、ホンキートンク調のカントリーミュージックやラグタイム、さらにトニー・ベネットのナンバーを弾きはじめたことだった。ピアノが弾けるなんて、一度も口にしたことがなかったのだ。彼はただの酔っぱらいではなく、聞く気のない聴衆に、その才能をあらためて認めさせた。「アレックスはほんとうに弾けたのよ」と、ゲイル・ボウラは言っている。「つまり、うまかったってことなの。皆すっかり圧倒されてしまったわ」

四月十五日の朝は、全員が大穀物倉庫に集まり、マッカンドレスの出発を見送った。彼のバックパックは重かった。所持金は千ドルほどで、ブーツにしまってあった。日記とアルバムをウェスターバーグに預け、荒地で作った革のベルトを彼にプレゼントした。

「アレックスはキャバレーのカウンターに腰かけ、何時間も、象形文字文でも俺たちに読み解いてくれるかのように、よくあのベルトを読んでいたよ」と、ウェスターバーグは言った。

「奴が革に彫った絵には、それぞれ長いエピソードがあるんだ」

　マッカンドレスと別れの抱擁をかわしたボウラの話では、そのとき、「彼が泣いていることに気づいたの。びっくりしたわ。彼はずっと死ぬつもりなどなかったのよ。でも、なにかたいへんな危険を冒したり、帰ってこられない可能性があるとでも思っていなければ、泣いたりしないと思うわ。そのとき、わたしはもう二度とアレックスとは会えないかもしれないって、いやな予感がしたの」

　セミトレイラーを牽引する大型のトラクターが戸外でアイドリングしていた。ウェスターバーグの従業員のひとり、ロッド・ウルフはヒマワリの種をノースダコタのエンダーリンへ運ばなければならなかったので、マッカンドレスを州間ハイウェイ95号まで乗せていくことになった。

「車から降ろしたとき、奴は大ぶりの山刀《マチエーテ》を肩からはずしてもっていた」と、ウルフは言っている。「たまげたよ、そんなものを目にすれば、誰も車に乗せちゃくれない。俺はそう思った。だが、マチェーテのことはなにもしゃべらなかった。ただ握手をし、元気でな、便りを寄こしたほうがいいぞと言っただけだ」

　マッカンドレスは手紙を書いた。一週間後、ウェスターバーグはモンタナの消印の押された短いハガキを受けとった。

四月十八日。今朝、貨物列車でホワイトフィッシュに到着。思ったよりも早く進んでいます。今日は、国境を越え、方向を変えて、アラスカに向かいます。みんなによろしく。

身体に気をつけてください、アレックス

その後、五月のはじめに、ウェスターバーグはもう一通ハガキを受けとった。今度はアラスカからで、海岸にいるシロクマが写っている絵ハガキだった。一九九二年四月二十七日の消印が押されていた。「こんにちは、いまフェアバンクスにいます！」そして、こう書かれていた。

ウェイン、これがぼくの最後の便りになるでしょう。ここには、二日まえにきた。ユーコンでは、なかなか車がひろえなかった。だが、ぼくはなんとかここにたどり着きました。

ぼくのところに届いている手紙はどうか差出人に送りかえしてください。南にもどるのは、ずっとあとになります。この冒険で命を落とすことになり、ぼくから二度と便りがなければ、ここで言っておきたいが、あなたはすばらしい人です。ぼくはこれから荒野へ入っていきます。

アレックス

同じ日に、マッカンドレスは似たような内容のハガキをジャン・バーレスとボブにも出している。

やあ！
これはぼくからの最後の便りになるだろう。荒野で暮らすために、いまから徒歩で出発します。身体に気をつけてください。知り合いになれて、ほんとうによかったと思っている。

アレグザンダー

第八章　アラスカ

結局、創作的才能にとって、病的なほど極端に走るのは悪い習慣かもしれない。それは非凡な自己洞察をもたらすけれども、心の傷を魅力的な芸術や思想に表わせない者たちには、長続きする生き方ではない。

セオドア・ロウスザック
『驚異の探求』

アメリカには、「大きなふたつの心をもった川」の伝承がある。心に傷を負った人を荒野へとつれていき、癒し、気分転換、安息、なんでもしてくれるのである。ヘミングウェイの小説に描かれているように、傷がそれほど深くなければ、うまくいく。しかし、ここはミシガンではない（あるいは、さらに言えば、フォークナーのミッシシッピーのビッグウッズでもない）。ここはアラスカなのだ。

エドワード・ホウグランド
『チョーキットシックへのブラック川遡行』

マッカンドレスがアラスカで亡くなったことが判明し、その死の複雑な事情がニュースメディアで報道されると、若者はノイローゼだったにちがいない、と多くの人々は結論をくだした。〈アウトサイド〉誌の記事にたいしては、大量の投書が寄せられ、相当数の手紙はマッカンドレスを非難していた。なかには、ばかばかしい無意味な死と考える者たちもいて、記事の筆者である私も、彼を賛美しているとして非難された。

非難の手紙の大半はアラスカの住人から送られてきたものだった。「私の意見では、アレックスは愚か者です」スタンピード・トレイルのはずれにある集落、ヒーリーの住人はそう書いてきた。「作者が描いているのは、わずかな財産を放棄し、愛する家族を見捨て、車も腕時計も地図も捨てて、残った金を燃やし、そして、ヒーリーの西にある〝原野〟へふらふらと入りこんでいった男です」

「自分としては、クリス・マッカンドレスの生き方にも、原野にたいする考え方にも、肯定的なものはなにも認められない」と、ほかの手紙は叱責している。「わざと準備不足のまま原野へ入っていったり、命からがら生き延びたりする経験は、人間を磨くことにはなりません。まったくの運任せになるのです」

〈アウトサイド〉誌の記事の読者のひとりは、こう疑問を呈している。「『数か月間、その土地があたえてくれるものを食べてやっていこうとした』者が、ボーイスカウトの基本ルール、準備は万全かというルールを、なぜ忘れているのですか？　あの息子はなぜこうして両親や家族をいつまでもしつこく苦しめようとしたのでしょうか？」

「クリス・『アレグザンダー・スーパートランプ』・マッカンドレスを変人であると見なさなければ、クラカワーはどうかしています」というのは、アラスカのいちばん北から寄せられた男性の意見である。「マッカンドレスはすでに頭がおかしくなっていて、たまたまアラスカで最悪の事態におちいったのです」

いちばん耳が痛かった批判は、北極圏の北にあるコブク川沿いの小さなイヌイットの村アンブラーから届いた、何枚にもわたってびっしり書かれた手紙である。差出人はニック・ジャンスというワシントンDC出身の教師で、白人の作家だった。いま時刻は午前一時であり、ジャンスはシーグラムをかなり飲んでいるとあらかじめ断わってから、ジャンスは痛烈な言葉をあびせている。

この十五年間以上、私はここのあちこちで、たまたまマッカンドレスのような人間と何人か会いました。事の顚末も同じです。理想主義的なエネルギッシュな若者たちで、自分を買いかぶり、土地を見くびり、最後はトラブルを起こしたのです。マッカンドレスひとりだけではありません、州内をうろついているこうした連中はかなりの数います。彼らは実によく似ていて、同一グループのようです。ただひとつちがう点は、マッカンドレスが最後には亡くなり、そのまったく愚かな行動をメディアが派手に書きたてたことです……（ジャック・ロンドンが『焚火』のなかで、はっきり書いています。マッカンドレスは結局、まさしくロンドンが描いた主人公の迫力に欠ける二十世紀のパロディーです。その主人公は忠告を聞かず、とんでもない傲慢なことをしでかして、凍死するのです）……

マッカンドレスを殺したのは彼の無知であり、それはアメリカ地質調査所の四分儀とボーイスカウトのマニュアルがあれば、正されたはずです。両親には同情しますが、彼には同情しません。こういう頑迷さは……実質的に土地への軽視に等しいし、逆説的に言えば、一種の傲慢であって、それがエクソンのタンカー、ヴァルディーズ号の重油流出事故を引きおこしたのです――このケースもまた、準備不足で自信過剰の男たちがあちこちをほっつき歩き、謙虚さが必要であるのに、それを欠いているために、へまをしでかしたのです。なにごとも程度問題です。

マッカンドレスは禁欲をしようとしました。文学まがいの姿勢は落ち度をすくなくするよりも、むしろ倍加させます……マッカンドレスのハガキ、ノート、それに日記は……やや芝居がかったハイスクールの生徒の書いたものとしては、平均以上の出来と思われますが――あるいは、私が見落としているものでも、なにかあるでしょうか？

一般のアラスカの人々の知識からすれば、マッカンドレスは夢ばかり追っている嘴《くちばし》の黄色い青二才にすぎなかった。自分が抱えている問題の答えがすべて見つかると期待して、ここにやってきたものの、見つかったのは答えではなくて、蚊と孤独な死だけだったのである。ここ数年、多くのいい加減な連中がアラスカの原野へ分け入ったまま、二度と姿を見せなかった。そのうちの何人かは、州の住民の記憶にしっかりと刻みこまれている。

一九七〇年代のはじめに、反体制文化の理想主義者が、これからの人生を「自然と親しみながら」過ごすつもりだと言って、タナナの村を通過していった。真冬にフィールドワークをしていた生物学者がトフティ近くの無人小屋のなかで、彼の所持品――二挺のライフル、キャンプ用具、真実と美と深遠なエコロジー理論に関する支離滅裂な大言壮語が記された日記――を発見した。小屋の内部は、吹きこんだ雪でいっぱいだった。若者の痕跡はまったく見つからなかった。

その数年後には、「人々から逃れて」、チョーキットシックの東にあるブラック川の川べりに小屋を建てたベトナム人獣医がいた。そして、二月には、食糧を食べつくして、餓死した。事実、三マイル下流には肉を貯蔵した小屋がもう一軒あったにもかかわらず、あきらかに自分の身をまったく守ろうとしていなかった。エドワード・ホウグランドはこの死について書いていて、「隠遁生活の体験をしたり、平和と愛の素人芝居をするには、アラスカは最良の場所ではない」と述べている。

それから、一九八一年には、プリンス・ウィリアム・サウンドの海岸で、私はたまたま偏屈な天才と出会った。私はアラスカのコールドヴァの近くでキャンプをしていたのだ。引き網漁船の甲板員の仕事を探していたが、なかなか見つからなくて、漁猟《ぎょりょう》局が最初の「解禁」、つまり漁業者にサケ漁シーズンの開始を告げるまで、チャンスを待っていたのである。ある雨の日の午後、歩いて町へ入っていったとき、私は四十年配の人目を引くむさくるしい男とすれちがった。もじゃもじゃの黒いひげを生やし、髪を肩まで長く伸ばし、汚れたナイロン製のヘッドバンドをして、髪が顔にかからないようにしていた。男は背中を曲げ、長さ六フィートのかなり重い丸太を肩に担いで、きびきびした足取りでこっちへ歩いてきたのだ。

近くまできたので挨拶をすると、男はもぐもぐと返事をした。ふたりは足を止め、霧雨のなかで雑談をした。濡れた丸太をなぜ森へ運んでいくのか、それは聞かなかった。森には、丸太などいっぱいあるようだった。どうでもいい話を真面目に数分交わし、私たちはべつべつの方向へ別れた。

その短い会話から、私が会ったのはどうやら地元では通称ヒッピー入江の村長として知られている変人であるらしいことがわかった。町の北のほうに、長髪の渡り労働者が集まってくる海岸があり、そこの湾に因《ちな》んだ通称であった。村長はこの何年間か、そこの近くに住んでいたのである。ヒッピー入江の住人たちの多くは、私と同じ夏の間だけいる不法居住者であり、賃金の高い漁船の仕事にありつこうとしてコールドヴァにやってきて、仕事にあぶれ、サケの缶詰工場で働き口を見つけていたのだ。しかし、ヒッピー入江の村長はちがっていた。

本名はジーン・ロッセリーニ。シアトルの裕福な料理店主ヴィクター・ロッセリーニのいちばん年上の継子《ままこ》であり、しかも、一九五七年から一九六五年までワシントン州知事としてたいへんな人気を博したアルバート・ロッセリーニの従弟《いとこ》であった。若いころのジーンは一流のスポーツマンであり、優秀な学生だった。取りつかれたように読書をし、ヨガの修行にはげみ、武道の達人にもなっていた。ハイスクールとカレッジでは、つねに四・〇の完璧な学業平均値を維持していた。ワシントン大学と、その後のシアトル大学では、人類学、歴史、哲学、言語学を熱心に学び、多くの単位を履修したが、学位はとらなかった。学位などどうでもよかったのである。知識の探求はそれだけで価値ある目的であり、傍《はた》から認められる必要などない、と彼ははっきり言っていた。

やがて、ロッセリーニは学究的な生活を離れ、シアトルを出発して、海岸沿いに、ブリティッシュコロンビアと、細長くカナダに入りこんでいるアラスカの土地を通って、ゆっくり北上していった。一九七七年には、コールドヴァに到着している。そこの町はずれの森で、彼は一生を人類学の野心的な実験に捧げる決心をした。

「現代のテクノロジーと無関係でいられるか、それを知りたかった」と、コールドヴァにやってきてから十年後に、彼は〈アンカレッジ・デイリー・ニュース〉の記者デブラ・マッキニーにそう語っている。マンモスや剣歯虎《サーベル・タイガー》があたりを歩きまわっていたころ、われわれの先祖が生きてきたように、人類が生きられるかどうか、あるいは、火薬や鉄やほかの文明の恩恵なしには生きていけないほど、人類はそのルーツから遠くへ離れてしまったのかどうか、知りたいと思っていたのである。彼一流の粘りづよい、天才としての特徴である細部への異常なまでのこだわりで、ロッセリーニは天然の素材から自らの手で作ったもっとも素朴な道具以外のものを、ことごとく生活から一掃した。

「人間の能力はだんだん退化している、と彼は確信するようになったんです」マッキニーはそう説明している。「彼がめざしたのは自然の状態へ回帰することでした。そして、時代を変えて、ずっと実験をつづけてきた――ローマ時代、鉄器時代、青銅器時代とね。最終的には、その暮らしぶりは新石器時代のものでした」

彼は根菜類、ベリー類、海藻を食べ、槍や罠で獲物を捕り、ぼろの服を着て、寒さのきびしい冬に耐えていたのだ。辛苦を楽しんでいるように思われた。ヒッピー入江のうえにある家は窓のない小屋だった。彼はノコギリも斧も使わないで、それを建てたのである。「彼は数日かかって」と、マッキニーは言った。「鋭利な石で丸太をくりぬき、入口を作ったんです」

自らに課したルールに従ってただ生活するだけではさしたる苦労はないかのように、ロッセリーニはまた、食糧をあさっていないときには、強迫観念にとりつかれたようにかならず運動をしていた。毎日、柔軟体操や重量挙げやランニングをしたり、ときには、大きな石を担いで走ったりしていた。その代表的な例と思われるある年の夏には、一日に平均十八マイル走ったという記録がある。

ロッセリーニの「実験」は十年以上にわたってつづけられたが、結局、その実験を思い立つきっかけとなった疑問には答えが出ている、と彼は感じていた。そして、友人への手紙にこう書いている。

私は大人になってから、石器時代生まれになることができるという仮説のもとに生活をはじめました。三十年以上の間、私はプログラムを作り、この目的だけに専念したのです。ここ十年間、肉体的にも、精神的にも、感情的にも、石器時代の現実を体験したと言えるでしょう。しかし、仏教的な言い方をすれば、結局、純粋な現実と直面する場がやってきたのです。われわれが知っているような人間には、土地があたえてくれるものを食べて生きていくのは無理であることがわかりました。

ロッセリーニは自分の立てた仮説のまちがいを冷静に認めているように思われた。四十九歳のとき、彼はまたあらたな目標を「立て」、今度は「一か所に定着しないで、世界中を歩きまわるつもりでいる。一日に十八マイルから二十七マイルは歩き、一週間に七日、一年に三百六十五日は歩きたい」と元気よく宣言した。

だが、旅立ちは実行されなかった。一九九一年の十一月、ロッセリーニはナイフを突き立て、掘っ立て小屋の床にうつぶせに倒れているところを発見されたのだ。検屍官は致命傷が自らの手で加えられたものであると断定した。遺書はなかった。ロッセリーニがそのとき、なぜそんな風に命を絶つ決心をしたのかについては、なんのヒントも残されていない。たぶん、誰にもわからないだろう。

ロッセリーニの死とひどく風変わりな生活は、〈アンカレッジ・デイリー・ニュース〉紙の一面を飾った。しかしながら、ジョン・マロン・ウォーターマンの苦しみはさほど注目をあびなかった。ウォーターマンは一九五二年の生まれで、ワシントン郊外で育った。クリス・マッカンドレスが成長したところである。父親は音楽家であり、フリーライターでもあって、大統領、前大統領、ほかの著名な政治家たちの演説草稿を書いている。ライターとしては、それ以外の仕事でも多少の名声は得ていたけれども。ウォーターマンの父親はまたベテランの登山家でもあり、三人の息子に早くから登山を教えていた。真ん中の息子のジョンは、十三歳のときにはじめて、ロッククライミングに行った。

ジョンは素質にめぐまれていた。彼は機会あるごとに険しい岩山に向かい、山に登れないときには、取りつかれたように訓練に励んだ。毎日、四百回の腕立て伏せを機械的にこなし、学校までの二マイル半を早足で歩いた。午後、帰宅すると、玄関のドアにタッチして、もう一度往復するために、学校のほうへもどっていった。

一九六九年、十六歳のときに、ジョンはマッキンレー山に登り（アラスカの多くの人々と同様、彼はアサパスカ語で山頂を意味する言葉を使い、デナリと呼んでいた）、北米大陸の最高峰の頂上に立った三番目に年の若い登山家となった。その後、数年のうちに、アラスカ、カナダ、それにヨーロッパで、もっとすばらしい登攀《とうはん》をやってのけた。一九七三年にフェアバンクスへ行き、アラスカ大学に通っているころには、北米のもっとも有望な若い登山家のひとりとしての評判を不動のものにしていた。

ウォーターマンは小柄で、五フィート三インチそこそこしかなかった。顔は小妖精のようであり、体格は筋骨たくましく、疲れを知らない体操教師のようだった。知人たちの記憶では、人付き合いのへたな、突飛なユーモアのセンスをもった、風変わりな、ほとんど躁鬱《そううつ》病的な性格の若者であったらしい。

「ぼくがジョンとはじめて会ったとき」山の仲間で、大学時代の友人ジェームズ・ブレイディーは、こう言っている。「長い黒のケープをはおり、レンズとレンズの間にダイヤがあるブルーのエルトン・ジョン風のメガネをかけて、キャンパス内を意気揚々と闊歩《かっぽ》していたよ。マスキングテープで張り合わせた安もののギターをもち歩き、自分の冒険を題材にした長い調子っぱずれの曲を、聞いてくれる者がいれば、誰だろうと、よく歌っていた。フェアバンクスには、いつも妙な連中がいっぱい集まってきていたけど、そのなかでも、彼は風変わりな人間だったね。そう、ジョンははみ出し者だった。多くの連中にとっては、扱いにくい相手だったよ」

ウォーターマンの情緒不安定については、もっともらしい理由を推測するのはむずかしいことではない。ティーンエージャーのときに、両親が離婚していた。母親には、重い精神病の病歴があった。いちばん仲のよかった兄のビルはティーンエージャーのときに、貨物列車に飛びのろうとして、片脚を失っている。一九七三年、そのビルは長期にわたる旅行計画をそれとなくほのめかす謎めいた手紙を投函して、そのあと、完全に姿を消している。いまだに、どこへ行ったのか、誰も知らないのだ。ジョンが山登りをおぼえてから、八人の親友と山仲間が事故死をしたり、自殺をしたりしている。こうしてつぎつぎと不幸に見舞われたことで、若いウォーターマンが精神的に深刻な打撃を受けたと断定しても、それほど誇張した言い方ではない。

一九七八年三月、ウォーターマンはみんなをあっと言わせる冒険旅行に出て、ハンター山の南東の尾根の単独登攀、選りぬきの登山家パーティ三組がこれまで失敗してきた未踏ルートからの登攀に乗りだした。ジャーナリストのグレン・ランドルが〈クライミング〉誌でその偉業について書き、「風と雪と死が」道づれであったというウォーターマンの言葉を伝えている。

メレンゲのように軽い雪庇《せっぴ》がいくつも突きだし、それらの下一マイルはなにもない空間である。垂直な氷壁は、アイスバケットのなかで半分解けかかり、ふたたび凍結した角氷のように砕けやすかった。氷壁は尾根までつづき、どちらの側の尾根もきわめて狭く、急峻だったから、それにたいするいちばん簡単な対処法は、踏んばるようにして歩くことだった。ときには、苦しさと孤独とに圧倒されて、精神的に参ってしまい、彼は声をあげて泣いた。

八十一日間にわたる極度に体力を消耗するきわめて危険な登攀のあと、ウォーターマンはアラスカ山脈のデナリのすぐ南にそびえている一万四千五百七十三フィートのハンター山への登頂に成功した。下山はほんのわずか楽になるけれども、それにはさらに九週間かかった。

ウォーターマンは総計で百四十五日間、山中にひとりで過ごしたことになる。無一文になって、山から都会にもどるとき、乗りこんだ辺境の定期航空便のパイロット、クリフ・ハドソンから二十ドルの金を借りて、フェアバンクスに帰った。そこで彼がありつけた仕事は、皿洗いしかなかった。

にもかかわらず、ウォーターマンはフェアバンクスの小さな山岳会に英雄として迎えられた。彼はハンター登頂のスライドを一般に公開した。ブレイディーに言わせれば、「いつまでも記憶に残る催しだった。それは信じられないパフォーマンスで、なにもかも曝けだしていた。自己の思想と感情、失敗の不安も、死の恐怖も、すべて披瀝《ひれき》していたんだ。まるで彼といっしょにその場にいるようだったよ」英雄的行為のあとの数か月間、ウォーターマンはしかし、身内の悪魔たちを休息させるどころか、成功はただ彼らを扇動したにすぎなかったことを悟った。

ウォーターマンの心のうちが明らかになろうとしていた。「ジョンは自分にたいして厳しく、つねに自己分析をしていた」と、ブレイディーは記憶している。「どちらかと言えば、彼はずっと強迫観念にとらわれてきたんだ。クリップボードとはぎ取り式のノートを常時たくさんもち歩いていてね。日々の自分の行動をつぶさに記録して、詳細なメモをとっていた。フェアバンクスのダウンタウンで一度ばったり出会ったことをおぼえているよ。そばに行くと、彼はクリップボードを取りだして、ぼくと会った時間を記録し、どんな会話を交わしたかを記していたんだ。そんなに長いこと話をしていたわけじゃない。が、そのときのことを、彼は三、四ページにもわたってメモしていたんだ。すでにそのメモのまえには、その日のほかのいろんなことが走り書きされていた。どこかに、そんなノートがいくつも山のようにあるにちがいない。ジョン以外には、きっと誰にも意味がわからないものだろうが」

その直後に、ウォーターマンは学生にたいしフリーセックスを奨励し、幻覚誘発薬の合法化を推進しようとして、地方教育委員会に立候補した。彼以外の誰もが予想していたとおり、落選した。しかし、すぐに、今度は合衆国大統領の職をめざして、あらたに政治運動をはじめたのである。そして、〈飢えた者に食糧を〉党から選挙に立候補した。その党が最優先にかかげているのは、この地球上からの餓死の根絶を保証することであった。

選挙キャンペーンのために、彼は冬場に、最低限の食糧を携行して、いちばん急峻な南面からのデナリ山単独登頂計画を立てた。広く知られているアメリカ式ダイエットが浪費であり、不道徳であることを強調したかったのである。山登りの訓練として、彼は氷を満たしたバスタブに浸《つ》かったりもした。

一九七九年十二月に、ウォーターマンはカヒルトナ氷河へ飛行機で飛んで、登りはじめたが、わずか十四日後には、それを中止している。「家につれてってくれ」噂によれば、彼は辺境の定期航空便のパイロットにそう言ったという。「死にたくないんだ」二か月後には、しかし、彼は二度目のアタックを準備した。だが、アラスカ山脈に挑む多くの登山隊のベースキャンプとなっているデナリ山の南の村タルキートナでは、彼が泊まっていた小屋が火事となり、全焼して瓦礫《がれき》と化した。彼の装備も、多量に溜まっていたノートや詩や、彼がライフワークと見なしていた個人日記も、焼けて灰になった。

その失敗によって、ウォーターマンの精神状態が完全に明らかになった。火事の翌日、彼はアンカレッジ精神病院に入院したが、二週間後には、監禁の企みがひそかに進行中であることを確信して、退院した。そして、一九八一年の冬には、またあらたなデナリ山への単独登頂に取りかかった。

冬山にひとりで登るだけでは、挑戦として物足りないかのように、今度は、海面の高さから登りはじめることで、さらに負担を増やすことにした。クック入江の海岸から山裾まで、百六十マイルの遠回りのつらい距離を歩かなければならないのだ。彼は二月に海岸から北へむかってひとりで歩きだしたが、意気込みはルース氷河の下流でしぼんでしまった。山頂まではまだ三十マイルあったから、彼は計画を中止し、タルキートナに引きかえした。三月には、しかし、もう一度決意をあらたにして、苦難に満ちたひとり旅をふたたびはじめた。町を出るまえに、彼は友人と見なしていたパイロットのクリフ・ハドソンに「もう会えることはないだろう」と言った。

アラスカ山脈では、三月はとくに寒さがきびしい。三月下旬に、マグズ・スタンプはルース氷河の上流でウォーターマンと会った。スタンプは一九九二年にデナリ山で亡くなった世界的に有名な登山家で、近くの山頂ムースズ・トゥースの難しいあらたなルートを切りひらいたばかりのところだった。ウォーターマンと偶然出会ってから間もなく、スタンプはシアトルの私のもとに訪ねてきて、こう言った。「ジョンの様子がどうもおかしいんだ。妙な行動をしていたし、なにかおかしなことをしゃべっていた。おそらく、冬場にデナリ山に登るというたいへんなことをしていたんだろうが、ほとんど装備らしい装備ももっていなかったんだよ。安もののワンピースのスノーモービル用の服を着て、寝袋すらも用意していなかった。携行していた食糧も、小麦粉、いくらかの砂糖、クリスコの大きな缶だけだった」『限界点』という本のなかで、グレン・ランドルは書いている。

数週間、ウォーターマンはシェルドン山小屋のあたりでぐずぐずしていた。山脈の中央に位置するルース氷河のそばの小さな丸太小屋である。そのとき、そこを登っていたウォーターマンの友人、ケイト・ブルは、彼が元気がなくて、いつもとちがい用心深くなかったと語っている。彼はクリフ（ハドソン）から借りた無線機を使い、彼と連絡をとり、追加の食糧を飛行機で運ばせた。それから、借りた無線機を返した。「もうこれは必要ないだろう」と、彼は言った。助けをもとめるときには、無線機だけが頼りだっただろうに。

ウォーターマンが最後にいた場所は、四月一日、ルース氷河のノースウェスト・フォークだった。彼の足跡は複雑に入り組んだ巨大なクレヴァスをまっすぐ突っきる形で、デナリ山の東の突出部のほうへ向かっていた。あきらかに危険を回避する努力らしい努力をしていない証拠であった。二度とその姿は目撃されていない。彼が薄いスノーブリッジを渡ろうとして、深い裂け目の底に墜落死したのはまちがいないと考えられる。国立公園部は、彼の失踪後一週間、ウォーターマンの予定ルートを空から捜索したが、彼の痕跡は発見されなかった。あとになって、何人かの登山家がシェルドン山小屋のなかで、ウォーターマンの用具箱のうえにあったノートを見つけている。「81／3／13」と、そこには書かれていた。「私の最後のキス、午後一時四十二分」

たしかに、ジョン・ウォーターマンとクリス・マッカンドレスには、似ているところがある。マッカンドレスとカール・マッカンにも、類似点があることが指摘されている。マッカンは愛想のいいよく物忘れをするテキサス人で、一九七〇年代のオイルブームのときに、フェアバンクスへやってきて、アラスカ横断パイプラインの建設プロジェクトでいい稼ぎになる仕事を見つけた。一九八一年三月はじめに、ウォーターマンがアラスカ山脈への最後の旅に出たとき、マッカンは辺境の定期航空便のパイロットを雇い、ブルックス山地の南端にあるフォート・ユーコンの北東約七十五マイル、コリーン川近くの人里離れた湖で降ろしてもらった。

マッカンは三十五歳のアマチュアカメラマンで、旅行の主要目的は野生生物の撮影であると友人たちに語っていた。フィルムを五百本、二十二口径のライフルと三十口径三十薬粒のショットガン、それに六百五十キロの食糧をもって、彼は地方へ飛行機で飛んだ。目的は八月の間中、原野にとどまることだった。ところが、どうしたわけか、夏が終わったときの、都市への復路の便をパイロットに手配しておかなかった。それがマッカンには命取りとなった。

このとんでもない手落ちは、マーク・ストッペルにとっては、それほど意外なことではなかった。フェアバンクス在住の若者で、九か月間パイプライン建設現場でいっしょに働き、マッカンのことはよく知っていたのだ。そのあとすぐに、痩せたテキサス人はブルックス山地へ出発していったのである。

「カールは親切で、とても人気があって、南部人らしい男だった」と、ストッペルは回想している。「彼は抜け目のない男に見えた。だが、ちょっと夢見がちな面、いささか現実離れした面があった。それと、行動が派手だった。ひどく遊ぶのが好きでね。非常に信頼できる人だったんだろうけど、いい加減な準備をして、衝動的に行動したり、虚勢と格好だけでなんとかやってしまう傾向があった。いや、カールがそこへ出かけていって、迎えにきてもらう手配を忘れてしまったのは、彼ならありえないことじゃないと思う。でも、俺はそう簡単には物事に驚かないんだ。溺れたり、殺されたり、不慮の事故で死んだりした友だちが何人もいるからね。アラスカでは、思いがけないことが起こっても、慣れてしまうんだよ」

ブルックス山地では、八月下旬ともなれば、日は短くなり、空気は身を切るように冷たくなって、秋の気配に変わっていく。マッカンは誰も迎えにきてくれないので、不安をおぼえはじめていた。「飛行機の手配については、もっと慎重であるべきだったと思う」と、彼は日記で告白している。クリス・キャップスが〈フェアバンクス・デイリー・ニュース〉に書いた五回にわたる連載記事のなかの、死後発表された日記の重要な部分だった。「が、すぐになんとかなるだろう」

　一週ごとに、冬の到来のスピードがどんどん速くなっていくのが感じられた。食糧の残りが乏しくなってきたので、マッカンはショットガンの弾丸一ダースだけ残して、すべて湖に放りこんでしまったことをひどく後悔していた。「一か月ほどまえに投げ捨てたショットガンの弾丸のことをずっと考えつづけている」と彼は書いている。「弾丸は五箱あったのだ。そこに置かれている箱を見ていたときには、こんなにたくさん持ってきたことをむしろばかばかしく感じていた（戦争屋のように思えたのである）。……が、実際は、賢明なことだったのだ。餓死しないためには、弾丸が必需品であることを、誰がわかっていただろう」

　その後、爽快な九月のある朝に、すぐにも救出されると思われたときがあった。マッカンが残りの弾丸をこめて、カモに忍び寄ろうとしていたとき、爆音が静けさを破り、間もなく飛行機が一機、頭上に飛来したのである。パイロットはテントに気づき、もっと近くから確かめようとして、低空で二度旋回した。マッカンは蛍光オレンジ色の寝袋のカバーをはげしく振った。フロートではなく、車輪つきの飛行機で、着陸はできなかったが、マッカンは自分の姿が目撃されたことを確信し、きっとパイロットは迎えのフロート水上機を要請してくれたにちがいないと思った。彼はそう信じこみ、日記に「最初に通過すると、手を振るのをやめて、さっそく荷造りをし、テントをたたむ支度に取りかかった」と記録している。

　ところが、その日、飛行機はやってこなかったのである。翌日も、翌々日も。結局、狩猟許可証の裏を見て、マッカンにはその理由がわかった。許可証の小さな枠に印刷されていたのは、地上から飛行機への手による緊急時のサインのイラストであった。「飛行機が二度目に飛来したとき、たしか自分は右手をあげ、せいいっぱい腕を伸ばして、こぶしを振った」と、マッカンは書いている。「味方チームがタッチダウンかなにかしたときのような、それは軽い喝采の仕草だった」不運なことに気づくのが遅すぎたけれども、一般に片腕をあげるのは、「無事だ。救助の必要はない」のサインであるとされている。「SOS。すぐに救助を頼む」のサインは、両腕をあげるのだ。

「たぶん、飛びさって、すこししてから、もう一度もどってきたのは、そのためだろう。が、そのときに、まったく合図を送らなかった(事実、飛行機が通過したとき、背中を向けていたかもしれないのだ)」マッカンは冷静に頭を働かしていた。「たぶん、妙な奴として、いい加減にあつかわれたのだろう」

九月末、ツンドラには雪が積もっていき、湖には一面に氷が張った。もってきた食糧は尽きてしまい、マッカンは野バラの実を採り、ウサギを罠で捕らえようと苦労していた。一度だけ、湖にはまって死んだ病気のカリブーの肉を食べることができた。しかしながら、十月までには、けっこう身体は太っていたが、夜は長いし、寒いし、暖かくしているのがむずかしかった。「いまだに俺が帰ってこないので、まちがいなく町の誰かがなにかあったにちがいないと気づいてくれているだろう」と、彼は書きとめている。だが、あいかわらず機影は現われなかった。

「魔法のように誰かが救出しにきてくれるだろうと決めこんでいたのは、いかにもカールらしい」と、ストッペルは言った。「彼はトラックの運転手で、全米トラック運転手組合の組合員だった。だから、仕事の空き時間がいくらでもあり、トラックのシートに座って、空想にふけっていたんだ。つまり、そんな風にして、ブルックス山地への旅を思いついたんだよ。彼としては大真面目だった。一年の大半をかけて、そのことを考え、計画を練り、見積もりを立て、休み時間には俺を相手に、持っていく用具のことを話し合った。ところが、入念に計画を立てたにもかかわらず、それと同時に、多少突拍子もないことを考えてもいたんだ。実を言うとね」ストッペルはさらに話をつづけた。「カールはひとりで森へ行こうなんて思っていなかったのさ。俗世間とおさらばして、誰か美人と森のなかで暮らしたい。そもそも、それが彼の大きな夢だったんだ。それで、俺たちと同じ職場で働いていた女の、すくなくとも二人にのぼせあがり、根気よく時間をかけて、スーとかバーバラとか、誰彼なしにいっしょに行こうと誘っていたわけさ。実際には、それもほとんどただの気まぐれにしかすぎなかったけれど、実現の可能性はまったくなかった。つまり、俺たちの働いていたパイプライン建設現場ポンプ・ステーション7には、たぶん、女ひとりに四十人の割合で男がいた。だが、カールは空想癖のある洒落者だった。飛行機でブルックス山地へ飛ぶ直前まで、誰か思いなおして、きっといっしょに行く気になってくれるとしつこく待ちつづけていたんだ」

　これもまた、ストッペルの話である。「カールは、自分が困難におちいったことをいずれ誰かが気づいてくれて、ミスをカバーしてくれるものと勝手に期待しているような男だった。餓死寸前になっても、たぶん、最後の土壇場で、スーが飛行機一機分の食糧を載せて飛んできてくれて、自分とはげしい恋におちるだろうとまだ空想していたにちがいない。だけど、彼の空想世界はあまりにも現実離れしすぎていて、誰にもわかってもらえなかった。カールの飢えはますますひどくなっていった。救出にきてくれる者がいないとようやく悟ったときには、もう手遅れで、自分ではどうにもできないほど、身体が衰弱していた。

マッカンは食糧をほとんど手に入れられなくなり、日記につぎのように書いている。「俺の気持ちはいまや不安を通りこしている。正直言って、恐くなりはじめているのだ」温度計は摂氏マイナス二十度までさがっていた。手と足の指は凍傷にかかって腫《は》れあがり、それが膿《うみ》をもって疼《うず》いていた。

十一月には、最後の食糧を食べつくした。身体が弱り、めまいがする。瘦せおとろえた身体に、寒さはこたえた。日記には、こう記録されている。「足と同様、両手と鼻の凍傷がどんどんひどくなっていく。鼻の先はひどく腫れあがり、膿《う》んで、かさぶたができている……たしかに、これは緩慢な苦しい死に方だ」マッカンは安全なキャンプ地を捨て、徒歩でフォート・ユーコンへ向かおうと考えたが、体力が十分でなく、極度の疲労と寒さにやられて、とてもそこまではたどり着けそうもないという結論に達した。

「カールが入っていった奥地は、辺鄙《へんぴ》なアラスカのなかでも、とくになにもないところでね」と、ストッペルは言った。「冬には、あそこは猛烈な寒さになるんだ。彼のように窮地におちいれば、徒歩で脱出しようとか、あるいは冬を乗りきろうとか考える者もいるだろうが、そうするには、とにかく臨機応変でなければならない。実際、相当な努力が必要となる。

トラにも、殺し屋にも、獣にもならなければならない。カールはのんびり屋すぎた。あれは遊び人の学生だよ」

「俺には、もうこのまま旅をつづけられないかもしれない」マッカンは十一月下旬に、日記の終わりのほうで、ときおりそう書いている。そのころには、日記の分量は、ブルーの罫線のルーズリーフ用紙で百枚にも達していた。「神さま、どうか俺の弱さと罪をお許しください。どうか俺の家族を見守ってやってください」それから、彼は家形テントのなかで身を横たえ、三十口径三十薬粒の銃口を頭に押しつけ、親指で引き金をひいた。二か月後の一九八二年二月二日、アラスカ州警察がテントを見つけ、なかを覗いて、石のようにかちかちに凍っている痩せた遺体を発見した。

ロッセリーニ、ウォーターマン、マッカン、マッカンドレスには、類似点がある。ロッセリーニやウォーターマンと同様、マッカンドレスは求道者であり、自然の苛酷な側面に理想主義的な魅惑を感じていた。ウォーターマンやマッカンと同様、彼は驚くほどの非常識ぶりをさらけだしている。だが、ウォーターマンとちがい、精神的に病んではいなかった。また、マッカンともちがい、土壇場で誰かがひとりでに現われて、命を助けてくれるものと決めこんで、森に入っていったわけではない。

マッカンドレスは森の遭難者によくある典型的なケースであった。軽率だったし、僻地にたいする正式な訓練を受けていなかったし、無謀とも言えるほど不注意であったにもかかわらず、無能な男ではなかった。無能であれば、百十三日間は持ちこたえられなかっただろう。

頭がおかしくもなかったし、反社会的な人間でも、浮浪者でもなかった。マッカンドレスはなにかもっとべつのものであった——なんと言ったらいいか、ぴったり表現するのはむずかしいけれど。巡礼者とでも言おうか。

クリス・マッカンドレスの悲劇から見えてきたもののなかには、同類の風変わりな先駆者たちを検討することによって得られたものもいくつかある。そのためには、アラスカだけにとどまらず、ユタ州南部の岩の露出している渓谷にも目を向けなければならない。ユタ州南部では、一九三四年に、一風変わった二十歳の若者が荒地に徒歩で入っていき、二度と出てこなかった。彼の名前はエヴェレット・ルースだった。

第九章　デイヴィス・ガルチ

　ぼくがいつ都会にもどるかということですが、すぐではないと思います。原野に厭《あ》きることがないのです。むしろ、原野の美しさといまのこの気ままな生活を楽しんでいます。この暮らしには、つねに張りがあります。ぼくが好きなのは、路面電車よりも鞍《くら》ですし、屋根よりも星のちりばめられた空、舗装された大通りよりも未知のものに通じている暗く困難な小道、都市から生まれる不満よりも荒野の深い平穏なのです。ここに滞在していることで、あなたはぼくを非難するでしょうか？　ここでは、自分が周囲の世界に属し、その一員だと感じられるのです。たしかに、知的な人々との付き合いはありませんが、彼らのなかには、ぼくにとって重要と思えることを話し合える人々がほとんどいませんから、平気でいられるようになりました。美に囲まれているだけで十分なのです……。

　たしかに、ぼくは決まりきった仕事、平凡な人生に我慢できませんでした。あなたの短い言葉からでも、ぼくには、あなたが無理して平凡な人生を送っていることがわかります。ぼくはひとところに落ち着くことができない人間だと思っています。すでに人生の深みを知りすぎてしまいました。ぼくはなによりも期待を裏切られたくないのです。

一九三四年十一月十一日の日付のついた
エヴェレット・ルースから兄ウォールドーに届いた最後の手紙

エヴェレット・ルースがもとめていたのは美であった。彼は非常にロマンチックな言葉で美を理解した。その一途な美への献身になにか崇高とも言えるものがなければ、われわれは行きすぎた美の崇拝を嘲《あざけ》りたくなるかもしれない。上品さを気どっている美意識は滑稽であり、ときにはやや卑猥でもある。生き方としては、ときに品位を獲得する場合があるけれども、エヴェレット・ルースを嘲れば、ジョン・ミュアも嘲るべきだろう。年齢のほかには、ふたりの間にちがいはほとんどないからである。

ウォレス・ステグナー
『モルモン教徒の土地』

デイヴィス・クリークは、一年の大半、ほんのわずかの水量が流れているだけで、ときには、それすらもない。フィフティー・マイル・ポイントとして知られている高い岩の胸壁の下からクリークははじまり、ユタ州南部のピンク色の板状の砂岩を横切ってちょうど四マイル流れ、ささやかな水量をパウエル湖に引きわたしている。巨大な貯水池、パウエル湖はグレンキャニオン・ダムの上流に百九十マイル広がっている。デイヴィス・ガルチはいかなる基準からしても、小規模ながら、すばらしい分水界であり、この乾燥したきびしい地域を通る旅人たちは何世紀もの間、溝のような峡谷の下を流れるオアシスに頼ってきたのだった。九百年まえの不可解で神秘的な岩面彫刻と絵文字が切り立った岩壁を飾っている。この岩の芸術を創作したカイエンタのアナサジ族の石の住居跡は、長いこと人目につかないまま安全な僻地にあったのだ。アナサジ文化の古い陶片は、二十世紀初頭に牧夫たちが捨てた錆びたブリキ缶といっしょに砂に埋もれていた。牧夫たちは峡谷で家畜に草を食べさせたり、水を飲ませたりしていたのである。

全長の短いデイヴィス・ガルチは、その大部分がすべての岩の深い裂け目であり、うねうねと蛇行している。唾を吐いても届くほど狭い場所が幾《はば》か所もある。頭上に突きでている砂岩の崖がずっとつづいていて、峡谷の底に近づくのを阻んでいた。しかし、峡谷の終わるもっと下流のほうでは、ガルチに通じている隠れたルートがある。デイヴィス・クリークがパウエル湖に流れこむ直前で、自然の傾斜路が峡谷の西の端からジグザグにくだっているのだ。クリークの底からさほど遠くないところで傾斜路は尽きていて、粗末な階段、一世紀近くまえに牛飼いたちがやわらかい砂岩を彫ってつくった階段が現われる。

デイヴィス・ガルチの周辺は剝きだしの岩と赤レンガ色の砂の広大な乾燥地帯である。草木は痩せていた。植物を枯らすほどの陽射しで、日陰はほとんどない。峡谷へおりていくと、しかし、そこは別世界である。群生している花盛りのウチワサボテンのうえに、ハコヤナギが優雅に垂れている。丈の高い草がそよ風に揺れている。ユリの花が、九十フィートはあるアーチ形の石の下のところからはかなげにわずかに覗いている。屋根ふき材料のヒイラギガシでは、ミソサザイが哀調に満ちた音色で鳴きかわしている。クリークのずっとうえの崖では、春が徐々に広がっていて、岩にしがみついている苔《こけ》や羊歯《しだ》を潤《うるお》し、成長させて、そのあたりにはみずみずしいグリーンが繁茂している。

モルモン教徒の作った階段が谷底へ達している地点から下流へ一マイルも行かない、この人目につかない魅惑的な場所で、六十年まえ、二十歳のエヴェレット・ルースは峡谷の壁に描かれているアナサジの絵文字の下に自分のペンネームを刻んだ。そして、アナサジ族が建てた小さな石造りの穀物倉の入口にも、同じことをした。「ネモ（無名の人）、一九三四年」そう落書したが、クリス・マッカンドレスがスーシャナ川のバスに「アレグザンダー・スーパートランプ、一九九二年五月」と記さずにいられなかったのと同じ衝動に突き動かされたことは疑いない。たぶん、それはアナサジ族がいまだに判読されていないシンボルで岩を飾ろうとした衝動とたいしてちがいはないだろう。いずれにしても、ルースは砂岩に自らの痕跡を刻んだあと、すぐにデイヴィス・ガルチを離れ、わけありげに姿を消している。あきらかに計画的だった。広範囲に捜索がおこなわれたが、杳として行方は知れなかった。彼はただ命を落としただけであり、荒地がなにもかも呑みこんでしまったのだ。六十年後のいまもいぜんとして、彼の身になにがあったのか、ほとんどなにもわかっていないのである。

エヴェレットは一九一四年、カリフォルニアのオークランド生まれで、クリストファーとステラ・ルースによって育てられた二人兄弟の弟であった。クリストファーはハーヴァード神学校を卒業した詩人、哲学者であり、カリフォルニアの司法機関の官僚として生計を立てていたが、ユニテリアン派の牧師であった。ステラは自分自身にも、家族にたいしてもわがままな女性で、自由奔放な趣味をもち、芸術への野心に駆りたてられていた。彼女は文学的な日記『ルース四重奏』を自費出版し、本のカバーを「時間を讃えよ」という家訓で飾った。しっかりした絆で結ばれているルース家はまた、放浪家族であり、オークランドからフレズノ、ロサンゼルス、ボストン、ブルックリン、ニュージャージー、インディアナと引っ越しを繰りかえし、エヴェレットが十四歳のとき、ようやくカリフォルニアの南部に落ち着いた。

ロサンゼルスでは、エヴェレットはオーティス美術学校とハリウッド・ハイスクールに通った。一九三〇年の夏、十六歳のとき、はじめてひとりで長途の旅に出て、ヒッチハイクと徒歩旅行でヨセミテとビッグサーを通りぬけ、最後はカーメルにたどり着いた。カーメルのコミュニティーに到着してから二日後、彼は思いきって、エドワード・ウェストンのドアをノックした。ウェストンは緊張しきっている若者がすっかり気に入り、歓迎してくれた。著名な写真家はルースの絵画と木版刷りの力作に出来不出来のむらはあるけれども、将来性を見込んで、激励した。その後二か月以上の間、彼はスタジオにいることを許され、息子のニールやコールといっしょに過ごしている。

夏の終わりに、エヴェレットは自宅にもどったが、ただハイスクールの卒業証書をもらいにきただけだった。それは一九三一年に受けとっている。ひと月も経たないうちに、彼はふたたび旅立ち、ユタ、アリゾナ、ニューメキシコの峡谷地帯、それから、現在のアラスカとほぼ同じような、住民がわずかしかいない神秘的な雰囲気を残している地域をひとりで徒歩旅行した。UCLA（彼は一学期だけで退学し、父親の落胆はいつまでもつづいていた）に在学した短い不幸な時期、両親との二回の長い話し合い、サンフランシスコでの冬（そこでは、いつの間にか、ドロシア・ラング、アンセル・アダムズ、画家のメイナード・ディクソンといった人々の仲間になっていた）、そうしたときをべつにすれば、ルースはあいかわらず流星のようにあちこち旅をしてまわっていた。わずかな金で居場所を定めずに暮らし、埃まみれで眠り、数日間なにも食べずにいても平気だった。

ウォレス・ステグナーの言葉を借りれば、ルースは「未熟なロマンチスト、青臭い唯美主義者、先祖がえりした荒野の漂泊者」であった。

十八歳のとき、彼はジャングルをとぼとぼ歩き、崖の岩棚によじ登り、世界の未開地をさまよっている夢を見ていた。内部に少年っぽさをなにも残していない男は、そうした夢を忘れてしまう。エヴェレット・ルースの独特なところは、外へ出かけていって、夢に見ていたことを実行する点だった。それも、ただ二週間のバカンスに、文化的で整然としているおとぎの国へ出かけていくのではなく、数か月間か数年間、驚異のただなかに身を置くのである……。

わざわざ、彼は肉体を酷使し、我慢に我慢をかさねて、どれだけ頑張れるか、自らの能力を試した。その先へは行かないほうがいいという先住民や古老たちの忠告を故意に無視して、出発していったのだ。崖を登ろうとして、一度ならず、崩れおちた岩屑《いわくず》と岩《いわ》縁《べり》の間に宙吊りになったこともある……彼は滝つぼあるいは峡谷のそばのキャンプとか、ナヴァホ山の樹木の生い茂った高い尾根のキャンプから、家族や友人たちに宛てたひどく凝った長い熱烈な手紙を書いて、紋切り型の文明を強く非難し、俗人たちに粗野な若々しい言葉で繰りかえし語りかけている。

ルースはそんな手紙をつぎつぎと数多く書いた。手紙には、彼が通過した人里離れた居住地の消印が押されていた。カイエンタ、チンリー、ルカチュカイ、ザイオンキャニオン、グランドキャニオン、メサヴァーデ、エスカラント、レインボーブリッジ、キャニオンデチェリー。これらの手紙（W・L・ラッショーの綿密な調査に基づく伝記『エヴェレット・ルース、美の漂泊者』のなかにおさめられている）を読むと、自然界と交わろうとするルースの意欲にも感心させられるし、また、自分の歩いた地域にたいするほとんど燃えるような情熱にも感心させられる。「この間、きみに手紙を書いたあとで、ぼくは原野で何回かすばらしい体験をしました――強烈な、圧倒的な体験でした」と、彼は友人のコーネル・テンゲルに大仰に語っている。「いやそれどころか、ぼくは圧倒されてばかりいる。生きつづけるために、それはなくてはならないものです」

彼の手紙からは、ルースとクリス・マッカンドレスが薄気味悪いほど似ていることがわかる。以下は、ルースの手紙三通からの抜粋である。

ぼくはこれからもずっと荒野の孤独な放浪者でいようという思いをますます強くしています。ああ、荒野の道がいかに誘惑的であることか。ぼくには抗しがたいその魅力が、きみにはわかってもらえないだろう。なんといっても、孤独な荒野の道は最高です……ぼくは放浪をやめる気などこれっぽっちもありません。死ぬときがくれば、そこがいちばん野性的で、孤独で、寂しい場所ということになるだろう。

この美しい地方は、ぼくの一部になっている。ぼくは世間からますます離れていき、どういうわけか、心がおだやかになったような気がしています……ここには、親友が何人かいるが、誰ひとり、ぼくがなぜここにいるのか、なにをしているのか、実際には知りません。もっとも、誰かが多少でもわかってくれているかどうか、それも知らないのです。ぼくはひとりであまりにも遠くにきてしまいました。

おおぜいの人々が楽しんできた人生に、ぼくはずっと不満を感じてきました。つねにもっと情熱的で強烈な生き方をしたいと思っていたのです。

あちこち放浪してきましたが、今年は、これまでになく多くのチャンスを得て、向こう見ずな冒険ができました。実にすばらしい地域を目のあたりにしました——未開の、とほうもなく広い荒地を、消えさったメサ（岩石丘）を、荒地の朱色の砂のうえにそびえているブルーの山を、幅五フィート、深さ何百フィートの峡谷を、ものすごい音を立てて無名の峡谷に降る豪雨を、一千年まえに見捨てられた岩窟居住人の数百軒の家々を。

半世紀のちに、ウェイン・ウェスターバーグ宛てのハガキで、「この先しばらくの間、こういう生き方をつづけていくことにしました。自由とその簡素な美しさは、無視するにはあまりにも見事だ」と宣言したマッカンドレスは、不気味なくらいルースに似ている。ロナルド・フランツ宛ての最後の手紙（九六―一〇〇ページ参照）にもまた、ルースの言葉のエコーが聞きとれる。

ルースは、マッカンドレス以上ではないにしても、同じくらいロマンチックであり、身の安全に不注意であった。一九三四年にアナサジ族の洞窟住居の発掘をおこなった際、短期間ルースをコックとして雇った考古学者クレイボーン・ロケットは、ラッショーに「エヴェレットが見るからに無鉄砲な感じで、危険な崖を動きまわるので肝を冷やした」と語っている。

事実、ルース自身、一通の手紙のなかで得意そうに書いている。「ぼくは水を汲《く》みにいったり、岩窟住居を探したりするとき、崩れやすい砂岩や垂直に近い断崖に何百回となく命をあずけてきた。二度、ぼくは獰猛な牡牛に突き殺されかけたこともあります。しかし、これまではいつも無傷で助かり、またあらたな冒険へと出ていきました」兄に宛てた最後の手紙では、ルースは平然とこんな告白をしている。

貨物列車と崩れやすい崖で、あやうく命を落としそうになったことが何回かあります。この間は、チョコラテロ（ロバの名前）が狂暴な数匹のハチを刺激したために、災難に遭いました。あと数回刺されていれば、無事ではすまなかったでしょう。三日か四日で、両目がひらき、両手もふたたび使えるようになりました。

それればかりか、マッカンドレスと同様、身体的な苦痛は、ルースにとってブレーキにはならなかった。ときには、それを喜んで受けいれているように見えた。「半年生《はんねんせい》のツタウルシにかぶれて、六日間苦しんだことがあります――その苦しみときたら、ひどいなんて生易しいものじゃない」と、彼は友人のビル・ジェイコブズに言いこうつづけている。

二日間、ぼくは自分が死んでいるか生きているかもわからなかった。無数のアリとハエが身体中を這いまわり、暑さのなかで、ぼくはのたうちまわり、もだえ苦しみました。顔も、腕も、背中もじくじくして、かさぶたができるのです。なにも食べられませんでした――ただじっと苦しんでいるだけで、なにもできないのです……。ぼくはいつもひどい目に遭っているが、森からはぜったいに逃げだしたりはしません。

また、マッカンドレスと同様、ルースは最後の長い冒険旅行に出るとすぐに、あたらしい名前をつけた。というより、何度か改名をした。一九三一年三月一日付けの家族宛ての手紙で、彼はラン・ラモーと名乗っていることを伝え、「どうかこの荒野での名前《ブラッシュネーム》を尊重してください……フランス語では、なんと言うのか？　ノンム・ド・ブルースとかなんとか、言うのでしょうか？」と頼んでいる。二か月後のべつの手紙では、しかし、こうある。「また改名をしました。今度は、エヴァート・ルーランです。以前の名前は知り合いから、突飛で、きざなフランス風の名前だと思われていました」だが、その同じ年の八月、なんの説明もなしに、ふたたびエヴェレット・ルースの名前にもどり、その後三年間、デイヴィス・ガルチへ徒歩で入りこんでいくまで、その名前で通している。理由がなんであったかは不明だが、デイヴィス・ガルチでは、ラテン語の「無名の人」を意味するネモという名前を二度やわらかい砂岩に刻んで、姿を消した。二十歳だった。

ルースから最後にとどいた手紙は何通か、一九三四年十一月十一日、デイヴィス・ガルチの北五十七マイルにあるエスカラントのモルモン教徒のコミュニティーで投函されている。両親と兄宛ての手紙では、「一、二か月」連絡がとだえることがほのめかされている。投函してから八日後、ルースはガルチから約一マイルのところで二人の羊飼いと出会い、彼らの野営地で二晩過ごした。これらの男たちは、生きている若者の最後の目撃者として知られている人々である。

ルースがエスカラントを去ってから約三か月、両親はアリゾナのマーブルキャニオンの郵便局長から転送されてきた未開封の手紙の束を受けとった。エヴェレットの帰る予定が大幅に遅れていたのである。クリストファーとステラ・ルースは心配して、エスカラントの警察に連絡をとった。一九三五年三月初旬、警察は捜索隊を組織した。彼らはルースが最後に目撃された牧羊地から出発し、周辺地域の協力をあおいで、たちまちデイヴィス・ガルチの谷底でエヴェレットの二頭のロバを見つけた。ロバは大小の木の枝で作った間に合わせの囲い柵のなかで満足げに牧草を食《は》んでいた。

ロバの柵はモルモン教徒の作った階段が谷底と交差している峡谷の上流にあった。そこをすこし下ったところで、捜索隊はルースのキャンプ跡と思われる場所を発見し、さらに、壮大な自然のアーチの下、アナサジ族の穀物倉の入口の岩に刻まれている「ネモ、一九三四年」を見つけた。四個のアナサジ族の壺が近くの岩のうえに大切そうにならべられていた。三か月後、捜索隊はガルチのすこし下流へ行ったところでべつのネモの落書を見つけたが（一九六三年にグレンキャニオン・ダムが完成して、水が貯えられるようになり、パウエル湖の水位が上昇して、彫られた文字はどちらもそれ以来人目につかなくなっている）、ルースの所持品は、ロバと馬具以外、キャンプ用具も、日記も、絵画も、いまだに見つかっていない。

ルースはどこかの峡谷の崖でもよじ登っていて、転落死したと一般には信じられている。このあたりの地形は危険であったし（この地域は崖だらけであり、その大部分はナヴァホ砂岩でできているもろい地層で、浸食されて、つるつるの丸みをおびた崖になっている）、危険な登攀を好むルースの趣味からすれば、これはありうるシナリオである。近くの崖や遠くの崖を入念に調べはしたものの、しかし、人間が残していったものは発見されなかった。

では、ルースが荷物を運ぶロバをつれずに、用具などの重い荷物をもって、峡谷から出ていったという確かな事実は、どう説明すればいいのか？　こうしたむずかしい問題もあって、調査した者のなかには、その一帯を根城にしていたとされる牛泥棒の一味がルースを殺害し、所持品を奪って、遺体を埋めるか、コロラド川に投げすてるかしたと推理する者もいた。これもまたもっともらしい仮説であるが、裏づけとなる具体的な証拠はない。

エヴェレットの失踪後間もなく、父親は、ネモへの改名はジュール・ヴェルヌの『海底二万里』の影響を受けてのことだろうとほのめかしている。エヴェレットはその本を何度も読んでいたのだ——心の清い主人公のネモ船長は文明を逃れて、「俗界との絆をことごとく断ちきっている。エヴェレットの伝記を書いたW・L・ラッショーは、エヴェレットの「管理された社会からの離脱も、世俗的な快楽にたいする軽蔑も、それから、デイヴィス・ガルチに刻まれたネモのサインも、すべてがジュール・ヴェルヌの主人公との酷似をはっきり示している」と立証したうえで、クリストファー・ルースの見方に同意している。

ルースがあきらかにネモ船長に魅せられていたことから、彼を神話化して、デイヴィス・

ガルチを去ったあと、世間の裏をかいて、正体を隠し、そっとどこかに住んで、元気に生きている——あるいは、生きていたという推理をめぐらせた作家もすくなからずいる。一年まえ、私がアリゾナのキングマンでトラックにガソリンを入れたとき、ガソリンスタンドの中年の従業員としゃべっていて、たまたまルースのことが話題になった。従業員は小柄な落着きのない男で、唇の端にスコール（無煙タバコ）の汚れがくっついていた。ただ、その話しぶりは非常に説得力があって、一九六〇年代にアメリカ先住民居留地の人里離れたナヴァホの住居で「友だちがたしかに、ルースと会った」と明言した。その友だちの話によると、ルースはナヴァホ族の女性と結婚していて、すくなくとも子どもがひとりいたという。だが、この話も、またほかの比較的あたらしい目撃報道も、信憑性についてはきわめて疑わしい。

人一倍長い時間をかけてエヴェレット・ルースの謎を追っているケン・スレイトは、若者が一九三四年か一九三五年の初旬には死亡していると確信し、どんな最期をとげたかについても突きとめることができたと信じている。スレイトは六十五歳、プロの川の案内人であり、モルモン教の教育を受けた、傲慢だという評判の荒地の住人であった。エドワード・アビーが渓谷地帯の環境テロを題材にして、ピカレスク小説『ザ・モンキー・レンチ・ギャング』を書いたとき、友人のケン・スレイトは主人公セルダム・シーン・スミスのモデルであると言われた。スレイトは四十年間この地域に住んで、ルースが行った場所には実際すべて出かけていき、ルースと会った多くの人々の話を聞き、彼の兄ウォールドーをデイヴィス・ガルチへつれていって、エヴェレットが姿を消した現場を訪ねたりもした。

「ウォールドーはエヴェレットが殺害されたと思っているんだ」と、スレイトは言った。「だが、俺はそうは思っていない。二年間、こっちはエスカラントで暮らしていたんだ。それで、彼を殺したと疑われている連中と話をした。俺には、奴らがそんなことをしたとは思えない。しかし、ま、なんとも言えないが。人がこっそりやることなど、なんにもわかりゃしないさ。べつの連中はエヴェレットが崖から転落したと信じている。いやいや、彼がそんなへまをするわけがないな。あそこでは、大いにありうることだが。しかし、俺は転落したとは思っちゃいない。俺の考えを言おう。つまり、溺れたと思ってるんだ」

　何年かまえ、スレイトはデイヴィス・ガルチの真東約五十五マイルのところにあるサンファン川の支流グランド・ガルチを歩いて、アナサジ族の穀物倉のやわらかい岩に刻まれているネモの名前を発見した。ルースはデイヴィス・ガルチを去るすこしまえに、このネモの字を彫った、とスレイトは推測しているのである。

「デイヴィス・ガルチの柵にロバを入れて」と、スレイトは語っている。「ルースは所持品全部をどこか洞窟にでも隠し、ネモ船長を気どって立ち去ったんだ。彼には、南のナヴァホ族の居留地に先住民の友人たちがいたから、そっちへ向かったと思う」ナヴァホの土地へ行くのに、ルースがたどった道は、ホール・イン・ザ・ロックでコロラド川を渡河《とか》し、それからモルモン教徒の開拓者が一八八〇年代に切りひらいた悪路を進んで、ウィルソンメサとクレイヒルズを横断し、最後にグランド・ガルチをくだって、サンファン川へ出たと考えるのが自然であった。そこを渡れば、居留地があるのだ。「エヴェレットは、コリンズクリークとグランド・ガルチの合流点から約一マイル上流にある廃墟にネモという名前を彫り、そのまま南をめざしてサンファアン川まで行った。そして、川を泳いで渡ろうとして溺れたんだ。俺はそう思っている」
ルースが無事に川を渡りきって、居留地にたどり着いていたら、身を隠すことはできなかった、とスレイトは考えていたのだ。「いくらネモ気どりでいても、そうはいかなかったよ。エヴェレットは一匹狼だが、人間はとても好きだった。ただ、そこに住みついて、ひっそり余生を送ることはできなかった。ま、だいたい人間なんて、そんなものだよ。俺もそうだし、エド・アビーだって、このマッカンドレスという若いのだって、みんなそうだ。みんな仲間付き合いは好きだが、あまり長いことまわりにいられるのは、耐えられない。だから、行方をくらましたり、またしばらくもどってきたり、逃げだしたりするのさ。エヴェレットがやっていたのは、それだよ。エヴェレットってのは、妙な奴だった」と、スレイトは認めている。「どっちかと言えば、一風変わっていたな。ところが、彼も、マッカンドレスも、とにかく自分の夢を追いかけていた。それが彼らのすごいところだ。彼らは実際にやろうとしていた。たいていの人間はなにもしていない」

エヴェレット・ルースとクリス・マッカンドレスを理解するには、もっと広い文脈で彼らの行動を考察すればわかりやすいだろう。はるかな時を隔てて、遠い場所から、よく似た人物を眺めることも、役に立つのだ。

アイスランドの南東沿岸沖に、パポスという低い沿岸洲《す》の島がある。北大西洋からヒューヒュー吹きつけてくる強風に絶え間なくさらされている樹木のない岩だらけの島で、島名は、最初に住みつき、とうの昔に亡くなっている、パパルとして知られていたアイルランド人修道士たちからとっているのである。私はある夏の午後、この島の曲がりくねった海岸を歩いていて、凍土のなかにもろい長方形の石がならんで埋まっているのを偶然発見した。つまり、デイヴィス・ガルチにあるアナサジ文化の廃墟よりも何百年もまえの、修道士たちの古い住居跡だった。

修道士たちは五、六世紀にはやくもアイルランドの西海岸を出航し、船を漕いで到着していたのである。軽い小枝のフレームに牛革を張って作ったカラッハという小型の無甲板船で出発し、海の向こうになにかがあるにしても、それがなんであるかわからぬままに、世界でもっとも危険な海のひとつを渡っていったのだ。

アイルランド人修道士たちは命を賭けていたし、おびただしい数の命も失われたが、富や個人的名誉をもとめたわけではなく、専制君主に代わって領土を拡張するためでもなかった。偉大な北極探検家でノーベル賞受賞者フリチョフ・ナンセンが指摘したように、「こうした驚くべき航海はもっぱら……この世捨て人たちが浮世の騒ぎや誘惑に悩まされることなく、平和に暮らすことのできる人里離れた場所を発見しようとする願いから企てられたものなのである」十九世紀に入って、一握りのノルウェー人たちが最初にアイスランドの海岸に現われ、修道士たちは住民が多くなりすぎたと考えた——まだ人はほとんどいなかったにもかかわらず。修道士たちがとった対応は、カラッハに乗りこんで、グリーンランドに向けて漕ぎだすことだった。彼らはただひたすら精神的な飢えと、現代の想像力ではとても思いおよばない奇妙で強烈な憧れに駆りたてられて、荒れた嵐の海に乗りだしていき、既知の世界の果てを越えて、さらに西をめざした。

こういう修道士たちがいたのである。その勇気と向こう見ずな天真爛漫さとやむにやまれぬ欲求に、人は感動させられる。それと同時に、エヴェレット・ルースやクリス・マッカンドレスのことを考えずにはいられない。

第十章　フェアバンクス

荒野で死んだ徒歩旅行者、恐怖を記録

【アンカレッジ、九月十二日AP】先週の土曜日、若い徒歩旅行者が怪我をして動きがとれなくなり、アラスカ内陸部の人里離れたテントのなかで死亡しているのが発見された。まだ身元は確認されていない。しかし、テントにあった日記と二枚のメモからは、助かろうとする死にものぐるいの努力がしだいに虚しいものになっていく苦悩の顚末が読みとれる。

日記によれば、二十代後半か三十代はじめのアメリカ人と見られる男性は転倒して怪我をし、その後、三か月以上テントで動きがとれなくなっていたらしい。日記には、狩りをしたり、野草を食べて、生きのびようとしていた様子が記されていた。しかし、身体のほうは衰弱していった。

二枚のメモのうちの一枚は救助をもとめるもので、徒歩旅行者が周辺へ食べものを探しにいっている間に、テントのところへやってくるかもしれない相手にむかって書いたものである。二枚目のメモにあったのは、この世に別れを告げる言葉であった……。
今週、フェアバンクスの州検屍局でおこなわれた解剖によって、男性が七月下旬に餓死したらしいことが判明した。当局は所持品から彼のものと思われる名前を発見した。しかし、いまのところ身元確認までには至っていない。確認されるまで、当局からの名前の公表はない。

〈ニューヨーク・タイムズ〉
一九九二年九月十三日

〈ニューヨーク・タイムズ〉紙が徒歩旅行者の事件をとりあげたときには、アラスカ州警察はすでに一週間、身元確認の作業をつづけていた。死亡時にマッカンドレスが身につけていたのは、サンタバーバラ牽引会社のロゴがプリントされたブルーのスウェットシャツだった。問い合わせがあっても、救助隊はなにもわかっていないふりをしていたし、彼がシャツをどう手に入れたかについても知らないふりをしていた。遺体とともに発見された、短い文章で意味のわかりにくい日記の中身は、多くが植物や動物の簡単な観察であった。そのことから、マッカンドレスはフィールドワークにきていた生物学者とする推測が勢いをえた。しかし、それもまた結局、なんの成果ももたらさなかった。

〈タイムズ〉紙に徒歩旅行者の死のニュースが報じられた三日まえの九月十日には、事件は〈アンカレッジ・デイリー・ニュース〉紙の一面に掲載されていた。ジム・ガーリエンはその見出しに気づき、ヒーリーの西二十五マイルのスタンピード・トレイルで遺体が発見されたことを示す地図を目にして、頭髪全体がつけ根から逆立つのを感じた。アレックスだった。風変わりな感じのいい若者が二サイズは大きいブーツをはいて、小道を大股で歩いていく姿を、ガーリエンははっきりおぼえていた。あれはガーリエンのブーツで、若者にはくように勧めた古い茶色のエックストラタフズであった。「新聞記事からではよくわからなかったが、同じ人物に思えたんだ」と、ガーリエンは言った。「それで、州警察に電話で通報したのさ、『あの若いのを車に乗せたと思う』って」

「ああ、そうかね」と、電話に出た警官のロジャー・エリスは答えた。「どうしてそう思うんだね？　この一時間の間に身元を知っていると電話をしてきた者は、あんたで六人目だよ」しかし、ガーリエンは執拗だった。そして、話しているうちに、エリスの疑いは遠のいていった。ガーリエンが新聞に書かれていなかった用具のことをいくつか話したのだ。同じものが遺体とともに発見されていた。しかも、エリスは徒歩旅行者の日記の最初のほうに謎めいた言葉があるのに気づいた。「フェアバンクス脱出。座っているガーリエン。こん畜生」

州警察はそれまでに、徒歩旅行者のミノルタのなかにあったフィルムを現像していた。本人と思われる写真が何枚かあった。「警察は俺の働いている職場に写真をもってきたんだ」と、ガーリエンは言った。「まちがいなかった。写真に写っていた若者はアレックスだったよ」

マッカンドレスはガーリエンにサウスダコタからきたと話していたから、警察はさっそく捜査範囲をそこまで広げて、徒歩旅行者の近親者を探した。全署手配の結果、サウスダコタの東部、それもことあろうにカーシッジのウェイン・ウェスターバーグの家からわずか二十マイルのところにある小さな町からやってきた、マッカンドレスという行方不明者であることが判明した。警察が身元を突きとめたと思いこんでいたのはしばらくの間だった。これもまた、まちがった手がかりであることがわかったのだ。

ウェスターバーグは春にフェアバンクスからハガキをもらったのを最後に、友人のアレックスことマッカンドレスからは、その後、なんの便りも受けとっていなかった。九月十三日、モンタナでの四か月間の収穫期を終え、作業員を車に乗せて、ノースダコタのジェームズタウン郊外の一台の車も走っていないリボンのようなアスファルト道路をカーシッジの自宅へ向かって走行していたとき、とつぜん無線が入った。「ウェイン！」作業員たちのべつのトラックからの無線で、あきらかに不安げな声だった。「こちら、ボブ。ラジオをつけているかい？」

「ああ、ボビー。ウェインだ。どうした？」

「さあ、早く、AMラジオをつけて、ポール・ハーヴェイの話を聞いてくれ。アラスカで餓死した若い奴のことをしゃべっている。警察にも身元はわかっていない。どうもアレックスらしいんだ」

ウェスターバーグはなんとかダイヤルを合わせ、ポール・ハーヴェイの番組の終わりの部分を聞くことができた。彼は同意せざるをえなかった。いくつか挙げられた簡単な特徴からして、身元不明の徒歩旅行者は哀れなくらい友人に似ていたのである。

カーシッジに着くとすぐ、ウェスターバーグは意気消沈しながらも、アラスカ州警察に電話をかけ、マッカンドレスに関する情報を進んで提供しようとした。しかし、そのときにはすでに、死亡した徒歩旅行者のニュースは、日記の抜粋もふくめて、全国の新聞で派手に書き立てられていたのである。その結果、警察には、徒歩旅行者を知っているという人々からの電話が殺到していた。したがって、警察の対応はガーリエンのときよりもいちだんと悪くなっていた。「警官の話では、アレックスを息子とか、友だちとか、兄弟だと思っている人々から百五十本以上もの電話がかかってきたそうだ」と、ウェスターバーグは言った。「そう、そのいい加減な応対に、こっちはいささかうんざりして、だから、こう言ってやったんだ。『いいかい、俺はいたずら電話をかけてくる奴とはちがう。彼が誰なのか知ってるんだ。俺のところで働いていたんだよ。どこかその辺に彼の社会保障番号もあると思う』ってね」

ウェスターバーグは大穀物倉庫でファイルをおおいそぎで調べ、マッカンドレスが書きこんだ二枚の被雇用者源泉課税控除票を見つけた。マッカンドレスがはじめてカーシッジにやってきた一九九〇年の日付のある一枚目の上段全部に、「免除、免除、免除、免除」となぐり書きされていて、アイリス・ファックユーという名前が書かれていた。住所については、

「あなたの知ったことじゃない」」、社会保障番号については、「忘れた」とあった。

しかし、アラスカへ出発する二週間まえの、一九九二年三月三十日の日付のある二枚目には、洗礼名でサインをしている。「クリス・J・マッカンドレス」社会保障番号欄には、「二二八―三一―六七〇四」と記入されている。ウェスターバーグはふたたびアラスカに電話を入れた。そのときには、警察は真剣に対応してくれた。

社会保障番号は本物で、マッカンドレスの本籍地がヴァージニア北部にあることがわかった。アラスカの当局はヴァージニア州の法執行機関に連絡をとった。すると、今度はその機関が電話帳でマッカンドレスを探しはじめた。ウォルトとビリー・マッカンドレスはそのころ、メリーランド海岸へ引っ越していて、もうヴァージニアには電話番号はなかったが、ウォルトの初婚のときにできたいちばん上の子どもがアナンデールに住んでいて、電話帳に載っていた。九月十七日の午後おそく、サム・マッカンドレスはフェアファックス郡の殺人課の刑事から電話を受けた。

クリスより九歳年上のサムは、数日まえに〈ワシントン・ポスト〉紙で徒歩旅行者の短い記事を目にしていたが、「それがクリスであるとは思いもしなかった。そんな気はちらっともしなかった。私が記事を読んだとき、『ああ、なんという悲惨な事件だ。どんな家族か、この若者の家族がほんとうに気の毒な気がした。なんという嘆かわしい事件だ』そんな風に思ったんだから、皮肉ですよ」

サムが育ったのはカリフォルニアとコロラドの母の実家で、ヴァージニアへ越してきたのは、一九八七年になってからだった。クリスがアトランタのカレッジに通うために、州から出ていったあとのことであり、したがって、サムは異母弟のことはよく知らなかったのである。しかし、徒歩旅行者に似ている知り合いはいないかと、殺人課の刑事が質問をはじめると、サムはこう言った。「あれはクリスにまちがいないと思う。アラスカに行ったことも、ひとりで姿を消したことも、すべて彼のやりそうなことです」

刑事の要請で、サムはフェアファックス郡警察へ出かけていき、そこでフェアバンクスからファックスで送られてきた徒歩旅行者の写真を警官から見せられた。「それは8×10インチの引き伸ばした写真だった」サムはよくおぼえていた。「顔の写真でね。髪は長髪、ひげを生やしていた。普段はほとんどショートヘアで、ひげも剃っていた。写真の顔はやつれ切っていた。だが、すぐにわかりましたよ。疑う余地はなかった。クリスだった。私は帰宅し、家内のミッシェルを車に乗せて、父さんとビリーに知らせにメリーランドへ向かった。私には、なにを言ったらいいかわからなかった。子どもをなくした親に、あなただったら、どう伝えますか？」

第十一章　チェサピーク・ビーチ

とつぜん、なにもかもが変わった――世の中の空気も、人々のモラルも。なにを考えたらいいのか、誰の話に耳を傾けたらいいのかがわからなかった。まるで幼児のように、これまでずっと手を引かれて生きてきたのが、とつぜん、独りぼっちにされて、自力で歩くすべを身につけなければならないかのようだった。まわりには、誰もいなかった。家族も、その思慮分別にたいして敬服していた人々も。そんなとき、人は自分自身をなにか絶対的なもの――人生とか、真理とか、美とか――に献身したいという気持ちになる。人間が作ったルールに代わって、見向きもしないできたその絶対的なものに支配されたいという気持ちになるのだ。昔なつかしい平和な日々、いまや崩壊して永久に過去のものとなった昔の生活、あのころよりももっと徹底的に、もっとしゃにむに、なにかそんな究極の目的に身をゆだねる必要があった。

ボリス・パステルナーク
『ドクトル・ジバゴ』

クリス・マッカンドレスの遺品とともに発見された書物のなかで強調されていた一節。文章のうえの余白には、マッカンドレスによって、「目的の必要」と書かれていた。

五十六歳のサミュエル・ウォルター・マッカンドレス・ジュニアは、額が広く、白髪まじりの長い髪をオールバックにしている、ひげ面の寡黙な男であった。長身で、均整のとれたがっしりした体格をしていて、ワイヤー縁のメガネをかけているために、風貌は見るからに学者風である。ビリーが縫ったブルーの寝袋にくるまったクリスの遺体がアラスカで発見されてから、七週間が経っていた。ウォルトは海岸地区のタウンハウスの窓の下を帆をあげずに進んでいくヨットをじっと眺めていた。「あんなに思いやりのあった子どもが、どうしてこれほど親を苦しめるんだろう？」彼はチェサピーク湾をぼんやり眺めながら、信じられないというように言った。

メリーランド州チェサピーク・ビーチにあるマッカンドレスの自宅は、凝った装飾がほどこされていて、塵ひとつなく、きちんと片づけられていた。床から天井まである窓からは、かすんだ湾の全景が一望できる。シボレーの大型ワゴンと白のキャデラックが家のまえに駐車してあった。ガレージには、入念に修復された一九六九年製のコルヴェットがおさまっていた。三十フィートはある遊覧巡航用の双胴船が桟橋に停泊している。このところ何日も、ダイニングルームのテーブルは四枚の大きな正方形のポスターボードに占領されていて、そこにクリスの短い人生を記録した多くの写真が貼られていた。

ビリーは写真が置かれているテーブルの周囲をゆっくりまわりながら、木馬にまたがってよちよち歩いているクリスの写真、はじめての山野を歩く旅行で、黄色いレインコートを着てはしゃいでいる八歳のときの写真、ハイスクールの卒業式のときの写真を指し示した。

「いちばんつらいのはね」ウォルトは家族で休暇を楽しんだときの、ふざけている息子の写真のまえで立ちどまって言った。ほとんど聞きとれないくらい声がしゃがれていた。「息子がもうそばにいないということだけじゃないんです。私は長い時間クリスとともに過ごしました。たぶん、ほかの子どもの誰よりも長い時間だ。実際、息子の友人たちのことも気に入っていた。がっかりさせられたことは何度もありますがね」

ウォルトはグレーのスウェットパンツにラケットボール用の靴をはき、ジェット推進研究所のロゴが刺繍されたシルクのウィンドブレーカーを着ていた。カジュアルな服装にもかかわらず、威厳をただよわせている。難解な専門分野の世界――合成開口レーダー、すなわちSARと呼ばれている先端テクノロジー――では、彼は名が知られていた。SARを搭載した最初の人工衛星シーサットが地球周回軌道上に打ち上げられた一九七八年以来、SARは宇宙飛行計画において、はっきりと開発目標技術に位置づけられていた。ウォルト・マッカンドレスはパイオニアとなるシーサット打ち上げのNASAのプロジェクト・マネージャーであった。

ウォルトの履歴の一行目には、こうある。「人物証明：現在アメリカ国防総省のトップシークレット」そのページのすこし下から、職歴の記述がはじまっている。「遠隔探査装置と人工衛星システムの設計、合同通信処理、データ整理、情報抽出作業などの個人的なコンサルティング・サービスをおこなっている」同僚たちからは才人と呼ばれていた。

ウォルトは、采配をふるうのはお手のものだった。なにごとであれ、彼は無意識に、反射的に取りしきるのである。アメリカ西部ののんびりした抑揚で静かに話しているのに、その声には鋭さがあり、顎の格好からすると、強烈なエネルギーを秘めていることがわかる。部屋の反対側にいても、なにかひどく強烈なものが操り糸を通して、たしかにびりびりと伝ってきた。まちがいなく、クリスのはげしい性格もそこからきているのだ。

ウォルトが口をひらけば、皆が耳をかたむける。彼にとって不愉快なことがあったり、不愉快な者がいたりすれば、目が細くなり、話しぶりも末尾をはしょって発音するようになる。家族全員が口をそろえて指摘していたのは、喜怒哀楽のはげしさである。この数年は、評判の気の短さも、大分おだやかになったということだったが。一九九〇年、クリスが皆に黙って行方をくらましたあと、ウォルトの内部でなにかが変わった。息子の失踪にショックを受けて、おとなしくなってしまったのだ。性格的にも、目立って柔和になり、寛容になった。

ウォルトはコロラド州グリーリーの貧しい家で育った。ワイオミングとの州境に近い、風の強い高地の大草原にある農業の町である。一家は「貧乏な家の出だった」と、彼は淡々と語っている。頭がよくて努力家の彼は、フォートコリンズ近くのコロラド州立大学進学の奨学金を受けた。ただ、それだけでは不足なので、大学卒業まで種々のアルバイトをした。なかには、死体置場のアルバイトもあったが、いちばん確実な稼ぎになるのは、人気のジャズ・カルテット、チャーリー・ノヴァックのバンドでの演奏だった。そのバンドはダンス曲や古くさいホンキートンク調の昔のスタンダード曲までレパートリーに入れて、フロント山脈のあちこちを地方巡業してまわっていた。ウォルトはそこにピアノのプレイヤーとして加わったのだ。ウォルトはかなり才能のあるセンスのいいミュージシャンで、いまでもときどきプロとして演奏していた。

一九五七年に、ソビエトがスプートニク一号を打ち上げ、アメリカ中に不安の暗い影を投げかけた。その後の国を挙げてのヒステリー状態のなかで、議会はカリフォルニアに本拠地を置く航空宇宙産業に予算を何百万ドルも注ぎこみ、にわか景気が起こった。大学を出てすぐに結婚し、妻のお腹に子どもがいた若いウォルト・マッカンドレスに、スプートニクがチャンスの扉を開いてくれたのである。学部を卒業すると、ヒューズ航空機に就職して、会社からトゥーソンへ派遣され、アリゾナ大学でアンテナ理論の修士号をとった。「円錐ヘリックスの分析」という論文を書きあげ、彼は宇宙競争で名をあげようとの野心に燃えて、ヒューズの大がかりな計画が実際に進められているカリフォルニアへとそのまま赴任した。

彼はトーランスに平屋の小さな家を買い、猛烈に働いて、とんとん拍子で出世の階段をのぼっていった。一九五九年にはサムが誕生し、ほかの四人の子ども、ステイシー、ショーナ、シェリー、そしてシャノンがつぎつぎと生まれた。ウォルトは月面に軟着陸する最初の探査機サーベイヤー一号の打ち上げのテスト責任者で、そのセクションのチーフに任命された。彼の運勢の星は輝きを放ち、上昇していた。

一九六五年には、しかし、結婚生活が破綻をきたしかけていた。そして、妻のマルシアと離婚した。ウォルトはヒューズ社の秘書ウィルヘルミナ・ジョンソン——皆からビリーと呼ばれていた——とデートをするようになった。彼女は二十二歳、印象的な黒い目をしていた。ふたりは恋に落ち、いっしょに暮らしはじめる。ビリーは妊娠した。最初はお腹もほとんど目立つことなく、九か月経っても、体重はわずか四キロ増えただけで、マタニティドレスは一度も着なかった。一九六八年二月十二日、ビリーは男の子を出産した。体重は標準以下であったが、健康で元気のいい子どもだった。ウォルトはビリーにジャニーニ社製のギターを買ってやり、彼女は子守歌を弾きながら、泣いている子どもをあやした。二十二年後、国立公園部のレーンジャーたちが、ミード湖の岸の近くに乗り捨てられた黄色いダットサンの後部シートでそのギターを発見することになるのである。

染色体、両親と子の間にはたらく力学、天の助け、どれがどう集まって、こうなったかはわからないけれども、クリストファー・ジョンソン・マッカンドレスは非凡な才能と不屈の意志をもって、この世に生まれてきた。二歳のとき、彼は真夜中に起きだして、両親の目を覚ますことなく、外へ出ていき、道路沿いの近所の家に侵入して、引き出しからキャンディーをくすねた。

三年生のときには標準学力テストで好成績をとり、能力の高い生徒向けの進級の速いプログラムに組みいれられた。「彼はそれを喜んでいなかったんです」ビリーはそう記憶している。「つまり、とくべつ勉強しなければならないでしょう。それで、一週間ずっと、そのプログラムからはずしてもらおうとしていました。テストの成績はまちがいで、ほんとうはあんな実力はないって、先生や校長先生に訴えていたの——話を聞いてくれる先生全員に。わたしたちがそれを知ったのは、最初のPTAの会合でしたけど。先生がわたしたちを脇へつれていって、『クリスは変わったお子さんですね』と言われたの。女の先生はただ首を横に振るばかりでした」

「小さいころから」クリスより三歳年下のカリーンが言った。「兄さんはすこしも変わっていないわ。人間嫌いでもなかったし、いつも友だちがいて、みんなに好かれていた。でも、独りぼっちで何時間も平気でいられたの。オモチャも、友だちも必要ないようだったわ。独りぼっちでいても、きっと寂しくなかったのよ」

クリスが六歳のとき、ウォルトはNASAに引きぬかれて、首都へ転居することになった。彼らはアナンデール郊外のウィレット・ドライブに中二階のある住宅を購入した。グリーンの鎧戸《よろいど》、出窓、素敵な庭のある家だった。ヴァージニアにきてから四年後、ウォルトはNASAを退職し、コンサルティング会社、ユーザー・システムズ有限会社をスタートさせた。会社のために、家庭のことがなおざりにされた。

経済的にきびしかったのである。定収入を捨てて、不安定な自営業をはじめた経済的な苦労のほかに、最初の妻と離婚していたから、ひきつづき二家族を扶養していたのだ。カリーンの話によれば、事業を軌道に乗せるために、「パパとママは信じられないほど長時間働いたわ。クリスとわたしが朝起きて、学校へ行くときには、ふたりともオフィスで仕事をしていたわ。午後帰宅しても、仕事をしていたし。夜寝るときも、オフィスにいたの。ふたりで力を合わせて、ほんとうに頑張っていた。そして、ようやくどんどん利益があがるようになったけど、それでも、四六時中働いていたわ」

心の休まるときがなかったのだった。ウォルトも、ビリーも、生活にゆとりがまったくなかった。おたがいにかっとなりやすくて、しかも、負けずぎらいだった。ときには、我慢しきれなくなって、口喧嘩になった。腹を立てると、どっちもすぐに離婚を口にし、相手を脅した。怨恨はくすぶることはあっても、火がつくことはなかったけれど、「クリスとわたしがとても仲よくなったのは、そのことも原因のひとつだったのよ。ママとパパが喧嘩をしていたから、わたしたちは助け合うようになったの」と、カリーンは言っている。

しかし、楽しいときもあった。週末には、学校が終わってから、家族で旅行をしたのである。ヴァージニア・ビーチやカロライナ海岸へ車を飛ばしたり、コロラドの先妻の子どもたちのところへ訪ねていったり、五大湖やブルーリッジ山脈へ出かけたりした。「シボレーのワゴンの後部がテント代わりだったんです」と、ウォルトは話してくれた。「あとで、エアストリームのトレイラーを買って、それで旅行しましたがね。クリスはそういった旅が大好きだった。長ければ長いほどいいんだ。家族は皆、旅に出たいという思いをいつも心の片隅にいだいていた。クリスが旅行好きの血を受けついでいることは、早くからわかっていたんですよ」

一家でミシガン州のアイアンマウンテンを訪ねたことがある。ビリーの幼いころの故郷で、アッパー半島の森林のなかの小さな鉱山町である。彼女は六人兄妹だった。ビリーの父のローレン・ジョンソンの仕事は、表向きはトラック運転手だったが、彼女の話では、「でも、どの仕事も長続きしたことがなかった」

「ビリーの父親は社会にまったく適応できなかったんですよ」と、ウォルトが言った。「多くの点で、彼とクリスはよく似ていてね」

ローレン・ジョンソンは自尊心の強い、頑固な人で、夢ばかり追いかけていた。山男であり、独学のミュージシャンであり、詩人でもあった。アイアンマウンテン周辺の森の生きものたちとの付き合いは伝説となっている。「父はいつも野生の動物を育てていたわ」と、ビリーは言った。「よく罠にかかった動物を見つけて、家につれ帰り、怪我をした肢《あし》にメスを入れて、傷を治し、また放してやってね。一度父が子づれの母鹿をトラックではねたことがあるんです。ひどく悄気《しょげ》ていたわ。でも、子鹿を家につれて帰り、薪《まき》ストーブのうしろでわが子のように育てていました」

家族を養っていくために、ローレンはつぎつぎと危なっかしいビジネスに手を出し、ことごとく失敗した。しばらく養鶏をやっていたかと思うと、つぎはミンクやチンチラの飼育をはじめるのだ。厩舎《きゅうしゃ》を作って、観光客相手の乗馬のビジネスにも乗りだした。動物を殺すのは心の痛むことだったが、食卓に出てくるのは狩りの獲物を料理したものが多かった。「父は鹿を射ち殺すたびに泣いていたんです」と、ビリーは言った。「でも、わたしたちを食べさせなければならないでしょ。だから、射っていたのよ」

また、狩猟ガイドもやっていた。それは彼にとって、もっとつらいことだった。「都会の人たちは大型のキャデラックでやってくるんです。父は狩猟土産をほしがっている彼らを一週間狩猟キャンプへ案内していたの。帰るまでに、牡鹿を一頭獲ることを請けおっているんですけど、彼らはたいていひどく射撃がへたで、お酒もたくさん飲んでいるから、なにも仕留められない。それで、父がいつも彼らに代わって射たねばならなかったの。父はそれをいやがってました」

ローレンはとうぜん、クリスをひどく可愛がっていた。クリスのほうは祖父を尊敬していた。森に関する老人の知識、荒野への共感は少年に強い影響をあたえたのである。

クリスが八歳のとき、ウォルトははじめて彼を泊まりがけの徒歩旅行につれていき、シェナンドア渓谷を三日間歩いて、オールドラグに登った。彼らは山頂に立った。クリスは最初から最後まで自分のバックパックは自分で背負っていった。登山は父と子の恒例の行事になった。それ以来、ほぼ毎年オールドラグに登ったのである。

クリスがもうすこし大きくなると、ウォルトはビリーと先妻・後妻の子どもたちをつれて、ロッキー山脈国立公園の最高峰、コロラド州の一万四千二百五十六フィートのロングズ山に登った。ウォルト、クリス、それに先妻のいちばん下の息子は標高一万三千フィートまで到達した。そこのキーホールと呼ばれている有名な谷間で、ウォルトは引きかえす決断をした。疲れきってしまい、高所が身体にこたえていたのである。上のルートは平らな板のようだったし、吹きっさらしで、危険な感じだった。「もう駄目だったんですよ、そう」と、ウォルトは言った。「だが、クリスはそのまま頂上をめざしたがっていた。だが、私はもう駄目だと言った。彼は当時、まだ十二歳でしてね。だから、ぶつぶつ文句を言うしかなかった。十四か十五であれば、きっとひとりで登っていったでしょう」

ウォルトは黙りこんで、遠くをぼんやり見つめていた。「クリスは幼いころから、大胆不敵でした」と、彼はかなり間合いを置いてから言った。「なにも不可能なことはないと思っていてね。こっちはいつも崖っぷちにいる彼を引きもどそうとしていたんですよ」

クリスは好きなことなら、ほとんどなんでも見事にやってのけた。学業成績では、あまり努力もしないで、Aの成績を家にもって帰ってきた。B以下の成績をとったことは一度だけだった。ハイスクールの物理で、Fをとったのである。ウォルトは通知表を見て、なにがいけなかったのか確認しようとして、物理の先生と会うことにした。「先生は退役の空軍大佐でした」ウォルトははっきりおぼえていた。「古風でひどく厳格な老人でね。二百名ほどの生徒がいたから、実験のレポートは採点しやすいようにとくべつな形式で書くことを学期はじめに説明していたんです。クリスはそれをくだらない決まりだとして、無視することにした。レポートは書いたものの、形式が正しくなかったので、先生はFの成績をつけた。その話し合いのあと、私は帰宅して、クリスに言ってやったんです。この成績をつけられたのは、

「ぴったりだったんだね」とか、「いや、ふたりとも」

クリスとカリーンはふたりとも、ウォルトの音楽的才能を受けついでいた。クリスはギターとピアノとフレンチホルンをはじめたのである。「いつの間にか、子どもがそういう歳になっていたんです」と、ウォルトは言った。「しかし、クリスはトニー・ベネットのファンでね。私がピアノの伴奏をし、彼が『テンダー・イズ・ザ・ナイト』のような曲をよく歌ったものですよ。歌はうまかった」事実、クリスが大学でふざけて作ったビデオでは、彼自身「海辺の夏／カプリのヨット」と感動的に堂々と大声で歌ったり、プロ歌手よろしく感傷的な歌い方をしたりしている。

十代のときには、才能豊かなフレンチホルンの奏者として、アメリカン・ユニヴァーシティ・シンフォニーのメンバーになったが、ウォルトの話では、ハイスクールのバンドリーダーからむりやり押しつけられた規則に反発して、退団してしまったという。ただ、退団に関しては、原因はそれだけではなかった。これはカリーンの記憶である。「兄さんが退団したのは、人から指図されるのが嫌いだったこともあるけれど、わたしのこともあったの。わたしはクリスのようになりたくて、同じフレンチホルンをはじめていた。そして、わたしのほうが上手なことがはっきりしたの。わたしが新入生で、兄さんが上級生になったとき、わたしが上級生のバンドの首席奏者になってしまって。兄さんとしては妹のうしろに座るわけにはいかなかったんでしょ」

音楽的にはライバルだったが、しかし、それによってクリスとカリーンの関係が悪くなることはなかったようである。ふたりは幼いころからとても仲がよくて、アナンデールの自宅の居間で何時間も遊び、クッションと毛布で砦《とりで》を作ったりしていたのだ。「兄さんはいつもほんとうに親切だったわ」と、カリーンは言っている。「それに、わたしをしっかりと守ってくれていたし。通りを歩くときには、手をつないでくれたの。兄さんがジュニア・ハイスクール、わたしが小学校に通っていたときも、下校するのは兄さんのほうが早かったけど、友だちのブライアン・パスコヴィッツの家で寄り道していたから、わたしたちはいっしょに帰宅していたわ」

クリスはビリーの天使のような顔だちを受けついでいた。とりわけ似ているのは目で、その濃い黒は心の動きをつぶさに伝えていた。小柄ではあったが——学校の集合写真では、いつも前列にいた。クラスでいちばん背が低かったのだ——身長のわりには、筋骨たくましく、均整のとれた体格をしていた。彼はさまざまなスポーツに手を染めたが、辛抱が足りなくて、どれも物にはならなかった。バカンスに家族全員でコロラドへスキーに行ったときも、彼はめったにターンをしようとしなかった。ただもうゴリラのようなクラウチングスタイル一本槍で、転ばないように脚をおおきく広げ、スキーをまっすぐ斜面の下に向けていた。そればかりか、とウォルトは言った。「ゴルフを教えてやろうとしたときも、いちばん大切なのはフォームなのに、それをぜったいに受けいれようとはしなかった。毎回毎回、見たこともないような大きいスウィングで振りまわすんだ。ときには三百ヤードもボールを飛ばしたが、それよりも多かったのは、打ったボールがスライスして、つぎのフェアウェーに飛びこむことでしたよ。クリスはもともと才能にはひどくめぐまれていてね」

ウォルターは話をつづけた。「ところが、コーチをして、技術をみがき、最後の一〇パーセントの力を引きだしてやろうとすると、壁が立ちはだかった。どんな指図にも逆らうんです。私は本格的にラケットボールをやっていたから、彼が十一歳のとき、それを教えてやった。そして、十五か六になったころには、まぐれでなく私に勝てるようになった。実に敏捷で、パワーも十分だった。しかし、ゲームで隙をつくようにアドバイスをしても、それを聞こうとしない。一度、トーナメントで経験豊富な四十五歳の男と対戦したことがあるんです。まさに型破りの闘いぶりで、クリスはどんどんポイントをとった。ところが、相手は入念に彼を分析して、弱点を突きとめていた。いちばん苦手としているのがどんなボールか、読まれてしまったんです。それはクリスの見たこともないボールで、あとはもうお手あげでしたよ」

ニュアンスとか、戦略とか、基本的なテクニック以外のものは、彼にはすべてどうでもよかったのだ。チャレンジするときの彼の気に入ったやり方は、ひたすら真っ正面から、まさしくその瞬間に、とくべつなエネルギーを思いきりそそぐことだった。そして、結果的にはよく挫折を味わわされた。ランニングをはじめて、彼はようやくスポーツにたいする強い欲求があったことを自覚した。ランニングは単に策略とか狡猾さだけでなく、意志と決断力を鍛えてくれる運動だった。十歳のとき、最初の競技会、十キロのロードレースに出場した。十代で、彼は六十九位でゴールし、千人以上の大人に勝って、走ることが病みつきになった。十代で、長距離では地域のトップランナーのひとりになったのである。

　クリスが十二歳になったとき、ウォルトとビリーはカリーンにバックリーというシェトランドシープドッグの子犬を買ってやった。そのペットをつれて毎日トレーニングをするのが、クリスの習慣になった。「バックリーは、ほんとうはわたしの犬だったのよ」と、カリーンは言った。「だけど、犬とクリスは切っても切れない間柄になってしまって。バックは走るのが速く、いっしょにランニングに出かけていっても、かならずクリスより早く家にもどってくるの。クリスがはじめてバックリーよりもさきに家に着いて、ひどく興奮していたことをおぼえているわ。『バックに勝った！　バックに勝った！』って叫びながら、家中を駆けまわったのよ」

　W・T・ウッドスン・ハイスクールはヴァージニア州フェアファックスにある大きな学校で、生徒のレベルも高く、優勝したスポーツチームが何チームもあることで知られていた。クリスはそこのクロスカントリー・チームのキャプテンをつとめた。彼はキャプテンになったことを喜び、あたらしい方法、きびしい強化訓練法を考えだした。チームメイトはそのトレーニングのことをいまもよくおぼえている。

「彼は実際、積極的に振るまいはじめたんだ」と、チームの若いメンバーだったゴーディ・ククルーは言っている。「トレーニング法を編みだし、それを路上の戦士《ロード・ウォリアーズ》と呼んでね。農地や建設工事現場のような場所、思いも寄らない場所を、長い距離猛烈に走らせて、わざとぼくたちを消耗させたんだ。できるだけ遠くへ、できるだけ速く、妙な道を走り、森であろうとどこであろうと走った。それはただ、ぼくたちを途方に暮れさせ、未知の領域へ踏みこませようとしてのことだった。あとは、ペースをやや落として走り、よく知っている道路へ出たら、ふたたび全力疾走で引きかえす。ある意味で、クリスもずっとそういう生き方をしてきたんだ」

マッカンドレスはランニングをきびしい精神修養、宗教に近いものと見なしていた。「クリスは精神面を鍛えて、やる気を起こさせようとしていたのさ」と、もうひとりのチームメイト、エリック・ハサウェイは記憶している。「世の中のあらゆる悪、あらゆる憎しみについて考えてくれ、それから、ベストな走りをさまたげる悪の壁、その邪悪な力に逆らって自分たちは走っているのだと想像してくれ、彼はきまって選手たちにそう命じたんだ。好成績はすべて精神のたまものであり、要はただ、活用できるエネルギーをことごとく活用することだと信じていた。そういった話をされると、感じやすい年ごろのハイスクールのスポーツ選手たちには、胸にぐっとくるものがあったんだ」

しかし、ランニングはまったく個人的な精神の問題ではなくて、人との競い合いでもある。マッカンドレスが走るのは、勝つためだった。「走ることにかけては、クリスはほんとうに真剣だったわ」ハイスクールでいちばん親しかったらしい女性のチームメイト、クリース・マキシー・ギルマーはそう言っている。「わたしはゴール地点に立って、彼が走っているのを眺めていたのをおぼえているわ。彼がどんなに勝ちたいと思っているか、期待はずれの結果に終わったら、どんなにがっかりするかわかっていたの。振るわなかったレースのあととか、練習で好タイムが出なかったときには、自分をはげしく責めていたにちがいないわ。そして、そのことを口にしようともしなかった。彼を慰めようとしても、うるさそうな様子で、わたしを無視していた。気落ちすると、内にこもってしまうの。ひとりでどこかへ行って、自分を責め苛《さいな》むのよ。

クリスがひどく真剣にやっていたのはランニングだけではなかったわ」とも、ギルマーは言っている。「なにごとでも、そうだったの。ハイスクールの生徒は小難しいことなど考えないと思われている。でも、わたしは考えていたし、彼も考えていた。それで、ふたりは気が合ったの。軽食の時間に彼のロッカーのところで会って、人生のことや世界情勢のことや真面目な問題について話し合ったわ。わたしは黒人だから、みんながなぜ人種のことどなると冷静でいられなくなるのかわからなかった。クリスはそういったことについても話し相手になってくれたの。そして、わかってくれたわ。同様に、なんにでも好奇心が旺盛だった。わたしは彼をとても好きだった。ほんとうにいい人だったの」

マッカンドレスは生活の不平等を深く憂えていた。ウッドスン・ハイスクールの最上級生のときには、南アフリカの人種差別のことを真剣に考えるようになった。あの国に武器を密輸し、アパルトヘイトを終焉《しゅうえん》させる戦いに加わろう、と友人たちに大真面目に話していたのだ。「ときには、そのことで議論をたたかわしたこともあった」これはハサウェイの記憶である。「彼はまともな手順を踏んだり、組織のなかで働いたり、順番がくるのを待ったりするのは好きじゃなかった。彼はよくこういう言い方をしたんだ、『さあ、エリック、ぼくたちだって、いますぐ自力で南アフリカへ行くだけの金ぐらいなんとかなるよ。あとはただ、実行に踏みきるかどうかの問題だ』って。たったふたりだけじゃあ、たいしたことなどできやしないよと言って、ぼくは押しとどめた。しかし、彼とは議論はできなかった。『ああ、すると、きみにとって、正しいとかまちがっているというのは、どうでもいいことらしいね』きまってその言葉が返ってきたからさ」

週末に、ハイスクールの友人たちが「ビール・パーティ」に出かけたり、ジョージタウンのバーにこそこそ入ろうとしていたころ、マッカンドレスはワシントンの貧しい地区をうろついて、娼婦やホームレスたちと話をし、食べものをおごってやり、彼らの暮らしがよくなる方法を真剣にそれとなくアドバイスしていた。

「とくにこの国で、人々が飢えているのをどうして放っておくのか、クリスには許せなかったんです」と、ビリーは言っている。「そんな話を、彼は何時間も夢中になってしていたわ」

あるとき、クリスはワシントンDCの路上でホームレスの男を車に乗せて、緑の多い裕福な地区アナンデールにある自宅につれていき、両親がガレージのそばに駐車しておいたエアストリームのトレイラーのなかでひそかに物を食べさせてやった。ウォルトとビリーは、浮浪者がもてなしを受けているなどとは知る由もなかった。

また、あるときには、クリスは車で家にいるハサウェイを迎えにいき、いま自分たちが行こうとしているのは、ダウンタウンだと言った。「落ち着くんだ！」ハサウェイはそう自分に言い聞かせたことをおぼえている。「金曜日の夜で、ぼくはパーティへ行くために、ジョージタウンへ向かっているものとばかり思っていた。ところが、クリスは十四番街に車を停めたんだ。そこも、ほんとうに危険な場所だった。そして、彼はこう言ったんだ。『ほら、エリック、こういうことは本で読むことはできる。でも、実際に経験してみなければ、ほんとうのことは理解できないんだよ。今晩、これからそれをやるのさ』そのあと何時間か、薄気味悪い場所にたむろして、ポン引きや売春婦や貧しい人々と話をした。ぼくは、なんと言ったらいいか、びくびくしていたよ。

夜中近くになり、どのくらい金の持ち合わせがあるか、クリスに聞かれた。ぼくは五ドルだと言った。彼は十ドルもっていた。『よし、それでガソリンを入れてくれ。ぼくのでなにか食べものを買うよ』彼はそう言った。そして、十ドルでハンバーガーを大きな袋で買い、強烈な臭いを発散させて路上で寝ている男たちに車でハンバーガーを配ってまわった。それはぼくの人生でもっとも気味の悪い金曜日の夜だった。だが、クリスはそういったことを始終していたんだ」

ウッドスン・ハイスクールの最上級生になって間もなく、クリスは大学に進学するつもりがないことを両親に伝えた。出世するには、大学の学位が必要だ、とウォルトとビリーはそれとなく助言した。が、クリスは、出世なんて「二十世紀のいまでは、虚構に」すぎなくなっているし、長所というよりもむしろ足手まといなもので、申し訳ないが、自分はそんなものがなくても立派にやっていけると答えた。

「そう言われて、多少あわてたことは確かです」と、ウォルトは認めている。「ビリーも私も、ブルーカラーの出でね。学位などどうでもいいとは思えなかった。そうなんです。子どもたちをいい学校へ通わせられるだけの経済力をつけようとして、私たちは一生懸命働いてきた。それで、ビリーは彼を座らせて、こう言ったんだ。『クリス、あなたがほんとうに世の中の役に立ちたいと思っていて、恵まれない人々を助けたければ、自分自身がそれだけの実力を身につけることが肝腎だわ。大学へ行って、法学士の学位をとれば、ほんとうの影響力をもつことができるのよ』」

「クリスはいい成績をとっていたし」と、ハサウェイは言っている。「叱られたこともなかった。出来のいい子どもだったんだ。羽目をはずすこともなかったしね。両親には文句のつけようがなかった。ただ、大学進学問題では、ふたりから叱責された。その説得の言葉が役に立ったんだろうね。結局は、エモリー大学へ進んだからさ。もっとも、本人は大学へ行くことなど無意味だし、時間と金の浪費だと考えていたけれど」

クリスがウォルトとビリーの言うことを聞かなかったことはいろいろあるが、大学へ進ませようとした両親の圧力に屈したことは、やや意外な気がする。クリスと両親の関係がぎくしゃくしたことがまったくなかったわけではない。クリース・ギルマーと付き合っていたころ、彼はたびたび両親を気まぐれな圧制者呼ばわりして、貶《けな》していたのである。にもかかわらず、ハサウェイとか、ククルーとか、もうひとりの陸上競技のスター選手アンディー・ホロヴィッツといった男友だちには、めったに愚痴は言わなかった。「ぼくの印象では、彼の両親はとてもいい人たちだった」と、ハサウェイは言っている。「ぼくの両親とも、どこの両親とも、変わりはなかったんだ。ただ、クリスは人から行動を指図されるのがきらいだった。どんな親ともうまくいかなかっただろうと思う。両親の考え方とことごとく衝突していたからね」

マッカンドレスの性格は複雑で、とらえにくかった。とんでもなく非社交的であるかと思えば、極端に陽気で付き合い上手のところもあった。社会的道義心はありあまるほど持ちあわせていたけれども、つねにいかめしい顔をして戯言《ざれごと》に眉をひそめるような寡黙な空想的社会改良家ではなかった。それどころか、ときには楽しげにグラスをかたむけることもある救いがたいほど気障《きざ》な男であった。

たぶん、自家撞着の最たるものは、彼の金銭感覚だろう。ウォルトもビリーも、若いころに貧しさを経験していて、それと闘い、そこから抜けだしたあと、苦労して手にしたものを享受するのは悪いことではないと思っていた。「わたしたちはほんとうに頑張って働いたんです」と、ビリーは力説している。「子どもたちが小さいときには、生活費がすくなくてすむでしょ。入ってきたお金は貯えて、将来のために投資したの」その将来がいよいよ現実のものとなっても、ささやかな富をひけらかすことはなかったが、上等な服とキャデラックと、ビリーが身につける宝石類は多少買った。やがて、入江にあるタウンハウスとヨットも購入した。子どもたちをヨーロッパ旅行にも、ブレッケンリッジでのスキーやカリブ海の船旅にもつれていった。クリスは「そうしたとき、いつも楽しそうじゃなかったんです」と、ビリーは認めている。

トルストイ信奉者のティーンエージャーの息子は、富は恥ずべきもの、汚れたもの、本質的に邪悪なものだと信じこんでいた。ところが、そのクリスが天性の資本主義者で、ずば抜けた金儲けの才にめぐまれていたのだから、皮肉である。「クリスはずっと企業家だったんですよ」と、ビリーは笑いながら言った。「ずっとそうだったの」

八歳のときには、アナンデールの自宅の裏で野菜を栽培し、近所を一軒一軒まわって、売りあるいたのだった。「新鮮なインゲン豆、トマト、胡椒《こしょう》を満載したワゴンを、可愛い小さな少年が引いていくわけでしょ」と、カリーンは言った。「誰が断わることができて？　クリスにはそれがわかっていたのよ。『ぼくはこんなに可愛いんだ！　インゲン豆をすこし買ってくれるでしょ？』そんな表情をうかべてね。家に帰ってくるころには、ワゴンは空になり、兄さんはお金をいっぱいもっていたわ」

十二歳のときには、たくさんのビラを印刷し、近所の人々を相手に原稿取りと配達料が無料のコピーの商売、クリス・ファスト・コピーズをはじめた。ウォルトとビリーのオフィスのコピー機を使って、両親にはコピー一枚につき数セント払い、角の小さな店よりも料金を二セント安くして、かなりの利益をあげた。

ウッドスン・ハイスクールの一年度終了後の一九八五年には、地元の建設業者にセールスマンとして雇われ、地域の家々を訪問して、外壁やキッチンのリフォームの注文をとってまわった。そして、おどろくほどの成績をあげ、トップセールスマンになった。わずか数か月で、六人の生徒たちが彼のもとで働き、銀行口座には、七千ドルの貯金ができていたのである。その金の一部で中古の黄色いダットサンＢ２１０を買った。

クリスには、そんなすばらしい商才があったから、ハイスクールの卒業が迫ってきた一九八六年の春には、建設会社のオーナーがウォルトに電話をかけてきて、息子のクリスが仕事をやめてエモリー大学へ行くことなく、大学に通いながら仕事をつづけるように説得して、このままアナンデールに引きとめておいてくれたら、学資を出してもいいと申し入れてきた。「私はそれをクリスに話したんですよ」と、ウォルトは言った。「だが、息子はそんなことなど考えようともしなかった。ぼくには計画していることがあるんだとオーナーに言ってね」ハイスクールを卒業したら、夏には購入した車に乗って、各地をドライブしてまわるつもりだ、とクリスは宣言したのである。それが長期にわたる一連の大陸横断冒険旅行の最初の旅になろうとは、誰も予想していなかった。この最初の旅行中に、彼はたまたまある事実を知って、内に閉じこもるようになり、すっかり人が変わってしまい、その結果、彼自身と、彼を愛していた人々を、怒りと誤解と悲しみの泥沼に引きずりこむことになろうとは、家族の誰ひとり思ってもいなかった。

第十二章　アナンデール

愛よりも、金銭よりも、名声よりも、むしろ真理をあたえてほしい。私は贅沢な料理とワインがたっぷり用意された食卓についた。その席には、お追従《ついしょう》を言う人々はいたけれども、誠意や真理はなかった。心がこもっていない食卓から、私は腹をへらしたまま立ち去った。氷のように冷たいもてなしだったのである。

ヘンリー・デイヴィッド・ソロー
『ウォールデン、森の生活』

クリス・マッカンドレスの遺品とともに発見された書物の一冊のなかで強調されていた一節。ページのうえのほうには、マッカンドレスの筆跡で「真理」という言葉が記されていた。

子どもたちは無邪気で、正義を愛している。それにひきかえ、われわれの多くは意地悪であり、とうぜんのことながら、慈悲のほうを好ましく思っている。

G・K・チェスタートン

一九八六年、クリスは蒸し暑い春の週末にウッドスン・ハイスクールを卒業し、ウォルトとビリーは彼のためにパーティを催した。ウォルトの誕生日は六月十日で、数日過ぎていたが、そのパーティで、クリスは父にプレゼントをした。ひどく高価なクエスター社製の天体望遠鏡である。

「パパに望遠鏡を贈ったとき、わたしもたしか、その場にいたわ」と、カリーンは言っている。「兄さんはあの夜、お酒を何杯もぐいぐい飲んで、かなり酔っていたの。ひどく興奮していたわ。泣きそうになり、涙をこらえて、この何年間か意見の相違もあったけど、パパが自分にしてくれたことには、なにもかも感謝していると言ってね。無《む》一物《いちぶつ》からはじめて、働きながら大学を出、一生懸命に八人の子どもを育てあげたパパをとても尊敬しているって。そのスピーチは感動的だったわ。居合わせた人たちも、みんなジーンときてしまって。そのあと、兄さんは旅行に出発していったの」

ウォルトとビリーはクリスが旅に出ていくのをとめようとしなかった。ただ、まさかのときのためにテキサコ・カードをもって行かせ、三日に一度は家に電話連絡をするよう息子に約束させた。「旅行に出ている間中、心配でしたよ」と、ウォルトは言った。「しかし、やめさせるわけにもいかなくてね」

ヴァージニアをあとにして、クリスは車で南へ向かい、それから西の平坦なテキサスの平原を横切り、暑いニューメキシコとアリゾナを通って、太平洋沿岸に到着した。はじめのうちは、定期的に電話連絡をするという約束は守っていたが、夏になると、その回数はしだいに減っていった。やっと家にもどってきたのは、エモリー大学の秋の学期がはじまる二日まえだった。アナンデールの自宅に歩いてもどってきたときには、ひげをだらしなく生やし、髪の毛をぼうぼうに伸ばしていた。もともと痩せていたが、体重が十四キロ減っていた。「帰ってきたというので、兄さんと話がしたくて、いそいで部屋に行ったの」と、カリーンは言った。「ベッドで眠っていたわ。ひどく痩せて、十字架上のイエスを描いた絵のようだった。あまりの痩せ方に、ママはひどいショックを受けてね。兄さんの身体にすこしでも肉をつけようとして、必死で料理をはじめたの」

旅の終わり近くに、クリスはモハーヴェ砂漠で道に迷い、脱水症にかかって、死にかけていたことがわかった。たいへんな目に遭ったことを聞かされ、両親は肝を冷やしたが、これからもっと慎重に行動してもらうには、どう説得したらいいか、困惑してもいた。「クリスはそれまでなにごとにおいても、やることに落ち度はほとんどなかったんですよ」ウォルトは考えこんでいた。「だから、とんでもない自信過剰におちいっていた。こっちになにか含むところがあって、彼と話をしようとしても、応じようとはしなかったでしょう。慇懃《いんぎん》にうなずいて、あとは、自分のしたいようにするだけでね。

そんなわけで、最初、私は身の危険についてあれこれ言わなかった。クリスとテニスをしたり、ほかのさまざまな話をしたりして、最後にいっしょに腰をかけて、彼が冒した危険について話し合った。『二度とこうした危ないことはしないでくれ！』そんな直截《ちょくせつ》な言い方をしても、クリスには通じないことはとうにわかっていた。そうではなくて、自分たちは旅行には反対しなかったが、ただもうすこし慎重であってほしかったし、所在をずっと連絡してきてほしかったという意味の話をしたんです」

ところが、残念ながら、クリスはこの父の控えめなアドバイスに腹を立てた。ひとつだけその結果と思われる彼の態度の変化は、旅の計画をあまりしゃべろうとしなくなったことである。

「息子のことを心配しているわたしたちを、クリスはばかな親と思っていたんです」と、ビリーは言った。

旅行中に、クリスは山刀《マチエーテ》と三十口径ライフルを手に入れた。大学に入学する際、ウォルトとビリーはアトランタへ車で送っていったが、彼は大型ナイフと銃をもっていくと言ってきかなかった。「クリスといっしょに寮の部屋へあがっていったんですがね」ウォルトは声をあげて笑った。「ルームメイトの両親はきっとその場で卒倒するだろうと思いましたよ。ルームメイトはコネチカット州出身の、学生らしい身なりをした、プレッピー風の若者でした。だが、クリスときたら、もじゃもじゃのひげを生やし、よれよれの服を着て、映画『大いなる勇者』のジェレマイア・ジョンソンそっくりの格好で、マチェーテと鹿狩り用のライフルを担いで入っていった。どうなったかわかりますか？　一学期も経たないうちに、プレッピー風のルームメイトは部屋から出ていきましたよ。一方、クリスのほうは優等生のリストに入っていましたがね」

　両親にとってはうれしい驚きだったが、進級するにつれて、クリスはエモリー大学に入ったことを喜んでいるように見えた。ひげを剃り、整髪をし、ハイスクール時代と同じきちんとした身なりにまたもどったのである。成績は完璧に近かった。そして、大学新聞に記事を書きはじめた。卒業までには法学士の学位をとるつもりだと本気で話してもいた。「実は、ぼくはハーヴァードのロー・スクールに入れるだけの成績がとれると思ってるんだ」クリスは一度ウォルトにそう自慢そうに話したことがある。

　大学に入学した年の夏には、クリスはアナンデールに帰郷し、両親の会社でアルバイトをし、コンピュータのソフトウェアを作成した。「あの夏に彼が作ってくれたプログラムは、完全なものでしたよ」と、ウォルトは言っている。「いまでも使っているし、たくさんのお客さんにもそのコピーを売った。しかし、どのようにそれを作ったのか、どうしてこういう風に作動するのか教えてほしいと頼んだところ、拒絶されてね。『父さんはそれが作動することを知っているだけでいいんだ。どのようにとか、どうしてとかは知らなくてもいいよ』って言われた。クリスはちっとも変わっていなかったわけです。だが、こっちはひどく腹が立ってね。彼なら、立派なＣＩＡのエージェントにだってなれたでしょう。これは冗談で言ってるんじゃない。ＣＩＡで働いている知り合いがいるんです。クリスは、こっちが知っているべきだと自分が判断したことしか、話さなかった。なにごとにおいても、それが彼の流儀だった」

クリスの性格で、両親がとまどわされたことはいろいろあった。思いやりもあり、極端なくらい世話好きだったが、偏執的とか、短気とか、頑固な自己陶酔といった暗い面もあった。その特異な性格は、大学時代にとくに目立ってきたようである。

「エモリー大学の二年度が終了した際のパーティで、ぼくはクリスと会った」と、エリック・ハサウェイは記憶している。「彼はすっかり人が変わってしまっていてね。ひどく内向的になり、冷淡と言ってもいいような感じだった。『やあ、会えてよかったよ、クリス』と言うと、皮肉っぽい返事がかえってきた。『そう、会えてよかった。皆と同じことを言うんだね』彼はなかなか打ち解けようとしなかった。彼が話したがっていたのは、学問のことだけでね。エモリー大学の社交生活は、男子学生友愛会と女子学生友愛会が中心だったけど、そんなものには、クリスは参加する気もなかった。皆がギリシャ文字クラブの会員になりだすと、古い友人たちからもいくらか距離を置き、自分の殻に陰鬱に閉じこもってしまったんだ」

二年生から三年生にかけての夏、クリスはふたたびアナンデールに帰り、ドミノズでピザの配達のアルバイトをした。「楽しい仕事でなくっても、兄さんはかまわなかったの」と、カリーンは言った。「かなりのお金になったから。毎晩帰ってくると、たしか、キッチンのテーブルでお金の勘定をしていたわ。どんなに疲れていても。車の走行距離、ドミノズから支払われたガソリン代、実際のガソリン代、その日の純益、先週とくらべて、どれだけ儲かったか、計算をしていたの。兄さんはなにもかもおぼえていて、計算の仕方、商売のやり方を教えてくれたわ。ただ、お金にはそれほど執着しているようには思われなかったけど。ほんとうにお金儲けがうまかったのね。それはゲームみたいなもので、お金は点数の記録代わりだったのよ」

ハイスクール卒業後、クリスと両親の関係はきわめて良好だったが、その年の夏には、いちじるしく悪くなった。だが、ウォルトとビリーには、その理由がわからなかった。ビリーによれば、「彼は何度かわたしたちに腹を立てたようです。そして、ますます孤立していきました――いいえ、そういう言い方は正しくないわ。クリスは孤立したことなんてなかったんですから。だけど、なにを考えているか話してくれようともしないで、ひとりでいるときが多くなりました」

この二年間、夏になると、クリスは山野をあちこち放浪して、ある事実を知り、それによって、彼の鬱積していた怒りの火に油をそそぐ結果になったのは確かだった。カリフォルニアへ行ったとき、六歳まで住んでいたエル・セグンドウ地方に立ち寄ったのである。そして、いまだにそこで暮らしているおおぜいの昔の友人たちの家々を訪ねて、いろいろ話を聞いてまわり、父の最初の結婚とその後の離婚に関する事実――彼の知らなかった事実がしだいに明らかになってきたのだ。

先妻マルシアとの破局は、あと腐れのない別れでも、円満な別れでもなかった。ビリーと恋におち、クリスが生まれてからも、長い間、ウォルトはひそかにマルシアとの関係をつづけていて、ふたつの家庭、ふたつの家族という生活をしていたのだった。嘘をついて、やがてその嘘がばれ、最初のごまかしを言いつくろおうとして、さらに嘘が重ねられた。クリス誕生の二年後に、マルシアとの間にもうひとりの息子――クイン・マッカンドレス――ができて、ウォルトは父親になった。その二重生活が明るみに出て、それが深い傷となった。当事者全員がひどく傷ついたのである。

結局、ウォルト、ビリー、クリス、カリーンは東海岸に引っ越した。マルシアとの離婚がようやく成立し、ウォルトとビリーは正式に結婚した。ごたごたはできるだけ忘れるようにして、生活はそのままつづけられた。二十年が過ぎた。賢くもなった。罪の意識や心の傷や嫉妬の怒りは遠い過去のものとなっていた。嵐は乗りきることができたように思われた。その後、一九八六年に、クリスが車でエル・セグンドウへ出かけていき、昔馴染みの近所の人々の家々を訪ねて、いろんな話をうんざりするほど細かく聞いてまわった。

「クリスはなにごともくよくよ考えこむタイプだったわ」と、カリーンは認めている。「なにか悩みがあっても、態度には表わさなかったし、打ち明けようともしなかった。胸のなかにしまいこんで、恨みをくすぶらせ、悪意をどんどん鬱積させていってね」エル・セグンドウでいくつかの事実を知ったあとで、彼は変わったようだった。

両親のことになると、子どもはとかくきびしい裁判官になりがちで、あまり温情的な処置をとろうとしない。クリスの場合は、とくにそうだった。ティーンエージャーのなかでも、彼はとくにものごとを白か黒かの基準に照らして判断する傾向があった。とんでもなくきびしい道徳律によって自分自身と周囲の出来事を判断していた。

ただ、不思議なことに、クリスは誰彼なしに厳格な規範を押しつけることはなかった。人生の最後の二年間、彼が敬服していた人物のひとりは、飲んだくれであり、救いがたい女たらしであり、愛人たちにもしょっちゅう暴力をふるっていた。クリスはこの男の欠点をよく知りながら、寛容であることができた。また、文学のヒーローたちの欠点を許すことも、大目に見ることもできた。ジャック・ロンドンは札付きの飲んだくれであった。トルストイは高名な禁欲主義者であったにもかかわらず、若いときには、はげしい漁色家であり、その後すくなくとも十三人の子どもをもうけた。子どものうちの何人かは、検閲官のようにきびしい伯爵が書物のなかでセックスの害悪をはげしく非難していたときに、身ごもられたのである。

一般の人々と同じく、クリスもどうやら、芸術家や親友たちを人生によってではなく、仕事によって判断していたようだが、父親にたいしては、彼の性分で、そういった思いやりをもつことはできなかった。クリスはかなりまえから、ウォルト・マッカンドレスがいかめしい様子で、クリスやカリーンや、あるいは異母兄姉にたいして父親らしくアドバイスをしようとすると、それよりもけっして立派とは言えない態度をとって、殊勝らしい顔をした偽善者の父をひそかに弾劾していた。クリスはいちいち父に点数をつけていたのだ。そして、その間ずっと独りよがりの憤りの感情をつのらせ、それを我慢しつづけることができずに、気短になっていった。

クリスがウォルトの離婚の顚末《てんまつ》を聞きだしてから二年が経ち、そのころから、怒りがすこしずつ表面に出てくるようになり、結局、それは態度となって現われた。息子は父親が若いころに犯した過ちを許せなかったのだ。隠そうとしたこともあって、よけいに許せない気持ちになっていた。これはのちに、彼がカリーンやほかの者にはっきり言ったことだが、ウォルトとビリーがおこなったごまかしは、彼の「幼児期をフィクションのように思わせた」のである。しかし、そのときも、その後も、自分の知った事実を両親の目のまえに突きつけることはなかった。その代わりに、隠されてきた事実を胸中に秘めて、口を閉ざし、不機嫌に自分のなかに引きこもって、それとなく怒りを表わすことにしたのだった。

一九八八年には、両親への憤りが高まるにつれて、社会的な不正にたいする怒りもはげしさを増した。その年の夏、ビリーの記憶によれば、「クリスはエモリー大学の裕福な学生たちへの批判を口にしはじめた」のである。受ける講義も、人種差別、世界的飢餓、富の分配の不公平といった差しせまった社会問題をあつかったものがますます多くなった。しかし、クリスは金と贅沢な消費を嫌悪していたにもかかわらず、政治的立場はリベラルとは言えなかった。

事実、民主党の政策を物笑いにしておもしろがっていたし、ロナルド・レーガンを声高に称賛していた。エモリー大学では、学生共和党員クラブの設立メンバーにさえなった。クリスの変則的とも見える政治的立場は、たぶん、『市民の反抗』のなかでソローが宣言した言葉にもっとも巧みに要約されているだろう。「私は心からそのモットーを受けいれる」――「つまり、統治することのもっともすくない政府が、最上の政府であるというモットーを」クリスの考え方の特徴を、これ以上うまく言い表わすのはそれほど簡単なことではない。

彼は学生新聞〈エモリー・ホイール〉の論説ページのアシスタント・エディターであったから、たくさんの論説を書いている。五年後に読むと、マッカンドレスがいかに若かったか、いかに情熱的であったかがわかる。風変わりな論理を駆使し、活字で表現している彼の意見は、地図上のあらゆる地域にわたっていた。ジミー・カーターやジョー・バイデンを風刺し、司法長官エドウィン・ミースの辞任を要求し、キリスト教保守派の聖書信奉者たちをこきおろし、ソビエトの脅威にたいする警戒を呼びかけ、日本の捕鯨をきびしく非難し、有能な大統領候補としてジェシー・ジャクソンを擁護しているのだ。過激な発言の典型的な例では、一九八八年三月一日付けのマッカンドレスの論説の冒頭に、こういう文章がある。「いま、一九八八年の三か月目がはじまったばかりだ。が、すでに現代史におけるもっとも政治的に腐敗した言語道断な年であることが明確になりつつある……」編集主幹クリス・モリスは、マッカンドレスが、「熱血漢」であったと記憶している。

一月一日、時が経っていくにつれて、しだいに同調者の数が減っていき、彼らには、マッカンドレスがますます過激になっていくように思われた。一九八九年の春、講義が終わると、クリスはさっそくダットサンに乗りこみ、準備もなしに、あらたな長期の旅に出た。「夏の間、息子からはわずか二枚ハガキが届いただけでしたよ」と、ウォルトは言っている。「一枚目のハガキには、『グアテマラに向かっています』とあった。それを読んだとき、こう思いました。『ああ、なんてことだ、暴動扇動者たちと闘うために、あそこへ行くつもりなんだ。息子は壁のまえに立たされて、射殺されるだろう』とね。そのあと、そろそろ夏も終わろうとしかけたころに、二枚目のハガキが届いた。そこには、『明日、フェアバンクスを発ちます。二週間後にはもどります』とだけ書かれてあった。それで、彼が思い直し、南に向かうのはやめて、アラスカへ車を走らせていたことがわかったんですよ」

踏みしだく音を立てて埃っぽいアラスカ・ハイウェイを北上していったのが、クリスの北の果てへの最初の旅となった。短い旅だった。フェアバンクス周辺にしばらく滞在し、秋の学期に間に合うように、いそいで南に引きかえし、アトランタへもどった。しかし、広大な土地、淡い色をした氷河、亜北極の透明な空にすっかり魅せられてしまった。彼がまたそこにやってくることはまちがいなかった。

エモリー大学の四年生のとき、クリスはキャンパスを出て、家具のない質素な部屋で暮らした。床に牛乳かごとマットレスがあるだけの部屋だった。教室以外の場所で、彼を見かけた友人はほとんどいない。彼は閉館後も図書館に出入りできるよう教授から鍵を渡されていて、空いた時間のほとんどをそこで過ごしていたのである。ハイスクール時代の親友で、クロスカントリーのチームメイトだったアンディー・ホロヴィッツは、卒業直前のある朝早く、図書館の書架のところでクリスとばったり出会っている。ホロヴィッツとマッカンドレスはエモリー大学でもクラスメイトだったが、顔を合わせたのは二年ぶりだった。ふたりは数分間、はずまない会話を交わし、やがてマッカンドレスは個人用閲覧席へ姿を消した。

その年、クリスは両親にほとんど連絡をしていない。電話がなかったから、両親のほうからも簡単には連絡がとれなかった。ウォルトとビリーは息子の気持ちが離れていくのを心配していた。ビリーはクリスに手紙を書いて、こう懇願している。「あなたを愛している人たち、あなたのことを心配している人たちからすっかり遠ざかっていますね。どんなわけがあるにしても――誰といっしょに暮らしているにしても、こんなことでいいと思っているのでしょうか？」クリスはこれを干渉と見なして、カリーンと話をしたときに、「くだらない手紙だとはっきり言った。

「『誰といっしょに暮らしていても』というのは、どういう意味なんだろう？」と、クリスは妹にたいして愚痴をこぼした。「母さんは頭がどうかしてるにちがいない。ぼくが言おうとしていることがわかるかい？　ふたりともぼくのことを同性愛者と思ってるんだ。どうしてそんなことを考えたんだろう？　馬鹿馬鹿しいったらありゃしないよ」

一九九〇年の春、ウォルト、ビリー、それにカリーンはクリスの卒業式に列席し、彼の様子を見て、幸せそうだと思った。大股でステージを歩いていき、卒業証書を受けとったとき、口を大きくあけてにやりと笑ったのだ。彼はまたあらたな長期旅行を計画していることを打ち明けたが、旅に出るまえには、アナンデールの家族のもとに帰ることもほのめかした。その後間もなく、銀行口座に残っていた預金を慈善団体オックスファムに寄付し、車に荷物を積みこんで、家族のまえから姿を消した。それ以後は、両親にもカリーンにも連絡することを用心深く避けた。噂によれば、彼は妹をとくに愛しているということだった。「便りがなかったので、みんな心配していたの」と、カリーンは言った。「ただ、心配している両親の気持ちのなかには、心の傷や怒りもまじっていたと思うわ。でも、わたしは便りがなくても、気を悪くすることなどぜんぜんなかった。兄さんが幸せで、したいことをしているのを知っていたからよ。どれだけ自由でいられるか、兄さんにはそれが大事だったの。わたしにはよくわかってるわ。わたしのところに手紙を書くか、電話をしてくれれば、パパとママは居所を突きとめて、そこへ飛行機で飛んでいき、家につれて帰ろうとしたでしょ。兄さんはそれを知っていたのよ」

ウォルトはそれを否定していない。「私にはなんの迷いもなかった」と、彼は言った。「どこを探せばいいのか、なにか心当たりでもあれば、もちろん、私はそこへ飛んでいって、息子を逃げられないようにして家につれ帰ったでしょう」

クリスからはなんの連絡もないまま、数か月が過ぎ——さらに何年かが過ぎて、苦悩は募っていった。ビリーは家を留守にするときには、かならずドアにクリスへの伝言を貼っておいた。「車で外出し、ヒッチハイカーを見かけて、その人がクリスに似ていれば、かならずUターンして、引きかえしました」と、彼女は言っている。「つらかったわ。夜がいちばんつらくて、寒い夜や嵐の夜はとくにそうだった。『どこにいるのかしら？　暖かくしているかしら？　怪我でもしているかしら？　独りぼっちでいるのかしら？　元気でいるのかしら？』そんなことばかり考えてしまって」

一九九二年七月、クリスがアトランタを去ってから二年後、ビリーはチェサピーク・ビーチで眠っていた。彼女は真夜中にむっくりと起きあがり、ウォルトを起こした。「クリスが呼ぶ声が聞こえたような気がするの。まちがいないわ」と、彼女は言い張った。涙が頬を伝いおちていた。「どうやって向こうへ行ったらいいのか、わからないの。あれは夢じゃない。想像でもないわ。あの子の声を聞いたのよ！　あの子が必死で頼んでいたのよ。『母さん！　助けてくれ！』って。でも、あの子がどこにいるのかわからないから、わたしには助けてやることができなかった。あの子も、ただ『母さん！　助けてくれ！』って言うばかりで」

第十三章　ヴァージニア・ビーチ

地域の自然については、私のなかにその写しがあった。私がたどった道は、実際には丘陵や湿地に通じていたが、それはまた心の内部にも通じていたのだ。身近な事物の調査や、さらに読書や思索から、自分自身と土地にたいする一種の探求がおこなわれるようになったのである。やがて、そのふたつは私の心のなかでひとつになった。早くから地上に出現した基本的な事物に強く促されて、私の気持ちは、考えることを永久に放棄し、思考がもたらすあらゆる厄介な問題やいちばん手近な欲望、つまりひたむきな探求の欲望以外のありとあらゆるものを放棄したいというはげしい執拗な思いにとらわれたのである。道を前進し、うしろを振りかえりたくなかった。夏に、徒歩か、かんじきをはくか、橇《そり》を使って、そのまま丘陵へ入っていく。凍りついたあたらしいそれらの痕跡——高いところにある道標や雪中の道は、私がどこへ向かったかを指し示しているだろう。できれば、生き残った人類に私を見つけてもらいたいのだ。

『星々、雪、火——北の荒野の二十五年』

ジョン・ヘインズ

フォトフレームに入った写真が二枚、カリーン・マッカンドレスのヴァージニア・ビーチの家の暖炉のうえにあった。一枚はハイスクール二年のときのクリスの写真、もう一枚はフリルのついた服にイースター・ハットをかぶっているカリーンと、窮屈なスーツを着こみ、ネクタイをねじれた格好で締めて、ならんで立っている七歳のクリスの写真だった。「おもしろいわ」カリーンは兄の写真をしげしげと眺めて言った。「十年まえの写真なのに、兄さんは顔が変わっていない」

そのとおりだった。二枚とも、クリスは同じ物思わしげな、反抗的な目でレンズをじっと見つめていた。大事なことを考えていたのに、邪魔をされて、カメラのまえで無駄な時間をとられていることに腹を立てているようだった。彼の表情は、イースターのときの写真がいちばん印象的だった。いっしょに写っているカリーンのうれしそうな笑顔とはまったく対照的だったからである。「あれはいかにもクリスらしい写真だわ」彼女は愛情のこもった微笑をうかべ、指先で写真の表面をこすりながら言った。「兄さんはよくこういう顔をしたの」

カリーンの足元で、クリスによくなついていたシェトランドシープドッグのバックリーが床に寝そべっている。バックリーもいまや十三歳で、鼻のあたりの毛が白くなり、歩くときも、関節炎にかかった片肢《かたあし》を引きずっていた。カリーンが飼っているマックスという一歳半のロットワイラーがバックリーの縄張りに入ってきたときには、しかし、この患《わずら》っている小さな犬は、自分よりずっと図体の大きい相手にたいしても、怯むことなく、大声で吠えかかり、すばやく正確に噛みついて、六十キロの犬を追いはらった。

「クリスはバックをとっても可愛がっていたわ」と、カリーンは言った。「行方不明になったあの年の夏、兄さんはバックをつれていきたがったの。エモリーを卒業したあと、バックをつれにいってもかまわないかって、ママとパパに聞いたんだけど、駄目だと言われたのよ。バックリーが車に轢《ひ》かれたときで、まだ怪我が治りきっていなくてね。バックはほんとうにひどい怪我をしていたけど、いまでは、駄目だって言ったことを、もちろん、パパもママも反省しているわ。事故のあと、獣医からは二度と歩けないって言われていたの。クリスがバックをつれていったら、事態はどう変わっていただろうかって、パパとママはつい考えてしまって――わたしも、たしかに同じことを感じているわ。クリスは自分の命を危険にさらすことなど平気だったけど、バックリーを危険な目に遭わせることはできなかったはずよ。バックがいっしょだったら、あんな冒険はできなかったわ」

カリーン・マッカンドレスは身長五フィート八インチで、兄と同じだった。ひょっとすると、ほんのすこし高いかもしれない。顔立ちもそっくりで、双子《ふたご》かとよく聞かれた。おしゃべり好きな彼女は表情豊かな小さな手で抑揚をつけるように手ぶりをまじえて話しながら、顔に垂れていた腰まである髪を、頭をふってはらいのけた。足は素足だった。首には、黄金の十字架がかけられている。きちんとアイロンがかけられたジーンズには、折り目がついていた。

クリスと同様、カリーンはエネルギッシュな、非常に行動力のある自信家で、意見を述べるときもてきぱきしていた。これもまたクリスと似ているが、彼女は大人になると、ウォルトやビリーとはげしく衝突した。しかし、この兄妹は、相似点よりも相違点のほうが多かった。

カリーンはクリスが姿を消して間もなく、両親と仲直りをした。そして、現在二十二歳の彼女は、クリスよりもはるかに社交的であり、荒野へ独りぼっちで入っていくことも——あるいは、実際にどこかへ行ってしまうことも、考えられなかった。クリスと同様、人種差別には憤りをおぼえているとはいえ、富にたいしては、道徳的な異議も、なんの異議も唱えていない。最近は、新築の豪邸を買い、若いうちにまず百万ドルを儲けようとして、夫のクリス・フィッシュと設立した車修理のC・A・R・サービス有限会社できちんと毎日十四時間事務をとっていた。

「わたしはずっとママとパパを非難してきた。働きづめで、そばにいてくれたことがなかったでしょ」彼女は自嘲的に笑い、じっと考えこんでいた。「ところが、どう、わたしも同じことをしてるわ」彼女の話では、クリスからヨーク公爵夫人イヴァナ・トランプ・マッカンドレスとか、「リオーナ・ヘルムズリーのあらたな後継者」とか呼ばれて、彼女の資本家としての熱意をよくからかわれていたらしい。妹への批判は、しかし、好人物のからかいを超えることはなかった。クリスとカリーンはひどく仲がよかったのである。彼は以前、両親との諍《いさか》いを詳細にしたためた手紙を彼女によこしたことがある。「とにかく、ぼくはこれについて話したい。ぼくの言うことを理解してくれそうなのは、この世におまえしかいないからだ」

クリスの死から十か月が過ぎていたが、カリーンはいまだに深い悲嘆に暮れていた。「一日として、涙を流さなかった日はないと思うわ」と、彼女は困惑した表情をみせて言った。「どういうわけか、ひとりで車に乗るときがいちばんつらいの。家から店まで車で二十分の距離を行くのに、クリスのことを考えて、泣かないでいられたことは一度もなかったわ。いまは痛手から立ち直っているけれど、たまにひとりで車に乗ったりすると、とてもつらいの」

一九九二年九月十七日の夕方、カリーンが戸外で、ロットワイラーを洗ってやっていると、クリス・フィッシュが私道をこっちにやってきた。帰宅時間があまり早いので、彼女は驚いた。ふだん、フィッシュは夜おそくまでC・A・R・サービスで働いているのである。「態度が変だったの」と、カリーンは記憶している。「恐い顔をしていて。家に入っていき、また外に出てきて、わたしといっしょにマックスを洗いはじめたのよ。そのとき、なにかおもしろくないことがあったんだわと思った。フィッシュが犬を洗うなんてことはなかったからなの」

「話があるんだ」と、フィッシュが言った。カリーンは彼のあとに付いて家に入っていき、キッチンの流しでマックスの首輪を水で洗い、リビングルームへ行った。「フィッシュは電気もつけずにソファに座って、うな垂れていたわ。すっかり落ちこんでいるようだった。彼を元気づけてやろうとして、わたしはこう言ったの。『なにかいやなことでもあったの？』って。わたしがほかの男性といっしょに外出しているところを見たとでも言われて、職場でからかわれたにちがいないという気がしたの。わたしは笑い声をあげて、こう尋ねたわ、『誰かにからかわれたの？』ところが、彼のほうは笑いもしなかった。上目遣いにこっちを見たんだけど、目が赤かったわ」

「兄さんのことなんだ」と、フィッシュは言った。「見つかったんだよ。遺体でね」ウォルトのいちばんうえの子どものサムが、フィッシュの職場へ電話をかけて、知らせてくれたのだ。

カリーンは目がかすみ、視野が狭くなるのを感じた。いつの間にか頭を前後に揺すっていた。「いいえ」彼女は否定した。「兄さんは死んでなんかいないわ」やがて、泣き叫びはじめた。その声があまりにも大きく、いつまでもやまないので、彼女をひどい目に遭わせていると近所の人々に思われ、警察に通報されはしないかと、フィッシュは気が気ではなかった。

カリーンはソファのうえで胎児のような格好をして身もだえし、声をあげて泣きつづけていた。フィッシュが慰めようとすると、それを押しのけ、放っておいてと金切り声をあげた。その後五時間ずっとヒステリックな状態がつづいたが、十一時ごろになって、ようやく落ち着きをとりもどし、バッグにすこしばかり衣類をつめて、フィッシュと車に乗りこみ、彼の運転でチェサピーク・ビーチのウォルトとビリーの家へ向かった。北へ四時間の車の旅だった。

ヴァージニア・ビーチを出ると、カリーンは教会のところで停車してほしいとフィッシュに言った。「彼を車に残して、わたしは教会に入り、一時間ほど祭壇のところに腰かけていたわ」カリーンはそのときのことをおぼえていた。「神さまのお告げがなにかほしかったの。でも、なにもなかったわ」

アラスカからファックスで送られてきた身元不明のハイカーの写真はまちがいなくクリスであった。サムはそのことを夕方はやく確認したが、フェアバンクスの検屍官は最終的な身元確認をするためにクリスの歯のカルテを要請していた。エックス線との照合に、さらに一日かかった。歯による身元確認が終了し、スーシャナ川近くのバスのなかで発見された餓死した若者が息子であることがはっきりするまで、ビリーはファックスで送られてきた写真を見ようともしなかった。

翌日、カリーンとサムはクリスの遺品を引きとりに飛行機でフェアバンクスへ飛んだ。検屍局で、遺体とともに見つかったわずかな所持品が引き渡された。クリスのライフル、双眼鏡、ロナルド・フランツからもらった釣り竿、ジャン・バーレスから贈られたスイスアーミーナイフ一本、日記がしたためられていた植物学の本、ミノルタカメラ、フィルム五本——そんなものだった。検屍官がデスクの向こうから何枚か書類を寄こし、サムがサインをして返した。

フェアバンクスに着いてから二十四時間もしないうちに、カリーンとサムはアンカレッジへ飛んだ。クリスの遺体は科学犯罪捜査研究所で解剖されたあと、アンカレッジで荼毘《だび》に付されたのである。遺骨はプラスチックの骨箱におさめられて、霊安室のほうからホテルに届けられた。「ひどく大きな箱で、驚いたわ」と、カリーンは言っている。「兄さんの名前もまちがっていたし。ラベルには、クリストファー・R・マッカンドレスとあったのよ。ミドルネームの頭文字はほんとうはJなの。名前をまちがえていたんで、わたしは腹が立った。頭にきたわ。でも、そのあとこう考えたの。『兄さんのことだから、きっと気にもしない。面白がるにちがいない』って」

　翌朝、彼らはメリーランド行きの便に乗った。カリーンは兄の遺骨をナップザックに入れてもち歩いた。

　帰りの便では、客室乗務員が運んでくる食事を、カリーンは残さずに食べた。「たとえ」と、彼女は言った。「機内で出されるまずい食事でも。兄さんが餓死してからは、食べものを捨てるなんて考えられなかった」ところが、その後何週間かすると、食欲がすっかりなくなっていることに気づいたのだ。そして、体重が五キロ減り、拒食症にかかったのではないかと、友人たちを心配させた。

　チェサピーク・ビーチにもどったとき、ビリーもまた食事が喉を通らなくなっていた。少女のような顔立ちの小柄な四十八歳の彼女は、体重が四キロ減って、ようやく食欲が回復したのである。ウォルトの反応はそれとは逆で、取りつかれたように食べはじめ、四キロ体重が増えた。

一か月後、ビリーはダイニングルームのテーブルのところに腰かけて、クリスの最後の日々を記録した写真にじっくり見入っていた。ピントのぼやけた写真を細々と検討するぐらいが、彼女にできる精一杯のことだった。写真をじっと見つめては、ときどきわっと泣きだしたりしていた。子どもに先立たれた母親にしかできない嘆き方であり、心のなかにぽっかりあいた穴が取りかえしのつかないほど大きなものであることがわかったが、その大きさを計るのはためらわれた。このような死別を身近に経験してみると、危険きわまりない冒険をどんなに雄弁に弁護しても、それは空疎に、また無意味に聞こえる。

「あの子がなぜこんな冒険をしなければならなかったのか、理解できません」と、ビリーは泣きながら言った。「わたしにはまったく理解できません」

第十四章　スティキーン氷冠

身体のほうは健康的に育ったが、私は神経過敏で、心も飢えていた。もっとなにかを、具体的ななにかを求めていた。必死にリアリティを探しもとめていたのだ。そこにはつねにリアリティがなかったかのように……。
しかし、私がなにをしているか、もうおわかりだろう。山に登っているのである。

ジョン・メンラヴ・エドワーズ
『ある男からの手紙』

かなり昔のことなので、私が最初どのような状況下で山に登ったか、ここで正確に語ることはできない。ただ、震えながら進んでいったこと（私は夜通しひとりで戸外にいたことをぼんやりとおぼえている）は確かである。そのあと、まばらな木々に半分ほどおおわれた、野生動物が出没する岩の尾根を一歩一歩登っていき、最後には高所の大気と雲のなかで完全に迷ってしまい、地表がわずかに盛りあがっているだけの丘陵と山とを分ける架空の一線を越えて、壮大で荘厳な天上に入りこんだような気がした。俗界を見おろすその山頂のすばらしさは、未登峰であること、荘厳で雄大であることだった。それはけっして人を寄せつけようとはしない。そこに足を踏みいれた瞬間、どうしたらいいかわからなくなるのだ。ルートを知っていても、道もなにもない岩のうえを、まるでそれが凝固した大気や雲であるかのようにびくびくしながら、さ迷うのである。雲に隠れてぼんやりとしか見えないその岩だらけの頂上は、火を噴きあげる火山の火口よりもはるかに身の毛がよだつほど恐ろしくて、荘厳であった。

ヘンリー・デイヴィッド・ソロー
『日記』

ウェイン・ウェスターバーグに送った最後のハガキで、マッカンドレスはつぎのように書いている。「この冒険で命を落とすことになり、ぼくから二度と便りがなければ、ここで言っておきたいが、あなたはすばらしい人です。ぼくはこれから荒野に入っていきます」冒険が事実、命がけのものであったことが証明されたとき、このメロドラマ風の文句は若者が最初から自殺するつもりで森に入っていき、二度と出てくる気はなかったのだというまことしやかな推測を勢いづかせた。しかし、私にはそうだとは断定できない。

マッカンドレスの死は計画的なものでないし、恐ろしい事故だったという私の勘は、彼が残したいくつかの資料を読んだり、最後の年に彼と付き合いのあった男性や女性たちから話を聞いたうえでのことである。しかし、クリス・マッカンドレスの意思に関する私の考えもまた、もっと個人的な物の見方からきているのだ。

若いころの私は、強情で、自己陶酔的で、発作的に無謀になったり、ふさぎ込んだりしていたらしい。そして、ご多分にもれず、父の期待を裏切っていた。マッカンドレスと同じように、父の高圧的な態度に反発し、鬱屈した怒りと好きなように生きたいという渇望がまぎらわしく入り交じって、私のなかで頭をもたげていたのである。未熟な想像力がなにかに魅せられると、強迫観念にとりつかれたように脇目もふらずに追いかけた。十七歳から二十代後半まで、そのなにかは登山であった。

目が覚めているときには、山のことを空想したり、実際に山に登ったりして、ほとんどの時間をすごした。登ったのは、アラスカやカナダの遠くの山々で、数すくない変わり者の登山家しか知らない、おそろしい急峻な無名の尖峰《せんぽう》だった。このことで、たしかに良いことはいくつかあった。つぎからつぎへと山頂ばかり眺めていたことで、私は青春期以後の濃霧のなかをなんとか方向をあやまることなく抜けでることができたのだ。登山のおかげだった。そこでの危険はハロゲンの白熱光のもとに世界をうかびあがらせ、岩場、オレンジ色や黄色の地衣、雲の織物といったものすべてを光り輝かせ、くっきりと目立たせた。生命は高調子でかき鳴らされた。世界はリアルなものになった。

一九七七年に、私はコロラドの酒場のスツールに腰かけて、沈鬱に考えこみ、暮らしのなかでできた瘡蓋《かさぶた》をみじめったらしく指で剝がしていた。そのとき、デヴィルズ・サムという山に登ろうと思ったのだ。サム山はとくに北側からの眺めが印象的であり、かつて氷河に浸食された閃緑岩《せんりよくがん》が山頂に貫入していて、すばらしい壮観である。誰も登ったことのない巨大な北壁が垂直に堂々とそびえ立っている。標高は麓の氷河から六千フィート、ヨセミテのエルカピタン山の二倍である。私はアラスカへ出かけていき、海辺から内陸部へスキーで氷河を三十マイル踏破して、威容をほこるこの北壁に登るつもりでいたのだ。しかも、単独で挑戦しようと決めていた。

私は二十三歳、クリスがアラスカの森に入っていったときよりも、一歳若かった。青春期のやみくもな情熱にたきつけられ、ニーチェやケルアックやジョン・メンラヴ・エドワーズの作品から過度の文学的影響を受けて、自分を正当化したのである。それを正当化と呼ぶことができればだが。エドワーズは深い悩みをいだいた作家・精神科医であり、当時の傑出したイギリス人登山家のひとりであったが、一九五八年に、青酸カリのカプセルで服毒自殺をはかっている。彼は山登りを「精神神経症みたいなもの」だと見なしていた。山に登るのはスポーツとしてではなく、彼の存在の骨格となっていた精神的苦悩から逃避するためだった。

サム山に登る計画を進めていたとき、私は自分の能力以上の深みにはまっていくのをぼんやりと感じていた。ところが、それはただ計画の魅力を増したにすぎない。簡単ではないということが、なによりも重要であった。

私はメイナード・ミラーという著名な氷河学者が撮影したデヴィルズ・サム山のモノクロ写真が掲載されている本をもっていた。ミラーの航空写真では、山はとりわけ不気味に見えた。剝落《はくらく》した巨大なひれ状の岩石が、氷で黒ずみ、汚れている。写真は私にとってほとんどポルノ的な魅力をもっていた。遠くのほうでしだいに発達していく嵐雲が不気味だった。風やきびしい寒気に負けないように身体をまるめて、両側の急斜面をじっと眺めながら、あの刃のような山の峰に立ったら、いったいどんな気持ちがするだろうか、と私は思った。頂上にたどり着き、下山するまでのかなりの時間、ずっと恐怖に耐えつづけることができるだろうか？

恐怖を克服したとしても……不運に見舞われはしないだろうかと思い、私は登頂直後の得意満面の様子を想像することはできなかった。デヴィルズ・サムへの登攀が私の人生を変えることは疑いなかった。変えないわけがなかった。

当時、私はボールダーに建設されていたマンションの工事現場で、時給三ドル五十セントの臨時雇いの大工として働いていた。ある日の午後、二×一〇インチの板をかついだり、三・五インチの釘を打ったりして、九時間働いたあと、現場監督に仕事をやめることを伝えた。「いいえ、一週間後じゃないんです、スティーヴ。いますぐやめたいんです」私は数時間かかって、住みこんでいた薄汚い工事現場のトレイラーハウスに置いてあった道具類やほかの所持品を片づけた。そのあと、自分の車に乗って、アラスカに出発した。いつもながら、旅立ちというのは、いかに気が軽くなるものか、いかに気分がいいものか、私は驚かされた。世界がいきなり、可能性でいっぱいになるのだ。

デヴィルズ・サム山は、ちょうどアラスカとブリティッシュコロンビアの境界線上にあり、船か飛行機でしか行けない漁村、ピーターズバーグの東側に位置している。ピーターズバーグまではジェット機の定期便があるが、金目のものは、ポンティアックの一九六〇年型スター・チーフと二百ドルの現金だけで、片道の航空運賃にも足りなかった。そこで、ワシントン州のギグ・ハーバーまで車で行き、そこで車を乗り捨てて、北へサケ漁に出かける漁船に頼みこんで乗せてもらった。

〈オーシャン・クイーン〉号は、アラスカヒノキの厚板で頑丈に造られた、延縄《はえなわ》漁と巾着網《きんちゃくあみ》漁専門の実用一点張りの小型漁船だった。北へ乗せていってもらう代わりに、私はただ、交替で舵《かじ》をとらされ――十二時間おきに四時間、舵輪《だりん》の当直をしたのだ――、オヒョウ用の延縄に餌のガンギエイの身を延々とつける作業を手伝わされた。船は内海航路をゆっくりと北上していき、私は淡い期待に胸ふくらませて、ずっと夢想にふけっていた。自分では抑えることも理解することもできない衝動に突きうごかされて進んでいたのだ。

エンジン音を立ててジョージア海峡を航行していたとき、陽光が水面にきらめいた。渚《なぎさ》からすぐに急勾配の斜面になっていて、ツガやヒマラヤスギが生い茂り、あきらかに人が近づくのを拒んでいた。カモメが頭上で旋回している。マルコム島沖で、船は七頭のシャチの群れのなかに割って入っていった。人間の背丈ほどのシャチが何頭かいて、手すりから手が届きそうな近くを、背びれが鏡のようにおだやかな水面を切り進んでいた。

二日目の夜、夜明けの二時間まえに、私がフライブリッジで舵をとっていたとき、まぶしいライトのなかに、ミュールジカの頭がいきなり現われた。フィッツヒュー海峡の真ん中だった。カナダ沿岸から一マイル以上沖合の、暗く冷たい海のなかを泳いでいたのだ。目のくらむような明かりに照らされて、ミュールジカの網膜は赤く燃えていた。疲れきった様子で、恐怖に慌てふためいている。舵輪を右舷《うげん》にとると、船は横へすべりながら通りすぎ、シカは航跡のなかで上下に二回揺れて、闇に消えた。

内海航路はほとんど、狭いフィヨルド風の海峡がつづいている。ところが、ダンダス島をすぎると、眺望がいっきにひらけた。西側は外洋で、太平洋が果てしなく広がり、船は西から押し寄せてくる十二フィートの大波に前後左右にはげしく揺れた。波は手すりを乗りこえて砕けた。右舷の船首のはるか彼方に、低い岩だらけの山々の頂が無秩序に群れをなして現われた。それらを目にして、私の心臓の鼓動ははげしくなった。山々は目的地が近いことを知らせてくれていた。アラスカに着いたのだ。

ギグ・ハーバーを出て五日目に、〈オーシャン・クイーン〉号は、ピーターズバーグの埠《ふ》頭《とう》に接岸し、燃料と水を補給した。私は船縁《ふなべり》を飛びこえ、重いバックパックを肩にかけて、雨の桟橋を歩いていった。だが、行くあてもなくて、町の図書館の軒下を借り、荷物に腰をおろして、雨宿りをした。

ピーターズバーグは小さな町で、アラスカにしては整然としていた。長身のなよなよした女性がそばを通りかかり、話しかけてきた。名前はカイ、カイ・サンドバーンだと、彼女は名乗った。陽気で社交的で、よくしゃべった。私は登山計画を話したが、彼女は笑いもしなければ、とんでもない計画だといった態度もとらなかったので、ほっとした。「天気がよければ、町からサム山が見えるわ」そう言っただけだ。「美しい山なの。あっちの方角よ、フレデリック入江のむこうの」私は伸ばしている彼女の腕を目で追った。それは東のほうの、低く垂れこめた厚い雲を指していた。

カイは自宅へ夕食に招いてくれた。夕食後、私は床に寝袋をひろげた。彼女は寝入ってしまったが、隣室で横になっていた私はなかなか眠ることができず、彼女のおだやかな寝息に耳を澄ませていた。私はここ何年か、生活の場で女性との触れ合いなどなくても、また実際に人との付き合いなどなくても、いっこうにかまわないと自分では思っていた。だが、この女性と出会うことで感じた喜び——よく響く笑い声、私の腕に手を乗せた無邪気な振舞い——によって、それが自己欺瞞であることがはっきりした。私は空しい気持ちになり、心が疼いた。

ピーターズバーグは島にある町だった。デヴィルズ・サム山は本土にあり、スティキーン氷冠として知られている樹木のない凍りついた場所のうえにそびえていた。広大で入り組んだ氷冠は、カメの甲羅《こうら》のようなバウンダリー山脈の尾根にあって、そこから多くの長いブルーの舌状の氷河が、長い歳月の重みを受け、下の海に向かってじりじりと進んでいた。山の麓まで行くには、乗せていってくれる船を探し、二十五マイルある海を渡り、さらに氷河のひとつ、ベアード氷河をスキーで三十マイルさかのぼらねばならない。その氷の谷には、たしか、もう長いこと人が足を踏みいれていないはずだった。

船では何人かの林業関係者と乗りあわせ、私はトーマス湾の奥で砂利のビーチに降ろされた。一マイルさきから、幅の広い石ころだらけの氷河の先端が望めた。そして、三十分後には、その氷河の先端を登っていた。それがサム山への長い重苦しい歩みのはじまりだった。氷上には積もった雪はなく、きめの粗い黒い砂岩が氷に混じっていて、アイゼンのスパイクの下でジャリジャリ軋《きし》んだ。

三マイルか四マイル歩いて、雪線のところまでたどりつき、そこでアイゼンからスキーにはきかえた。スキー板を足につけたので、背中の重い荷物が七キロ減り、それに、進みも速くなった。だが、雪の下には氷河のクレヴァスが数多くあって、危険は増した。

危険は予想していたので、シアトルで金物店に立ち寄り、長さ十フィートの頑丈なアルミのカーテン吊り棒を二本買いこんでおいた。その棒を結びあわせて十字架を作り、棒が雪のうえで横に広がるようバックパックのヒップベルトに革紐で結びつけた。ひどく重いバックパックを背負って、この滑稽な十字形のアルミ棒を身体につけ、氷河をゆっくりとあがっていきながら、私は自分を変わり者の悔悟者のように感じていた。もっとも、クレヴァスのうえに積もった薄い雪を踏みぬいたら、カーテン吊り棒がクレヴァスに引っかかって、ベアード氷河の凍結した深みに転落するのを防いでくれるだろう――私はとにかくそれを頼みにしていた。

二日間、氷の谷を一歩一歩重い足どりで進んだ。天気はよかったし、ルートははっきり見えていたし、大きな障害もなかった。だが、単独行だったから、私の目には、周囲のものがすべて意味ありげに映った。氷はさらにその冷たさと神秘を増し、空の青さもさらに澄明になっていくようだった。氷河のうえにそびえている名もない山頂も、大きく美しくなっていた。ほかに同行者がいれば、これほど威圧的には感じられなかっただろう。感情のほうも、同じように振幅がはげしくなっていた。気分が高揚するときには、どんどん高揚していき、落ちこむときには、ますます深刻な暗澹《あんたん》たる気持ちになった。繰りひろげられる自分自身の命のドラマに陶酔している冷静な若者には、こうしたものすべてがとほうもなく刺激的であった。

ピーターズバーグを出発してから三日目に、私はスティキーン氷冠の下、ベアード氷河の長い腕と氷の本体がひとつになっているところに着いた。ここで、氷河はとつぜん高い台地の端からあふれ出して、ふたつの山の間の峡谷をぬけ、海へ向かって落ちている。氷がつぎつぎと姿を変えながら崩落しているのだ。一マイル離れた場所からそのダイナミックな動きにじっと目を凝らしていると、私はコロラドをあとにしてからはじめて心の底から恐怖をおぼえた。

氷瀑《ひょうばく》はクレヴァスと交差していて、セラック（氷河上の氷の塔）を倒しかけていた。遠くからは、列車の無残な残骸のように見えた。まるで亡霊のような白い有蓋車《ゆうがいしゃ》が多数、氷冠の先端で脱線し、斜面を転がりおちていくしかないかのようだ。近づけば近づくほど、不気味

燃料はほぼ尽きかけていた。チーズは厚く切ったものが一個、インスタントラーメンは残り一袋、ココア菓子は半箱にへっていた。ことによっては、これで三、四日は生き延びられそうな気がしたが、しかし、そのあとは、どうしたらいいだろうか？　ベアード氷河をスキーでくだり、トーマス湾まで引きかえす時間は、わずか二日だが、通りすがりの漁師の船にピーターズバーグまで乗せていってもらうのに、一週間かそこらはすぐに経ってしまいそうだった（船に乗りあわせた林業関係者たちは、十五マイルさきの岬が散在する海岸でキャンプをしていたが、岬には道が通じていなくて、そこへは船か飛行機でしか行けなかった）。

五月十日の夕方、私が寝たときは、あいかわらず雪が降り、強風が吹いていた。数時間後、かすかに蚊の鳴くような金属音を一瞬耳にした。私はテントのドアを引き裂くようにあけた。上空に雲はほとんどなかったが、飛行機は認められなかった。するとふたたび、今度はもっとはっきりと金属音が聞こえた。やがて、機影が目に入った。西の上空に、小さな赤と白の点があって、こっちへゆっくりとやってくる。

数分後、飛行機は真上を通過した。パイロットはしかし、氷河のうえを飛ぶのに慣れていなかった。これでは、とても地上のものなど正確に見分けられないだろう。超低空で飛んで、予測できない乱気流にでも巻きこまれるのを恐れて、すくなくとも千フィートの上空にとどまっている――私はその間ずっと、まだ準備ができていないのだろうと思いこんでいた――夕方の平板な明かりのなかでは、テントはまず目に入らなかった。手をふっても、大声で叫んでも、駄目だった。あたりは岩だらけで、上空からでは私を見つけることはできないのだ。

さらに一時間、パイロットは氷冠を旋回し、樹木もなにもないところを丹念に探していたが、見つけられなかった。ただ、感心したのは、パイロットがこっちの窮状を察して、諦めなかったことである。私は気がふれたように、カーテン吊り棒の先端に寝袋を結びつけて、懸命にふった。すると、とつぜん飛行機は機体をかたむけ、まっすぐこっちへ向かってきた。

やつぎばやに三回、飛行機はテントの上空を低く飛び、通過するたびに二箱ずつ投下して、やがて尾根のむこうへ消えた。私ひとりだけが残された。氷河はふたたび沈黙につつまれ、私は見捨てられたような、無防備であるような気がして、途方に暮れた。気がつくと、涙にむせんでいた。きまりが悪くなり、私は泣くのをやめ、声がかれるまで、猥褻《わいせつ》な言葉を大声で叫んだ。

五月十一日は、朝早く起きて、スキーの手入れをした。気温は摂氏マイナス七度、比較的暖かかった。おどろくほどの晴天だったが、実際にうえをめざす心の準備はまだできていなかった。それでも、いそいでリュックサックを荷造りし、スキーをはいて、サム山の麓のほうへ向かった。めったにない晴天を無駄にするわけにはいかないことを、二度のアラスカ旅行で学んでいた。

わずかに張りだした氷河が氷冠の先端からサム山のうえのほうへ伸びていて、北壁を狭い通り道のように横切っていた。計画では、そこを伝って、壁の中央部に突きだしている岩のところまで行くつもりでいた。それによって、雪崩《なだれ》のあとがある危険な北壁の下半分をなんとか避けてとおることができるのである。

だが、そこは結局、粉雪が膝の深さまで積もっている、クレヴァスだらけの、傾斜十五度の雪の斜面であることがわかった。雪が深いために、進む速度は遅くなり、体力も消耗した。テントを出発してから三時間か四時間後、いちばんうえのベルクシュルント（氷河の上端にあるクレヴァス）の張りだしている岩壁と正面から向かいあい、私は圧倒された。しかも、まだ実際に登っていたわけではないのだ。登りがはじまるのはもうすこしさきで、張りだした氷河が終わり、岩壁が切り立っているところからだった。

岩は、見るからに手がかり足がかりがすくないうえに、六インチの脆《もろ》い薄氷におおわれていて、心もとない感じだった。だが、大きく突出している岩の左側に、ちょっとしたコーナーがあり、雪どけ水が凍結して、一面に釉《うわぐすり》をかけたようになっている。それはうえのほうへ三百フィートの長さでリボン状にまっすぐつづいていた。ピッケルを打ちこんでも十分耐えられるだけの固い氷であれば、ルートは切りひらけるかもしれない。私はコーナーの下へゆっくり歩いていき、きわめて慎重に厚さ二インチの氷に片方のピッケルを振りおろした。固くて、しかも柔軟な氷だった。もうすこし厚さがほしかったが、その点を除けば、問題はなさそうに思われた。

登りは急勾配で、ひどい危険に身をさらしているために、めまいに襲われた。ビブラムの靴底の下は、三千フィート下方の醜い雪崩のあとがあるウイッチズ・コールドロン氷河の圏谷《カール》まで、岩壁が落ちこんでいるのだ。頭上の突出部は半マイルうえの山頂のほうへと神々しくそびえている。ピッケルを打ちこむたびに、その距離は二十インチずつ短くなっていった。

私は釉のような氷に半インチほど突き刺したクロムモリブデン合金の細い二本のスパイクだけで山肌にとりつき、この世にとりついていたのだった。けれども、登れば登るほど、気分は快適さを増していく。が、やがて困難な登りになった。単独行なので、とくに難渋をきわめる。たえず背中をつかまれ、奈落へ引きずりこまれるような気がするのである。それに耐えるには、とほうもない意識的な努力が必要だった。片時も警戒をゆるめるわけにはいかない。セイレーンの歌が聞こえてくるようで、苛々させられた。そのせいで、動きはためらいがちになり、ぎこちなくなり、もたもたする。しかし、登りつづけていくにつれて、危険に身をさらしていることにも、死に肩を触られることにも慣れてきて、自分の手足や頭が頼もしく思えてくる。頑張りぬける自信が出てくるのだ。

やがて、注意力が極度に研ぎ澄まされ、もはや指関節の皮がむけていることも、太股が痙《けい》攣《れん》していることも、精神集中が途切れないように緊張していることも気にならなくなった。努力は忘我に似た状態へと変わる。鮮明な夢のなかで山に登っているような気分になるのだ。数時間が数分のようにすばやく過ぎていく。日々の生活の雑多な問題——良心の喪失、未払いの請求書、逸した好機、ソファの下のほこり、逃げられない遺伝子の牢獄——そうしたものはすべて一時的に忘れられ、排除されて、頭にあるのは、圧倒的に明確な目的と目前の危険きわまりない作業のことだけである。

そうした瞬間には、なにか満足感のようなものが、たしかに胸のなかへわきおこってくるが、ずっと浸っていたくなるような感情ではない。単独登攀では、すべての危険な行動はそこそこの図太さと結びついているが、その図太さはもっとも頼りになるねばり強さではない。その日おそく、サム山の北壁で、私は振りおろすピッケルに集中力が失われているのを感じた。

張りだした氷河を出発してから、私はアイゼンの前部のスパイクとピッケルの打ちこみだけで標高七百フィート近くまでたどり着いていた。リボン状につづいていた雪どけ水の氷は三百フィート登ったところで終わっていて、あとは、砕けやすい羽状《うじょう》の氷の鎧に変わっている。かろうじて体重を支えられる程度の固さしかないにもかかわらず、氷は二、三フィートの厚さで岩全体をおおっていた。私は着実にねばり強く登りつづけた。岩壁はしかし、すこしずつ急峻になっていた。急峻になったために、羽状の氷は薄くなっている。それまでに、私は眠気を催す緩慢なリズムにおちいっていた――振りおろし、振りおろし、ステップを切り、ステップを切る。振りおろし、振りおろし、ステップを切り、ステップを切る――そのとき、左のピッケルが薄氷の下数インチの一枚岩の閃緑岩にガチッと当たった。

私は左、それから右とピッケルを振りおろしたが、いずれも岩を叩いた。身体を支えている羽状の氷は厚さ五インチほどで、かびの生えたトウモロコシパンと構造的にまったく同じであることがあきらかになった。三千七百フィート下までなにもなくて、私は危なっかしい計画のうえでバランスをとっていた。恐怖の酸っぱい味が喉もとに込みあげてくる。目がかすみ、呼吸が荒くなり、ふくらはぎが震えだした。もっと厚い氷があるのではないかと期待して、右へ数フィートゆっくり移動したが、うまく行かなくて、ピッケルが岩にはねかえされただけだった。

たまらなく恐ろしくなり、私は不器用に、下山をはじめた。薄氷はしだいに厚くなっていく。八十フィートくだって、かなり固い地面にもどった。長いことじっとしたままピッケルにすがって神経を落ち着かせ、それから上体をうしろに反らせた。露出した岩壁を見あげて、氷の固そうな場所、その下の岩の状態が多少なりともちがっている場所、登れそうな薄氷におおわれている一枚岩を探したのだ。首が痛くなるほど見あげていたが、そうした場所はどこにもなかった。もはやこれまでだった。下山するしかなかった。

第十五章　スティキーン氷冠

ところが、実際に試してみるまで、自分のなかに制御できないものがどれだけあるか、氷河や急流を渡れと急きたてたり、危険な高さまで登れと駆りたてたりするものがどれだけあるか、私たちはほとんど知らない。かってに判断をくだしてはならないのだ。

ジョン・ミュア
『カリフォルニアの山脈』

しかしサム二世がおまえを見るとき、口もとをかすかにゆがめるのに気づいたことがあるだろうか？　それは彼が、ひとつにはサム二世と名づけてほしくなかったという意味であり、それにまたもうふたつ、彼がズボンの左脚に銃身を短く切った散弾銃を、ズボンの右脚に梱《こり》を引っ掛ける鉤を隠しもっていて、機会が与えられるなら、そのどちらかでおまえを殺してやろうというつもりでいるのだ。父は不意を襲われる。そうした対決で父がふつう言うせりふはこうだ。「おれはな、おまえのおしめを取り替えてやったんだぞ、この鼻ったらしめが。」こういう言い方は正しくない。第一に、それは事実ではない（十回のうち九回は、母が取り替える）。それはサム二世が怒り狂っているものをたちどころに思い出させる。そして第二に、彼が怒り狂っているのはおまえが大きかったときに自分は小さかったということ、いやいや、そうではない。彼が怒り狂っているのはおまえが強力だったときに自分は非力だったということ、いやいや、そうでもない。彼が怒り狂っているのはおまえが必然だったときに自分は偶発だったということ、かならずしもそうではない、彼が正気を失っているのは彼がおまえを愛していたときに、おまえが気づかなかったからなのだ。

ドナルド・バーセルミ
『死父』

デヴィルズ・サムの山腹からおりてきてからも、吹雪と強風はつづき、私はその後三日間、ほとんどテントにこもっていた。時間はのんびりと過ぎていった。時間を早く進ませようとして、とっておきのタバコがあるかぎり、つづけざまにタバコを吸ったり、本を読んだりしていた。読むものがなくなると、仕方なくテントの天井に織りこまれたリップストップの生地の縞柄を眺めていた。仰向けになり、何時間もそうして、真剣にあれこれ思案していたのだ。天候がよくなったら、ただちに海岸に向かって出発すべきか、それとも、ここにとどまり、もう一度山に挑戦すべきなのか？

実際、北壁から撤退したときには、私はひどくうろたえていた。もう二度とサム山には登りたくなかった。このままボールダーに帰ろうとも考えたが、それもあまり気乗りがしなかった。出かけてくるときから、私の失敗を確信していた者たちの気の毒そうな表情がありありと思いうかんでくるのだ。

悪天候がはじまってから三日目の午後には、もうとても我慢ができなくなった。凍った雪の塊が背中にぶつかってきたり、冷たくてべとべとするテントのナイロンに顔をなでられたりした。寝袋の奥からはひどい臭いが漂いだしてくる。私は足もとに散らかっているものを手荒くかきわけ、やっと小さなグリーンの袋を見つけだした。そのなかに、フィルム缶が入れてあり、勝利の一服にしようと思って、そこに原料をしまっておいたのだ。登頂に成功してもどってくるまで、とっておくつもりでいたが、それはもうどうでもよかった――すぐには頂上に登れそうもなかった。私は缶の中身をたっぷり巻きタバコ用薄紙のうえにあけ、紙を巻いて、不格好なマリファナタバコを作り、それを吸った。タバコはたちまち短くなった。

マリファナは、とうぜんのことながら、テントをいっそう窮屈に、息苦しく、耐えがたくしただけだった。また、それを吸ったせいで、ひどく腹がへった。すこしばかりオートミールを作ることにした。それには、しかし、長い時間がかかり、滑稽なくらい面倒な手間がかかった。吹雪のなかで、ひと鍋分の雪を集めなければならなかった。料理用コンロを組み立て、点火し、オートミールと砂糖を探して、ボウルのなかにあった昨日の夕食の残りをこすり落とした。コンロには、すでに火がついていて、雪が溶けかかっている。なにか焦げくさい臭いがしたのは、そのときだった。コンロとそのまわりを入念に調べてみても、なにも見つからない。原因がわからぬまま、ただの思いすごしだろうという気になりかけたとき、背後でなにかパチパチという音がした。

私はまわりを見まわし、ゴミ袋が燃えて、小さな炎をあげているのに気づいた。コンロに点火するのに使ったマッチをそこに投げこんだのだ。両手で炎を叩き、数秒で火を消しとめたが、テントの内壁の大半は私の目のまえで燃え溶けていた。テントの垂れ布は炎をまぬがれ、したがって、まだ多少は風と雪を防ぐことができた。ところが、テントの内部は三十度ほど温度がさがっていた。

左の手のひらがヒリヒリしている。見ると、火傷《やけど》をして、みみずばれができていた。しかし、いちばん困ったのは、テントが自分のものではないということだった。父から高価なテントを借りてきたのである。この旅ではじめて使ったもので、品質表示票がまだ付いていた。しぶしぶ貸してくれたものなのだ。数分間、ショックのあまり口も利けず座りこみ、私は焦げた髪と溶けたナイロンの刺激臭が立ちこめるなか、かつては優雅な形をしていたテントの燃えた部分をじっと眺めていた。危ないところだったのだ。自分はほんとうにどじで、父の期待を裏切ってばかりいると思った。

父は気まぐれな、性格的にはきわめて複雑な人であり、態度も尊大で、心の奥の弱みを見せなかった。人生で過ちを犯していたとしても、私がその場に居合わせて目撃したことはなかった。しかし、山登りを教えてくれたのは、週末になると山に登っていた父であった。八歳のとき、はじめてロープとピッケルを買ってもらい、カスケード山脈へつれていかれ、サウスシスター山に挑んだ。オレゴンの自宅から遠くない、一万フィートのなだらかな火山である。いずれ自分が登山中心の生活を送ることになろうとは思ってもみなかった。

ルイス・クラカワーは親切な、寛大な人間であり、父親らしい一方的な愛し方で五人の子どもを深く愛していたが、彼の人生観には、負けずぎらいのきびしい性格が色濃く反映していた。人生は競争だと見ていたのである。彼はスティーヴン・ポッターの作品を繰りかえし読んでいた。社会風刺ではなく、実際的な策略のマニュアルとして、「出し抜く」とか「駆け引き」という言葉を造りだしたイギリス人作家である。ルイスは極度に野心的な人で、その出世欲はウォルト・マッカンドレスのように子どもにまで向けられた。

幼稚園に入るまえから、父は私を立派な医者にするか、あるいは医者が駄目なら、せめて法律家にしようと準備をはじめていた。クリスマスと誕生日には、顕微鏡、化学実験セット、ブリタニカ百科事典といったプレゼントをもらった。小学校からハイスクール卒業まで、私たち兄妹ははっぱをかけられて、クラスでは抜きんでた生徒になり、科学フェアではメダルを獲得し、ダンスパーティでは女王に選ばれ、学生自治会の選挙には勝利をおさめた。それによって、それによってのみ、私たちはしかるべきカレッジへの入学が許されるものと思いこんでいたのだ。しかるべきカレッジに入れば、今度はハーヴァードの医学校に入学できるのである。将来は、まちがいなく立派な成功と生涯の幸福が約束されていた。

この計画にたいする父の信念は揺るぎなかった。要するに、彼はその道をたどって、成功したのだ。しかし、私は父のコピーではなかった。ティーンエージャーのとき、結局、そのことに気づき、あらかじめ決められたコースからしだいにはずれていき、やがてはっきりと方向転換をした。私は反抗的な態度をとり、むやみにわめき散らすようになった。最終的な意思表示をしたときには、怒号で、わが家の窓ガラスはガタガタ音を立てた。アイビーリーグではない遠くの大学へ入学するために、オレゴン州のコーヴァリスを去るころには、父親と話をしていると、歯をくいしばるか、なにもしゃべれなくなった。四年後に卒業したが、ハーヴァードにも、ほかの医学校にも進学しないで、大工になり、山登りに熱中していたために、父との溝はさらに広がった。

子どものころの私は、並みはずれた自由と責任をあたえられていた。そのことはおおいに感謝すべきであったが、私にはその気持ちはなかった。それよりも、父の期待を重荷に感じていた。勝利以外はすべて失敗だとたたき込まれていたのである。感じやすい年ごろで、息子にはこれが誇張だとは思えなかった。父の言葉をそのまま信じた。だから、その後、長いことひた隠しにしてきた家の秘密が明るみに出て、ひたすら完璧さだけを要求して、神のように振る舞ってきた父自身がけっして完璧な人間ではないこと、事実、神とはかけ離れた人間であることを知ったときには、もちろん、それを無視することはできなかった。それどころか、分別を失うほどの怒りに燃えた。父は平凡な人間だった。それも、とんでもなく平凡な人間であることがわかったのだ。私にはとても許せなかった。

あれから二十年、私はその怒りが消えさっていることに気づいた。消えさってから、何年も経っていた。怒りに取ってかわったのは、悲しみをともなった同情と、愛情と言えなくもない感情だった。すくなくとも私が父に苦しめられ、怒りに駆りたてられていたのと同じくらい、父は私に苦しめられ、怒りに駆りたてられていたこともわかった。私自身、利己的で、頑固で、とんでもなく嫌な奴であったことを知った。父は私のためにとくべつな橋、裕福な生活ができるよう丁寧に舗装された頑丈な橋を造ってくれていたのだった。私はそれを打ち壊し、残骸のうえに排便をして、父に報いたのだ。

しかし、私がやっとそれに気づいたのは、時間が経ち、不幸を経験したあとのことで、そのときには、父の独りよがりの生活は足もとからぼろぼろと崩れだしていた。そもそものはじまりは、父の肉体の裏切りからだった。小児麻痺から三十年、不思議なことに、その症状があらたに突発したのである。不自由だった筋肉はさらに萎縮し、シナプスは興奮しなくなり、役に立たない脚は歩きまわるのを拒否した。医学雑誌を調べて、父はあらたに認められた病気、ポスト・ポリオ症候群として知られている病気にかかったという結論をくだした。苦痛はときおり襲ってきて、彼は金切り声やしつこい騒音のように一生それに悩まされた。

肉体の衰えを止めようとして、父はやたらに薬を飲むようになった。オレンジ色のプラスチックの薬ビンが一ダース入っている合成皮革のスーツケースをもたずには、どこにも出かけられなかった。一時間か二時間おきに、薬袋のなかを探って、ラベルをちらっと確かめ、ビンを振って、デキセドリンやペルコダンやプロザックを取りだした。そして、水なしで、顔をしかめながら、ひと掴みほどの錠剤を飲んだ。使用ずみの注射器と空のアンプルがバスルームの洗面台に置かれるようになった。それはどんどんエスカレートしていって、ステロイド、アンフェタミン、興奮剤、鎮痛剤といった薬の投与が生活の中心になり、薬はかつての彼のすばらしい精神を狂わせていった。

　行動がますます常軌を逸したものになり、妄想的になっていくにつれて、最後まで残っていた友人たちも離れていった。長い間辛抱していた母も、結局は家から出ていかざるをえなかった。父は正気の境を越えて、精神錯乱におちいり、やがて自殺未遂をおこした――わざわざ私がいるところで、自殺をはかったのだ。

　自殺未遂のあと、父はポーランド近くの精神病院に入院させられた。私がそこに父を見舞ったとき、両手足をベッドの手すりに縛りつけられていた。彼は支離滅裂にわめきたて、汚物にまみれていた。目も異常だった。ギラギラと挑戦的な光を放っているかと思うと、つぎの瞬間には、わけもなく怯えた表情をみせた。目は眼窩《がんか》の奥へひどく落ちくぼみ、苦悩する心の状態をはっきりと冷ややかに覗かせていた。看護師たちが下着をかえさせようとすると、縛られている手足をばたつかせ、看護師たちや私や運命にむかって悪態をついた。成功まちがいない人生設計をしていた父の行き着いたさきは、結局はここだったのだ。この悪夢のような場所だったのだ。これは皮肉であったが、私にはいい気味だとは思えなかったし、父もそれを皮肉ともなんとも感じていなかった。

もうひとつ、父自身には理解できなかった皮肉がある。つまり、私を思いどおりの鋳型《いがた》にはめようとする彼の努力はやはり実っていた。背の低い太った父は事実、私の内部に大きく強烈な野心を徐々にしみ込ませることに成功していたのだ。べつのものに夢中になっているときには、それがすぐに頭をもたげてくるのである。父には、デヴィルズ・サム山と医学校が同じものとはけっして思えなかった。まったくちがうものだった。

サム山への最初のアタックに失敗したあとでも、テントを全焼しかけたあとでさえも、私はスティキーン氷冠にとどまり、頑として敗北を認めようとしなかったのは、この親譲りの、並はずれた功名心があったからだろうと思う。最初のアタックを断念してから三日後、私はふたたび北壁を登っていた。今度は、ベルクシュルントのうえわずか百二十フィートまで達したところで、雪まじりの突風に見舞われ、冷静さを失って、引きかえさざるをえなかった。

だが、氷冠のベースキャンプまではもどらないで、そのすぐ下の、急峻なほうの側で夜を明かすことにした。これがまちがいだった。午後おそくなると、突風はあらたにはげしい吹雪へと急変したのである。雪の降る量は一時間に一インチだった。ベルクシュルントの下の、ビバーク用のテントのなかで身体をちぢめていると、うえの岩壁から、雪崩がシューッと音を立て、雪煙をあげながら寄せ波のようにおおいかぶさってきて、ゆっくりと私のいる岩棚を埋めた。

雪が小さなテントの呼吸孔のところまで押し寄せるには、二十分ほどかかった——薄いナイロンのテントは、サイズがちがうだけで、サンドイッチを入れるバギーのポリ袋に形がそっくりだった。四回、雪崩がおこり、四回、私は自力で脱出した。五度目に埋まったときには、もう我慢ができなくなった。用具をバックパックにすべて投げこんで、ベースキャンプへと逃げだした。

下山は危険きわまりなかった。雲と、ブリザードと、薄暗くなっていくめりはりのない光のせいで、空と山の斜面の区別がはっきりしないのだ。視界がきかないために、セラックのうえから足を踏みはずし、半マイル下のウイッチズ・コールドロン氷河の底で一巻の終わりとなるかもしれない。私が不安に駆られたのは、とうぜんすぎるぐらいとうぜんのことだった。ようやく凍結した氷冠の平地にたどり着き、そこでわかったのは、自分の足跡がだいぶまえに吹き寄せられた雪でかき消されてしまっていることだった。目印もなにもない氷原で、テントをどうやって探せばいいのか、見当がつかなかった。運がよければ、ひょっとしてテントが見つかるかもしれない。そんな期待をいだいて、私はスキーで一時間ばかり歩きまわり、結局は、片足を小さなクレヴァスに突っこんで、自分の行動が軽率だったことに気づいた。吹雪の間は、一か所にうずくまって、じっとしているべきだったのだ。

私は浅い穴を掘り、雪が渦巻くなかで小型テントにくるまって、バックパックに腰をおろした。吹き寄せる雪が私のまわりで積もっていく。足の感覚がなくなっていた。首の下から胸へとしめっぽい寒さがしのびこんできた。雪がパーカのなかにまで入りこんできて、シャツを濡らした。一本でもいい、タバコさえあれば、もちまえの体力を奮いおこして、このひどい状況、まったくお手あげのひどい状況をなに食わぬ顔でやり過ごすことができるだろうと思った。私はくるまっていた小型テントを両肩にぎゅっと引き寄せた。風は背中から吹きつけていた。私は恥ずかしげもなく両腕で頭をかかえた。自分が不憫《ふびん》でたまらなく思えてきた。

登山中に命を落とす者がときどきいることは知っていた。しかし、二十三歳では、個人の死——私自身が死ぬという考え——は、やはり頭ではどうしても受けいれられなかった。デヴィルズ・サム山に登頂すれば、栄光と救いが得られるものとばかり思いこみ、ボールダーからアラスカへ逃げだしたときには、ほかの人々の行動を支配している因果関係に自分も拘束されているなどとは考えもしなかったのだ。ただもう山に登りたい一心だったし、サム山にずっと憧れをいだきつづけてきたから、天候とか、クレヴァスとか、薄氷におおわれた岩のようないくつかのつまらぬ障害に、最後の最後で阻まれることなどあるわけがないと思っていた。

日暮れには、風がやんで、シーリング（雲底高度）が氷河から百五十フィートあがり、ベースキャンプを見つけることができた。無事にテントへ帰りついたが、私の計画ではサム山にはまったく歯がたたないという事実は、もはや無視することができなかった。北壁にだけは登らせないという山の意志、その断固とした山の意志は認めざるをえなかった。まったく無駄骨だったのだ、と私はようやく悟った。

しかしながら、ここまでやってきたことを無駄にしないチャンスはまだあった。一週間まえ、私はスキーで山の南東側ルートの下見に行った。北壁を登ったあと、頂上から下山する予定でいたルートである。一九四六年、伝説の登山家フレッド・ベッキーはそのルートをたどって、サム山の初登頂に成功したのだった。下見をしたとき、そのベッキーのルートの左側に、あきらかに未踏のルートがあることに、私は気づいていた――きれぎれの網状の氷が南東側を斜めに横切っていたのである――登頂に成功するには、そのルートのほうが比較的容易であると思われた。ただ、そのときは、このルートは考慮するに値しないと考えた。それがいまでは、北壁における失敗の反動で、私は目標を低くしてもいいという気になっていた。

五月十五日の午後に、ようやくブリザードがおさまってきたので、私はもう一度南東側のほうへ行き、細長い尾根のうえに登った。尾根はゴシック様式の大聖堂の飛梁《ひりよう》のように寄りかかる格好でうえの頂へとつながっている。頂上から千六百フィート下の、そこのやせ尾根で、私は夜を明かすことにした。夕方の空は、冷たく晴れわたっていた。はるかかなたの海岸と、さらにそのさきのほうまで眺めることができた。夕暮れには、その場に立ちつくして、西のほうにきらめいているピーターズバーグの町の明かりを眺めていた。荷物の空中投下以来、私にとっては、もっとも人間的な触れ合いに近いものであった。遠くの明かりのせいで、気がゆるみ、それにつけこむように、感情がどっとあふれだしてきた。人々はテレビで野球の試合を観たり、明るい台所でフライド・チキンを食べたり、ビールを飲んだり、セックスをしたりしているだろう、と私は想像した。眠ろうとして横になったときには、つらい孤独感に圧倒された。これまでこんなに孤独だと感じたことはなかった。

その夜は、恐ろしい夢を見た。警察の手入れ、吸血鬼、暗黒街スタイルの処刑の夢である。誰かのささやく声がした。「彼はうまくやると思う……」私は起きあがり、背筋をまっすぐ伸ばして、両目をあけた。陽が昇りかけていた。空全体が緋色に染まっている。あいかわらず晴れわたっていたが、薄くか細い浮き泡のような巻雲が、上空の大気圏を横切って広がっていた。南西の地平線上には、陰鬱なスコールライン（寒冷前線に沿った雲）が見える。私はブーツをはき、おおいそぎでアイゼンをつけた。そして、目が覚めてから五分後には、ベースキャンプから遠く離れたところを登っていた。

ロープも、テントも、ビバーク用具も、ピッケル以外のものは、なにももっていなかった。軽装ですばやく前進し、天気が崩れないうちに頂上に達して、下山するというのが、私の計画だった。ひどく息を切らして、私はがむしゃらに進んでいき、いそいで登り、左の狭い雪原を渡った。雪原の途中には、つぎつぎと氷でふさがれた割れ目や短い段状になっている岩があった。登りは楽しめたと言ってもいい——岩には、大きく切れこんだ足がかりがいっぱいあり、氷は薄いけれども、七十度以上の険しい勾配にはならなかった——しかし、暴風をともなう前線が太平洋のほうから急速に接近していて、空を暗くしているのが気がかりだった。

腕時計をしていなかったので、時間的には、たぶんごく短時間だったと思うが、私はあきらかに最後の氷原に立っていた。そのころには、空全体が雲で塗りたくられていた。このまま左へ進めば楽だったが、それよりも、まっすぐ頂上をめざしたほうが早そうだった。避難場所のない頂上で嵐にあうのが不安で、最短のルートを選んだ。勾配が急になり、氷は薄くなった。左のピッケルを振りおろすと、岩にあたった。私はべつの箇所に狙いをさだめた。ふたたびガツンという鈍い音がして、ピッケルは固い閃緑岩に斜めにあたった。それをもう一度、もう一度と繰りかえした。北壁に最初にアタックしたときの再現だった。両脚の間から、私は二千フィート以上はある下の氷河をちらっと盗み見た。胃がむかついた。

四十五フィートうえでは、山頂の傾斜している肩のうえへと岩壁がゆるやかにつづいている。私は頑固にピッケルにしがみつき、恐怖と怯む気持ちに苛まれながら、動かずにいた。ふたたび氷河までの長い急斜面を見おろし、ついで顔をあげ、それから頭上の薄氷を擦《こす》りとった。さらに、白銅貨ぐらいの厚さしかない突き出した岩に左のピッケルを引っかけ、体重をかけてみた。大丈夫だった。今度は右のピッケルを氷から引きぬき、うえに伸ばして、いびつな半インチの裂け目にピッケルの先端をねじこんだ。ほとんど息もしないで、私は足をあげ、アイゼンのスパイクで薄氷を横に引っかいた。そして、左腕をできるだけうえに伸ばし、光沢のある不透明な表面にピッケルをそっと振りおろした。叩いた下が、どんな状態かはわからなかった。固いガシッという音がして、先端が食いこむ。数分後には、広い岩棚のうえに立っていた。実際の頂上は、二十フィート真上にある細長いひれ状の岩で、グロテスクなメレンゲ風の淡い色をした氷が成長している。

脆い羽状の薄氷からして、その最後の二十フィートはたしかに、やはり困難で、恐ろしくて、厄介なところだった。だが、しばらくすると、とつぜん、それ以上うえに登る場所がなくなった。ひび割れた唇がひらき、苦しげな微笑へと変わるのを、私は感じた。デヴィルズ・サムの頂上にいたのである。

まさしく頂上は超現実的な場所、敵意をむき出しにした場所で、ファイル・キャビネットの幅もない、薄氷におおわれた、信じられないほど貧弱な細長いくさび形の岩だった。とても歩きまわる気にはなれなかった。最高地点にまたがると、右のブーツ側の南壁は、二千五百フィート下まで落ちこみ、左のブーツ側の北壁は、下までその二倍はあった。私は頂上に登った証拠写真を何枚か撮り、数分かけて、曲がったピッケルをまっすぐに直そうとした。やがて立ちあがり、用心深く向きを変えて、帰路についた。

一週間後、私は雨の降る海辺でキャンプをし、コケやヤナギや蚊を眺めては、感激にひたっていた。潮風は海の命のひどい悪臭を運んできた。間もなく、小型のモーターボートがトーマス湾に入ってきて、テントから遠くない浜辺で停泊した。モーターボートを操縦していた男はピーターズバーグからきた林業関係者、ジム・フリーマンだと自己紹介した。休日なので、氷河見物と熊探しに家族をつれてきたんだ、と彼は言った。「ハンティングかなにかしているのかい？」と、彼は尋ねた。

「いいや」と、私はおどおどと答えた。「実は、デヴィルズ・サムに登ってきたところなんだ。ここにきて、二十日になる」

フリーマンは甲板の耳型索止《さくど》めをもてあそんでいて、なにも言わなかった。あきらかに、私の話を信用してくれていない。肩まで伸びた蓬髪も、体臭も、いやがられているようだった。三週間、風呂にも入らず、着替えもしないでいたのだ。しかし、町まで乗せていってもらえないかと聞くと、「もちろん、かまわない」としぶしぶ言った。

　海は荒れていて、フレデリック海峡を渡るのに二時間かかった。話をしているうちに、フリーマンの態度はしだいに好意的になってきた。ただ、サム山への登頂はまだ本気で信じてくれていなかった。だが、進路をランゲル海峡にとり、そこへ入っていくころには、信じるふりをしていた。モーターボートを埠頭につけると、彼はチーズバーガーをおごると言ってきかなかった。その夜は家に呼んで、裏庭に停めてあるポンコツのヴァンに泊めてくれた。

　私はしばらく古いトラックの後部シートに横になっていたが、寝つけないので、起きだして、キトーズ・カーヴというバーへ行った。ピーターズバーグへもどってきた当初に感じた幸福感も、圧倒的な安堵感も薄れ、代わって、思いがけない憂鬱にとらわれていた。キトーズでしゃべった連中は、サム山の登頂成功を疑っていないようだった。連中にはどうでもいいことだったのである。夜が更けていき、店には、私と奥のテーブルにいるトリンギット族の歯のない老人だけになった。私はひとりで飲んでいて、ジュークボックスに二十五セント硬貨を何枚か入れ、同じ曲ばかり五回繰りかえしかけて、最後には女性バーテンダーに怒鳴られた。「ねえ！　いい加減にしてちょうだい！」私はもぐもぐと詫びを言って、ドアのほうへ行き、ふらつきながらフリーマンのヴァンにもどった。あたりには、古いオイルの甘い匂いが漂い、私はギアがはずされたギアボックスのわきの床に横になって、正体なく眠りこんだ。

サム山の頂上に腰かけたあと、一か月もしないうちに、私はボールダーに帰り、スプルース通りのタウンハウスで羽目板に釘を打っていた。アラスカへ発つとき、建築中だったマンションである。時給を四ドルに値上げしてもらい、私は夏の終わりに、現場のトレイラーからダウンタウンのショッピングセンターの西にある安いワンルームマンションへ引っ越した。

若いころには、欲しいものはとりもなおさず、とうぜん自分のものになるべきだと信じがちだし、なにかが欲しくてたまらなくなれば、手に入れるのが神からあたえられた権利だと思いこみがちである。その年の四月、クリス・マッカンドレスのようにアラスカへ行く決心をしたとき、私は情熱を洞察力と勘違いしていた未熟な若者であり、欠陥だらけのあいまいな理屈にしたがって行動していた。デヴィルズ・サム山の登頂は、うまくいっていない私の人生を根底から変えてくれるものと思いこんでいた。もちろん、結局は、ほとんどなにひとつ変わらなかった。ところが、はっきりわかったのは、山は夢の貧しい避難所として役立ってくれるということである。そして、私は生きながらえ、自分の体験を話しているわけだ。

若いころの私は、多くの重要な点でマッカンドレスと異なっていた。もっとも顕著な点は、私には彼ほどの知性もなければ、高邁《こうまい》な理想ももっていなかったことである。だが、共通している部分もあり、ふたりとも父親との歪んだ関係の悪い影響を受けてきたと思われる。また、ふたりとも、感情がはげしくて、無頓着で、情緒不安定だったのではないかという気もしている。

アラスカ冒険旅行で、私が生き残り、マッカンドレスが命を落としたという事実は、ほとんど偶然にしかすぎない。一九七七年に、私がスティキーン氷冠からもどってこなかったら、死を望んでいたという噂がたちまち飛びかっただろう――現在、マッカンドレスについて、噂されているように――あれから十八年、たぶん、当時の私は傲慢だったろうし、もちろん、ひどく単純でもあっただろうといまでは思っている。だが、自殺の衝動には駆られていなかった。

青春期には、死は非ユークリッド幾何学や結婚のように、抽象的な概念としてとどまっている。愛する者をなくした人々に、死がもたらす恐ろしい結末、あるいは荒廃についての正しい認識がまだなかったのである。ただ、死すべき運命という謎めいた神秘には、心を揺さぶられた。死の間際までそっと近づいていき、崖っぷちから覗きこまずにはいられなかった。そこの闇になにかが隠されているという気配は私を恐れさせたが、なにかが、つまり、女性のセックスの魅惑的な秘密の花弁にも劣らぬ、ついつい引きつけられてしまう、基本的な禁断の謎のようなものがちらりと垣間見えた。

私の場合――そして、クリス・マッカンドレスの場合も、そうだと思うが――それは死の願望とはまったく異なるものであった。

第十六章　アラスカ内陸部

単純さ、素朴な感情、原始的な生活の美徳を、私は身につけたいと思った。そして、不自然な習慣、文明の偏見と欠点を自ら剝ぎとり……西部の荒野の孤独と雄大さのただなかで、人間本来の姿と真に人間的な関心事についてもっと正しい見方があることを知るべきである。私は雪の季節のほうが好きだった。苦しむことの快感と目新しい危険が体験できるかもしれないからだ。

エストウィック・エヴァンズ
『一八一八年の冬と春の、西部諸州と準州をめぐる、四千マイルの徒歩旅行』

人間と仕事に退屈しているか、うんざりしている人々にとって、荒野は魅力的であった。社会からの逃避の場を提供してくれるばかりでなく、同時に、ロマンチックな個人にとっては、しばしば自らの魂にたいする礼拝式をおこなう理想的な舞台でもあった。荒野の孤独と完全な自由は、憂鬱とか歓喜にとって申し分のない舞台装置をお膳立てしてくれていた。

ロデリック・ナッシュ
『荒野とアメリカ精神』

一九九二年四月十五日、クリス・マッカンドレスは、ヒマワリの種子を運搬するマック製のトラックの運転台に同乗して、サウスダコタ州のカーシッジを出発した。「長期のアラスカ冒険旅行」に向かったのである。三日後には、ブリティッシュコロンビアのルースヴィルで、カナダ国境を越え、スクーカムチャック、レイディアムジャンクション、レイクルイーズ、ジャスパー、プリンスジョージ、ドーソンクリークと、北へヒッチハイクしていった。ドーソンクリークの町の中心部では、アラスカ・ハイウェイの起点を表わす交通標識を写真に撮った。マイル「0」と、標識には記されていた。「フェアバンクス、一五二三マイル」

アラスカ・ハイウェイでは、ヒッチハイクはむずかしくなる。ドーソンクリークの町はずれでは、一ダースほどの陰気な顔つきの男女が親指を立てて、路肩にならんでいるのを目にするのも、めずらしい光景ではないのだ。車を拾うまでに一週間以上かかる者も、何人かいるようだった。だが、マッカンドレスはそんなに時間がかかったことはない。カーシッジを出てからちょうど六日目の四月二十一日には、ユーコン準州の境にあるリアード川のホットスプリングズに着いていた。

リアード川には、公設のキャンプ場があり、板張りの道が湿地を通り、半マイルさきの温泉場へと通じていた。そこはアラスカ・ハイウェイでもっとも人気がある中継点である。マッカンドレスはひと休みして、のんびりと湯につかることにした。湯からあがり、ふたたびヒッチハイクで北へ向かおうとしたが、付きが落ちてしまったことに気づいた。誰も車に乗せてくれなかったのだ。到着して二日、彼はまだリアード川にいて、どこへも行けずに苛立っていた。

爽快な木曜日の朝の六時半、地面は固く凍りついていた。ゲイロード・スタッキーはいちばん大きな温泉に入ろうと、板張りの道を大股で歩いていった。ところが、思いがけないことに、すでに誰かが温泉に入っていた。若い男で、アレックスと名乗った。

スタッキー——頭がはげている、元気のいい、芝居気たっぷりの顔をした六十三歳の田舎者——はフェアバンクスのRVディーラーへ届けるため、インディアナからアラスカへモーターホーム（旅行・キャンプ用の移動住宅自動車）の新車を陸送していく途中だった。四十年間つづけてきたレストランを店じまいしたあと、道楽半分にはじめたパートタイムの仕事である。その行先を聞くと、マッカンドレスは大声で言った。「ああ、ぼくもそこへ行くんですよ！　車に乗せてもらおうとして、ここで二日間足どめをくっている。乗せていってはもらえないだろうか？」

「ああ、そいつはな」と、スタッキーは答えた。「そうしてやりたいが、できないんだ。うちの会社にゃきびしいルールがあって、ヒッチハイカーは乗せちゃいけないことになってるんだよ。乗せると、首にされちまうんだ」硫黄色の霧のなかで話しているうちに、スタッキーの考えは変わりはじめていた。「アレックスはきちんとひげを剃り、髪も短かった。言葉づかいからして、ほんとうに頭のいい奴だったことはたしかだ。いわゆる典型的なヒッチハイカーじゃなかった。ふだんは、連中にたいして警戒しているんだ。バスの切符一枚買う余裕がないなんて、たぶん、どっかおかしいところがあるにちがいない。そこで、とにかく、三十分ほどしてから、俺はこう言ったんだ。『じゃあ、こうしよう、アレックス。リアードとフェアバンクスの間は、千マイルある。ホワイトホースまで、五百マイル乗せていこう。あとは、ヒッチハイクできるだろう』」

ところが、一日半経って、ホワイトホース――ユーコン準州の首都で、アラスカ・ハイウェイ沿いにある最大の国際都市――に着くと、スタッキーはマッカンドレスを道連れにしてひどく楽しかったから、気が変わり、最後まで乗せていくことにした。「アレックスは正体がつかめない男で、最初はほとんどしゃべらなかった」と、スタッキーは印象を語っている。「だけど、長いのんびりした車の旅だったな。あのでこぼこ道で、俺たちは正味三日間いっしょに過ごしたんだ。最後には、ある程度打ち解けた。それで、いろいろとわかってきたのさ。あれはダンディーな奴なんだよ。実に礼儀正しいし、悪態もつかないし、例のスラングも使わない。たしかに、育ちはよかった。しゃべっていたのは、おもに妹のことだ。家族との関係はあまりうまくいっていないようだったな。父親の話もしていたけど。天才で、NASAのロケット科学者だが、一時期重婚をしていたことがあったらしい――まあ、アレックスの性格からして、それが許せなかったんだな。大学卒業以来、二年間両親と会っていないとも言っていたよ」

マッカンドレスは打ち解け、夏は森のなかでひとりで暮らし、その土地があたえてくれるものを食べてやっていくつもりだとスタッキーに語っている。「奴の話だと、子どものころから、そういう暮らしをしてみたいと思っていたそうだ」と、スタッキーは言った。「人間ひとり、飛行機一機、文明の痕跡ひとつ見たくないと話していた。誰の助けも借りずに、独力でそれができることを証明したかったんだ」

スタッキーとマッカンドレスは四月二十五日の午後に、フェアバンクスに着いた。年配の男は若者を食品雑貨店につれていき、米の大きな袋を買った。「そのあと、アレックスはどんな植物が食用になるのかくわしく調べるために、大学へ行きたいと言っていた。ベリーとか、そんな類の植物を。俺は言ったんだ。『アレックス、時期が早すぎる。まだ雪が二、三フィートは積もってるんだ。まだ植物も生えていない』って。だが、奴の肚はすっかり決まっていた。そこを出て、徒歩旅行に出発したがってじりじりしていたんだ」スタッキーはフェアバンクスの西のはずれにあるアラスカ大学のキャンパスに車を走らせ、午後五時半にマッカンドレスを降ろした。

「降ろすまえに」と、スタッキーは言った。「俺は奴にはっきり言っておいた。『アレックス、俺は千マイルおまえを乗せてきてやったんだ。三日間ずっと飯も食わせてきた。おまえにできることはすくなくとも、アラスカからもどったら、手紙をくれることだぞ』奴は手紙を出すと約束してくれたよ。

また、くれぐれも両親には電話をかけるようにと言った。息子が家を出ていき、何年も所在がわからず、生死もわからないことぐらい、最悪なことはないと思う。『これが俺のクレジットカードの番号だ』って、俺は言った。『いいか、電話をしろよ！』だが、返事は、『するかもしれないし、しないかもしれない』のひと言だけだった。奴が去ったあと、『ああ、どうして親の電話番号を聞いて、俺が電話をしなかったんだろう？』と思ったよ。しかし、もうあとの祭りだった」

マッカンドレスを大学で降ろしたあと、スタッキーは町へ行き、RVを指定されたディーラーに届けたが、新車をチェックする責任者はすでに帰宅していて、月曜日の朝まで出社してこないとのことだったから、インディアナへいそいで帰ることもできずに、フェアバンクスで二日間、時間をつぶさなければならなかった。日曜日の朝には、暇をもてあまして、ふたたびキャンパスへ出かけていった。「アレックスがいれば、もう一日いっしょにいて、観光かなにかにつれていこうと思ったんだ。車をあちこち走らせて、二時間探したが、まったく姿を見かけなかった。もう町にはいなかったんだな」

マッカンドレスは土曜日の朝、スタッキーと別れてから、二日と三晩、フェアバンクスの近くで過ごしていたのである。もっとも長くいたのは大学だった。キャンパス内の書店で、アラスカ・コーナーの人目につかないいちばん下の棚に地域の食用植物を網羅的に調査した学究的な原野ガイド、プリシーラ・ラッセル・カリ著『タナイナの植物伝承研究、デナイナ・ケッチュナ：アラスカ中南部のデナイナ・インディアンの民族植物学』があるのを見つけた。レジのそばに置かれている絵ハガキのラックから、彼はシロクマの絵ハガキを二枚選び、ウェイン・ウェスターバーグとジャン・バーレスへの最後のメッセージをしたためて、大学の郵便局から出した。

マッカンドレスは案内広告を丹念に調べ、中古の銃を見つけて、購入した。四×二十のスコープとプラスチックのストックが付いている、二十二口径のセミオートマチックのレミントンだった。これはナイロン66と呼ばれているモデルで、現在は生産されていなかった。軽くて、信頼度が高かったから、アラスカの罠猟師たちが愛用していた。駐車場で取引をまとめ、たぶん、その代金約百二十五ドルを支払ったのだろう。それから、近くの銃砲店で百発入りのホローポイントの長形弾丸を四箱買いいれた。

マッカンドレスはフェアバンクスで準備をととのえ、バックパックに荷物をつめて、大学から西の方角へと徒歩旅行に出発した。キャンパスを出るとき、地球物理学研究所のところを通りすぎた。屋上に受信用の大型ディッシュ・アンテナがある、ガラスとコンクリート製ののっぽビルである。フェアバンクスのいちばん目につく目印、ディッシュ・アンテナは、ウォルト・マッカンドレスがデザインした合成開口レーダーを装備した人工衛星からのデータ収集のために設置されたものだった。受信局の操業開始時に、ウォルトは実際、フェアバンクスを訪れ、操作用の重要なプログラムをいくつか作った。地球物理学研究所のそばを歩いているとき、父のことを思い出したとしても、そのことはなにも記録に残していない。

冷えこみがきびしくなる夕方、マッカンドレスは町の西側四マイルのところにテントを張った。ゴールド・ヒル・ガス・アンド・リカーを見おろす断崖のうえからさほど遠くない、シラカバの木立に囲まれた固く凍結した地面の一画だった。テントから五十ヤードさきには、高台に切りひらかれたジョージ・パークス・ハイウェイがあった。その道路が彼をスタンピード・トレイルへつれていってくれるだろう。四月二十八日の早朝には、早く起き、夜明けまえの薄明りのなかをハイウェイのほうへ歩いていくと、運よく最初にやってきた車が道路わきに寄ってきて、乗せてくれた。グレーのフォードのピックアップトラックで、後部に「我釣りをする、ゆえに我あり。ピーターズバーグ、アラスカ」と書かれたバンパーステッカーが貼られていた。トラックの運転手は、アンカレッジへ向かっている電気工で、マッカンドレスよりさほど年上ではなかった。名前はジム・ガーリエンだと言った。

三時間後、ガーリエンはハイウェイを出て、トラックを西に向け、轍《わだち》のあとがない間道をできるだけ奥まで進んだ。スタンピード・トレイルでマッカンドレスを降ろしたが、気温は低く、摂氏マイナス一度だった——夜間には、十二度台まで下がるだろう——あたり一面、汚れた春の雪が一フィート半積もっていた。マッカンドレスは興奮をほとんど抑えることができなかった。ようやく広大なアラスカの原野でひとりになれるのだ。

合成皮革のパーカを着て、ライフルを肩にかけ、期待に胸をふくらませて、小道を歩いていったとき、マッカンドレスが携帯していた食糧は長粒米一袋五キロとガーリエンからもらったサンドイッチ二個とコーンチップ一袋だけだった。一年まえには、二キロの米と安ものの釣り竿とリールで釣りあげた魚だけで、一か月以上カリフォルニア湾のそばで暮らした。その経験が自信となり、アラスカの原野でも、長期間生きていけるだけの食糧は確保できると思っていたのだ。

半分しか入っていないバックパックの中身でいちばん重いのは、本だった。九冊か十冊のペーパーバックで、その大半はナイランドでジャン・バーレスからもらったものである。なかには、ソローやトルストイやゴーゴリの本もあったが、マッカンドレスは文学のスノッブではなかった。ただ面白そうに思われるものをもってきただけで、マイクル・クライトン、ロバート・パーシグ、ルイス・ラムーアの大量販売されている本もまじっていた。筆記用紙を入れるのを忘れたので、彼は『タナイナの植物伝承研究』のうしろに数ページ分ある白紙のところに簡単な日記をつけはじめた。

冬期には、わずかながら、犬橇《いぬぞり》使いやスキー旅行者やスノーマシーンの愛好家たちが、スタンピード・トレイルの始点ヒーリーにもやってくる。それも三月下旬か四月上旬までだった。そのころになると、凍結していた川が解けだすのだ。しかし、マッカンドレスが森へ入っていったときには、大きな川のほとんどは流れが元にもどりはじめていて、二、三週間まえから、小道をそんなに奥まで行く者はいなくなっていた。ただ、スノーマシーンのキャタピラーで踏みかためられた跡だけはかすかに残っていて、彼はそれをたどっていったのである。

まるまる二日かかって、テクラニカ川に着いた。土手には、あふれ出した水が凍りついて、ギザギザの棚状になってつづいていたとはいえ、凍っていない本流には、氷の橋が一か所もかかっていなかった。だから、彼はやむなく川のなかを歩いて渡った。四月の初旬に、大がかりな雪解けがあり、一九九二年は、解氷の時期が早目にやってきたが、ふたたび寒さがぶりかえし、マッカンドレスが渡ったときには、川の水量はごく浅くなっていて――せいぜい腿ぐらいの深さしかなかっただろう――、ザブザブ音を立てて、簡単に向こう岸へ渡ることができた。そのとき、本人はまさか自分がルビコン川を渡っているとは思ってもいなかった。その二か月後には、テクラニカ川の上流で、氷河と氷原が夏の暑さで解けだし、その水量が九倍か十倍に増えて、四月に彼がのんきに渡ったおとなしい小川とは似ても似つかぬ、深い激流へと変貌することになったのである。マッカンドレスの未熟な目には、その兆しすら認められなかった。

マッカンドレスの日記から読みとれることだが、四月二十九日に、彼はどこかで氷を踏みぬき、水中に落ちている。テクラニカ川の西側の土手のむこうに、氷の解けかかったビーバーの池が何か所かあり、そこを渡ろうとして起こった事故だろう。しかし、その際どこかを怪我したことを示す記述はなにもない。翌日には、小道をたどって尾根まで行き、高く立ちはだかっているマッキンレー山の白い壁をはじめてちらっとだけ目にした。そのまた翌日の五月一日には、ガーリエンの車を降りた場所から小道を二十マイルばかり行ったスーシャナ川のかたわらで、古いバスを偶然発見している。車内にはベッドとストーブがあり、それまでにここへやってきた者たちが建てた掘っ立て小屋も残されていて、マッチや殺虫剤やいろんな必需品がストックされていた。「不思議なバスの日」と、彼は日記に書いている。彼はしばらくそのバスにとどまり、遠慮なくそれらをありがたく利用させてもらうことにした。

　そこにいることが、マッカンドレスには誇らしかった。ガラスの割れているバスの窓をふさいでいる風雨にさらされたベニヤ板に、満足そうに独立宣言を走り書きしている。

二年間、彼は地球を歩いている。電話もなく、プールも、ペットも、タバコもない。窮極の自由。極端な人間。路上が住居の美の旅人。アトランタから逃れてきたのだ。汝、引きかえすことなかれ。「西が最高である」からだ。二年の放浪の後、今度は最後で最大の冒険となる。心のなかで偽りの人生を否定する決戦に勝利して、精神の遍歴に終止符をうつのだ。十日間ぶっ通しで、彼は貨物列車に乗り、ヒッチハイクをして、北の雪の大地にやってきた。もはや文明に毒されることもない、と彼は感じ、荒野のなかへ行方をくらますために、大地をひとりで歩いていく。

アレグザンダー・スーパートランプ

一九九二年五月

　しかしながら、マッカンドレスの夢想には、たちまち現実が侵入してきた。なかなか猟獣が殺せなかったのである。森における最初の一週間、日記の内容には、「弱々しさ」とか、「雪に閉じこめられる」とか、「ひどい失敗」といった言葉が出てくるのだ。五月二日には、グリズリーを目撃しているが、発砲はしなかった。五月四日には、数羽のカモを狙ったが、撃ちそんじた。そして、五月五日に、やっとハリモミライチョウを殺して、食べている。ところが、五月九日に小さなリスを一匹捕らえるまで、ほかにはなにも仕留めていない。そのことについて、彼は「空腹、四日目」と日記に書いている。

ところが、その後すぐに、事態はがらりと変わって、いい方向へと向かう。五月中ごろには、太陽の軌道は高くなり、針葉樹林に大量の光を降りそそいだ。太陽が北の地平線に沈むのは、一日にせいぜい四時間程度だった。真夜中でも、空はまだ、本が読めるほど明るかった。北側の斜面と日陰の谷間以外は、いたるところで雪塊《せっかい》氷原が解けて、地面が露出し、まえの季節の野バラの実やコケモモが顔をのぞかせる。マッカンドレスはそれらを摘みとって、大量に食べた。

また、ハンティングでも、成功率がずっとよくなり、その後六週間は、リス、ハリモミライチョウ、カモ、ガン、ヤマアラシといったご馳走にきちんとありつけた。五月二十二日には、一本の臼歯《きゅうし》の歯冠がとれてしまったが、さほど悄気かえることもなかったようである。翌日には、名前も知らない、ラクダのこぶのような、三千フィートの山に登っている。山はバスの真北にそびえていて、氷におおわれたアラスカ山脈の全景と何マイルもの無人の地域が望めた。その日の日記は、いかにも彼らしく簡潔な内容だったが、あきらかに喜びがあふれていた。「山に登る！」

マッカンドレスは、森ではたえず移動しながら暮らす、とガーリエンに語っていた。「ぼくはこれから出発し、西へ歩きつづけるつもりだ」と、彼は言った。「ベーリング海までずっと」五月五日に、バスで四日間小休止したあと、徒歩旅行を再開した。ミノルタとともに回収されたスナップ写真からすると、すでにスタンピード・トレイルかどうかはっきりしなくなっていて、道に迷ったらしく（あるいは、故意に道からそれたらしく）、西や北へと向かい、途中でハンティングをしながら、スーシャナ川の上流の丘陵を通っていったようである。

歩みはゆっくりしていた。食糧調達のために、彼は一日のほとんどの時間を費やして、獲物を追いかけている。しかも、凍っていた地面が解けて、道は深い泥の沼や足の踏みこめないハンノキの湿地のようなひどい道に変わった。僻地の森を旅するには、シーズンとしては、夏よりも冬のほうがいいという北の重要な（直観には反しているが）原則を、マッカンドレスは遅まきながら理解した。

海岸まで五百マイル歩くという当初の野心はあきらかに愚かであることがわかり、彼は計画を再検討した。五月十九日、トクラット川から西へ進むのをやめ――バスから十五マイルと離れていなかった――、彼は引きかえした。そして、一週間後に乗り捨てられたバスにもどった。どうやら後悔はしていないようだった。スーシャナ川流域は未開の地で、彼の目的に合った場所だったし、これから夏の間は、フェアバンクスの１４２番バスを快適なベースキャンプにしようと決心した。

皮肉なことに、バスの周辺の原野は――草の生い茂った一画で、マッカンドレスは「荒野のなかへ行方をくらます」決心をしたのである——、アラスカにしては、自然が保たれているとは言いがたい。三十マイルも行かない東には、幹線道路のジョージ・パークス・ハイウエイがある。アウター山脈の急斜面のさらにそのさきの、ちょうど十六マイル北では、国立公園部がパトロールしている道路を、毎日何百人もの観光客が車でガタゴトやってきては、デナリ国立公園に入っていくのだ。しかも、美の旅人は気づいていなかったけれど、バスから六マイルと離れていないところに、四棟の丸太小屋が散在していたのである（一九九二年の夏には、たまたま誰もいなかったが）。

ところが、バスは文明世界から比較的近い距離にあったにもかかわらず、実際マッカンドレスはほかの世界から孤立していた。彼は全部で四か月近く森のなかで過ごした。その間、ほかの人間とはまったく出会っていない。結局、スーシャナ川のその場所は、彼が命を落とすほど遠くに離れていたわけである。

・五月最後の週に、所持品をバスに移し、雑用をリストアップして、羊皮紙のような細長いカバの樹皮に書きだした。肉を冷凍しておくために、川から氷を集めてきて、蓄えておくこと。ガラスの割れているバスの窓をビニールでふさぐこと。薪をひろって貯蔵しておくこと。ストーブにたまっている古い灰をかき出すこと。そして、「長期間」という見出しをつけて、もっと野心的な仕事のリストを作成した。地域の実地調査をすること。応急のバスタブを作ること。皮と羽根を集めて、衣類を縫うこと。近くのクリークに橋を架けること。食器セットを修繕すること。あたりに狩猟の道しるべをつけること。

バスへ引きかえしてからの日記には、食べた野禽獣《やきんじゅう》の肉が列挙されている。五月二十八日、「美味そうなカモ！」。六月一日、「リス五匹」。六月二日、「ヤマアラシ、ライチョウ、リス四匹、灰色の鳥」。六月三日、「またまた、ヤマアラシ！　リス、灰色の鳥二羽、銀色がかった灰色の鳥」。六月四日、「三匹目のヤマアラシ！　リス、灰色の鳥」。六月五日には、クリスマス用の七面鳥ほどもある大きなカナダガンを射止めている。そのあと、六月九日には、最大のすばらしい獲物を捕らえた。「ヘラジカ！」と、彼は日記に記録している。天にものぼる心もちで、得意そうにハンターは戦利品をまえにして跪《ひざまず》き、意気揚々とライフルを頭上に突きあげて、その姿を写真に撮っている。ただ、喜悦と驚きのあまり、大きく口をあけて、顔を歪めていた。失業者がリノへ行って、スロットマシンで百万ドルの大儲けでもしたかのようだ。

マッカンドレスはリアリストだったから、土地があたえてくれるものを食べてやっていくには、どうしても猟鳥や猟獣をハンティングしなければならないことはわかっていたけれども、動物を殺すことについては、割りきれない気持ちをずっといだきつづけていた。ヘラジカを撃った直後には、その割りきれない気持ちは良心の呵責《かしゃく》へと変わった。ヘラジカは小さいほうで、たぶん、三百キロぐらいだったが、それにもかかわらず、肉は大量にあった。食用として撃ち殺した動物のどの部分でも無駄にしたら、道徳上弁明の余地がないと思い、殺したものが腐敗しないよう、マッカンドレスは六日がかりで苦労して保存処理をした。頭上にハエと蚊が無数に群がっているのもかまわず、獲物を解体し、内臓をシチュー鍋で煮て、それからバスの真下の土手で、岩がごろごろしているにもかかわらず、苦労して穴を掘り、そのなかで分厚く切った紫色の肉を燻製《くんせい》にして、保存処理しようとした。

アラスカのハンターたちは森で肉を保存するいちばん簡単な方法を知っていた。肉を細長く薄くスライスして、急ごしらえのラックで空気乾燥をするのである。ところが、マッカンドレスは馬鹿正直に、肉は燻製にするんだというサウスダコタのハンターたちのアドバイスを信じこんでいた。こういう状況では、簡単な作業ではなかった。「解体はきわめてむずかしい」と、彼は六月十日の日記に書いている。「ハエと蚊が群れをなしている。腸、肝臓、腎臓、片肺を切りとり、肉を分厚く切る。後肢と後部を川にもっていく」

六月十一日、「心臓ともう一方の肺を切りとる。前肢二本と頭部も。ほかのものを川へもっていく。穴の近くへ運ぶ。燻製にして保存しようとする」

六月十二日、「胸郭の半分を切りとり、肉を分厚く切る。作業ができるのは夜だけだ。燻製を作りつづける」

六月十三日、「胸郭の残り半分と肩肉と首肉を穴までもっていく。燻《いぶ》しはじめる」

六月十四日、「早くも蛆《うじ》だ！　燻製は効果がないらしい。まさか、こんなことになるなんて。失敗のようだ。ヘラジカを撃たなければよかったといまでは思っている。ぼくの生涯の最大の不運のひとつ」

そのとき、彼は大部分の肉の保存をあきらめ、死んだ獲物を狼たちにあたえた。捕らえた命を無駄にしたことで自らをきびしく責めたけれども、翌日には、いくらかさきの見通しがついたようだった。日記に、つぎのようなメモがある。「これからは、どんなに大きなミスでも、甘受できるようになるだろう」

ヘラジカの一件があってから間もなく、マッカンドレスはソローの『ウォールデン』を読みだした。ソローが食のモラルについて思案をめぐらしている「より高い法則」という表題の章に、マッカンドレスが強調している箇所があった。「私は魚を捕まえ、はらわたを取り、調理して食べたが、どうしてもそれらが栄養になったとは思われなかった。無意味なこと、無益なことであり、得たものよりも失ったもののほうが大きかった」

マッカンドレスは余白に「ヘラジカ」と書いた。そして、同じ一節に、彼は印をつけている。

肉食にたいする嫌悪は経験によるものではなくて、もって生まれたものである。粗末なものを食べて、質素に暮らすほうが、いろいろな点からして美しく思われた。それを実行に移したことはなかったが、実行できたらいいとは本気で思っていた。すぐれた才能とか詩的才能を最良の状態で維持しようと努めてきた人々は皆、とりわけ肉食や過食をつつしもうとしていたように思う……。

想像力に不快感をあたえないような、質素で新鮮な食品を用意し、調理することは困難である。しかし、肉体に食べものをあたえるときには、想像力にもあたえるべきだと思う。想像力も、肉体も、同じテーブルにつくべきである。それはいずれ実現するかもしれない。ほどほどに果物を食べていれば、食欲を恥じることもなく、もっとも価値ある仕事を中断することもないのである。しかし、料理に余計な香辛料を入れるのは、身体に毒だろう。

「そのとおりだ」と、マッカンドレスは書いている。その二ページあとには、「食べものにたいする意識。神経を集中して、食べたり、調理したりすること……神聖な食べもの」日記に使っていた本のうしろのページに、彼はこう宣言している。

ぼくは生まれ変わったのだ。これはぼくの夜明けである。ほんとうの人生がいまはじまったのだ。

じっくり考えた暮らし方。生活の基本にたいする意識的な注意と、身近な環境とそれに関連するもの、たとえば↓仕事、職務、書物にたいする絶え間ない注意。どれも、効果的な注意力の集中がもとめられる（状況には、なんの価値もない。価値があるのは、事態との折り合い方である。すべての真の意味は現象と個人との関係のなかにある。それが重要なのだ）。

食べものの偉大な聖性、生命の熱。

実証主義、なにものにも勝る生活美学の喜び。

絶対の真実と誠意。

リアリティ。

独立。

結末——安定——一貫性。

ヘラジカを無駄にしたことについては、気の咎《とが》めも徐々に薄らいでいき、五月中旬に味わった満足感がまたもどってきて、七月はじめには、その気分がずっとつづいていたように思われる。そのあと、この自然のただなかで、重要な二歩後退がはじまったのだ。

二か月間、孤独な荒野の生活で学んだことにどうやら満足したらしく、マッカンドレスは都会にもどることにした。「最後で最大の冒険」に幕をおろし、そろそろ人間の世界にもどる潮時だった。都会にもどれば、ビールをがぶ飲みできるし、哲学を語り、自分の体験談で見知らぬ人々を魅了することができるのだ。あくまでも意地を張りとおしたいという気持ち、両親のもとを離れていたいという気持ちを振りきって、彼は行動したようだった。ことによると、両親の欠点を許す心構えができていたのかもしれない。自分の欠点も、多少は許す気にもなっていただろう。マッカンドレスは、たぶん、帰宅しようとしていたのだと思う。

あるいは、そうではなかったかもしれない。森を出たあと、どうするつもりでいたかについては、こっちはただ推測するしかないのである。しかし、彼が出ていくつもりでいたことは疑いの余地はない。

彼は出発まえにやるべき事柄をリストアップして、一枚のカバの樹皮に書いた。「ジーンズのつぎ当て、ひげを剃ること！　荷物をまとめること……」その直後に、ミノルタを石油缶に立てかけ、黄色い使いすてカミソリを大げさに誇示して、カメラに向かってにやりとしている写真を撮っている。ひげをきれいに剃り、汚れたジーンズの膝には、軍用毛布から切りとった新しいつぎが当てられていた。元気そうだが、大丈夫かなと思われるほど痩せているように見える。すでに、頬が落ちくぼんでいた。首の腱《けん》がピンと張られた太索《ふとづな》のように目立っていた。

七月二日、マッカンドレスはトルストイの『家庭の幸福』を読みおえて、感動した何か所かに印をつけていた。

人生における唯一の確かな幸福は他人のために生きることだ、という彼の言葉は正しかった……。

私は長いこと生きてきた。そしていま、幸福のためには、なにが必要であるかがわかったような気がしている。必要なのは、人々のために役に立てるような田園での静穏な隠遁生活である。さらに必要なのは、人々に親切を尽くすのは簡単だ。親切にされることに馴れていないからである。さらに必要なのは、多少でも役に立ちそうな見込みのある仕事である。あとは、自然、書物、音楽、隣人への愛だ——そうしたものが、幸福というものの私の観念である。それから、なによりも必要なのは、たぶん、連れ合いと子どもへの愛だろう——人の心はほかになにを望むことができようか？

七月三日に、彼はバックパックを担いで、補修された道路までの二十マイルの距離を歩きはじめた。二日後、はげしい雨のなかを、途中にあるビーバーの池までやってきた。池はテクラニカ川の西の土手に近づくのを阻んでいた。四月には、どの池も結氷して、なんの障害にもなっていなかった。ところが、いまや、三エーカーの湖が出現し、小道が水没していたのである。それを目にして、驚いたにちがいない。底の見えない、胸まである深さの池を徒《と》渉《しょう》しなければならなかったが、彼はそれを避けて、急勾配の丘陵の斜面をよじ登り、池の北側を迂回して、丘陵をくだり、峡谷がはじまる川のところへもどった。

最初に川を渡ったのは、六十七日まえの四月であり、気温は氷点下、水温は冷たかったが、おだやかな膝までの深さのクリークであった。彼はただのんびりと歩いて渡った。七月五日には、しかし、テクラニカ川は雨とアラスカ山脈の高い氷河から解けだしてくる水を集め、流れは川幅いっぱいまで広がり、冷たい急流と化していた。

対岸へたどり着きさえすれば、ハイウェイまでのあとの道程は簡単だっただろう。ところが、そのためには、幅百フィートほどの水路を渡らなければならなかった。氷河の沈殿物で水は濁り、つい最近まで氷だった水は氷点より数度温かいだけで、濡れたコンクリートのような色をしていた。渡河するには深すぎたし、貨物列車のような音を立てて流れていた。はげしい流れにたちまち足をすくわれ、運びさられるだろう。

マッカンドレスは泳ぎが苦手で、事実、水が恐いと何人かに告白している。感覚がなくなるほど冷たい奔流を泳ごうとしたり、あるいは急ごしらえの筏《いかだ》のようなもので漕《こ》ぎわたろうとするのは、あまりにも危険で、考えられなかったようである。小道とテクラニカ川がちょうどぶつかるあたりで、とつぜん川ははげしく荒れ狂いはじめ、白く泡立ち、流れを速めて、狭い峡谷を通りぬけた。対岸にむかって泳いだり、漕ぎわたろうとすれば、たちまちその急流に呑まれて、溺れてしまうだろう。

彼は日記に「大失敗だ……雨で、川が増水している。渡るのは不可能のように見える。寂しく、恐ろしい」そういう状況下で、その場所からテクラニカ川を渡ろうとすれば、押し流されて、命を落とすことになると結論をくだしたのは正しい。それは自殺行為であり、まったく選択の可能性はなかった。

マッカンドレスが一マイルばかり上流へ歩いていれば、川幅は広くなり、迷路のような網目状の水路になっていることがわかっただろう。試行錯誤しながら、注意深く偵察すれば、それらの網目状の水路で、胸までの深さしかない場所が見つかったかもしれない。流れの勢いは強かったから、まちがいなく足をすくわれただろうが、下流に流されながら、犬かきをしたり、川底をぴょんぴょん跳んだりして、峡谷まで押し流されることも、低体温に屈することもなく、渡ることができそうな気がした。

だが、それはやはりきわめて危険な考えだっただろう。あの時点では、マッカンドレスはそんな危険を冒さなくてもよかったのだ。あの土地でみごとに自活していたのである。辛抱強く待っていれば、川は結局、安全に渡ることができる水位までさがってくる。たぶん、そのことを知っていたにちがいない。したがって、彼はどう行動すべきかじっくり考えたうえで、もっとも安全なコースを決定した。

そして、向きを変え、バスのある西の方角、気まぐれな森の中心のほうへと歩きはじめたのだった。

第十七章　スタンピード・トレイル

ここでは、自然は美しいけれども、なにか荒涼としていて、恐ろしかった。私は歩いている土地を畏怖をもって眺め、神がそこになにを創られたか、その形や様式や素材を確かめた。これはいわゆる混沌と古代の闇から創られたあの大地だった。ここには、人間の園はない。ただ、創世を祝福されなかった世界があるだけだ。ここは芝生でも、放牧地でも、牧草地でも、森林でも、草原でも、耕地でも、不毛の土地でもなかった。地球という惑星の出来立ての自然そのままの表面であった。それは永遠なものとして創られたのだ――私たちに言わせれば、人間の住み処《か》となるために――造物主はそのように大地を創られたのである。利用できれば、人間が利用してもさしつかえないものだ。人間は大地と一体となることはできなかった。それは物質であり、広大な、恐ろしいものである――いわゆる母なる大地でもなく、人間が歩くためのものでも、埋葬をするためのものでもなかった――いや、遺体をそこに葬ることさえ厚かましすぎるのだ――大地は必然性と宿命の住まいである。人間にたいしてかならずしもやさしいとはかぎらない力が存在していることが、はっきり感じられた。ここは異端と迷信深い儀式の場所であった――私たちより岩や野生動物に近い人々が住むべき場所だった……地球のどこか表面、その本来あるべき場所でなにか堅固な事物を目のあたりにするのにくらべれば、博物館に入って、無数の珍しいものを見物することに、どれだけの意味があるだろうか！　私は自分の肉体を恐れうやまっている。自分を束縛しているこの物質が、ひどく奇妙なものに思えてきたのである。霊魂も、幽霊も恐くはない。私もそのうちのひとりだ――肉体もそうかもしれない――しかし、人間の肉体は恐ろしいと思っている。それらに出会うと、不安に駆られるのだ。私を所有下においているこの巨人は、いったい何者なのか？　まったく謎だらけだ！　自然のなかでの暮らしを考えるがいい――毎日、事物を目のあたりにし、それと触れ合うのだ――岩や木々や頬をなでる風と！　堅固な大地と！　現実の世界と！　共通感覚と！　触れ合うがいい！　触れ合うのがいいのだ！　私たちは何者なのか？　私たちはどこにいるのか？

ヘンリー・デイヴィッド・ソロー
『クタードン山』

クリス・マッカンドレスがテクラニカ川の渡河をあきらめてから、一年と一週間後、私は対岸の土手に立っていた――ハイウェイがある東側である――そして、逆巻く水を見つめていた。やはり、川を渡りたいと思っていたのだ。バスのところまで行きたかった。事情をもっとくわしく知りたくて、マッカンドレスが亡くなった場所を見たかったのである。

暑くて、じめじめした午後。川は雪塊氷原からどんどん解けだしてくる水で土色に変わっていた。アラスカ山脈の高所の氷河では、一面まだ雪におおわれている。今日の川はマッカンドレスが一年まえに撮った写真とくらべて、かなり水位がさがっているように見えるが、真夏に、轟々《ごうごう》と音を立てている激流をここで渡ろうとすることは考えられない。流れがあまりにも深くて、冷たくて、速すぎるのだ。テクラニカ川にじっと目を凝らしていると、ボウリングのボール大の岩がはげしい急流に流され、ゴロゴロ音を立てて川底を下流へ転がっていくのがわかった。土手を離れて数ヤードも行かないうちに、私は足をすくわれ、すぐ近くにある峡谷へと押し流されるだろう。峡谷によって、川は滾《たぎ》りたつ激流へと変わり、それが五マイルほどつづいている。

しかしながら、マッカンドレスとちがい、私のバックパックには、六三三六〇分の一の地形図（つまり、一インチが一マイルに相当する地図）が入っていた。すばらしく精密な地図で、半マイル下流の狭い峡谷に、アメリカ地質調査所によって設けられた測点のあることが記載されていた。やはりマッカンドレスとちがい、私はここに三人の仲間といっしょにきていた。アラスカの地元の人たちで、ローマン・ダイアル、ダン・ソリー、ローマンの友人のカリフォルニア出身のアンドリュー・リスケである。測点は、スタンピード・トレイルが川へくだっていくところからは見ることができない。だが、二十分間、苦労して進路を切りひらき、トウヒと矮性《わいせい》のカバが入りみだれて茂っている場所をぬけると、ローマンが大声をあげた。「あった！　あそこだよ！　百ヤードさきだ」

行ってみると、峡谷の入口に太さ一インチのケーブルが、川のこちら側にある高さ十五フィートのやぐらと、四百フィート向こうの対岸の、露出した岩の間にぴんと張りわたされている。ケーブルは一九七〇年に、テクラニカ川の季節的な水位の変動をグラフにするために架けられたのである。水文学者《すいもんがくしゃ》は滑車でケーブルに吊られているアルミのゴンドラを使って、川のうえを行き来したのだ。学者たちはゴンドラから錘《おもり》のついた紐をたらし、水深を測ったのだろう。測点は九年まえに、資金不足で使われなくなっていた。その際、ゴンドラは鎖でつながれ、川のこちら側――ハイウェイ側――のやぐらに固定されることになった。私たちはやぐらに登ったが、ゴンドラはそこになかった。急流の向こう側に目をやると、峡谷の対岸――バスのある側――にあった。

地元のハンターたちがチェーンを切断し、ゴンドラに乗って渡河し、対岸に固定したことがわかった。余所者《よそもの》がテクラニカ川を渡り、彼らの領域に侵入するのを困難にしていたのだ。一年まえの先週、マッカンドレスが森から出ようとしたとき、ゴンドラは現在と同じ場所、峡谷の自分のいる側にあった。それを知っていれば、テクラニカ川を無事に渡ることなどたいした問題ではなかっただろう。しかし、地形図が手元になかったので、彼には救われる道がすぐ近くにありながら、気づきようがなかったのである。

ウッドスン・ハイスクールのクロスカントリーのチームメイト、アンディー・ホロヴィッツは感慨をこめて、こう言っている。クリスは「生まれてくる世紀をまちがえたんだ。彼は現代社会で許されている以上の冒険と自由をもとめていた」と。アラスカにやってくる途中で、マッカンドレスは地図上の空白地を発見し、地図に記載されていない地域を放浪したがっていた。だが、一九九二年には、地図上の空白地は、アラスカにも、どこにもなかった。ところが、クリスは奇妙な理屈で、このジレンマにたいするみごとな解答を見つけだしていた。きっぱりと地図を捨てたのである。ほかのどこにも空白地がないとしても、地図を捨てることによって、彼の頭のなかでは、大地は未知のまま残っているわけだ。

精密な地図をもっていなかったので、川に張りわたされているケーブルのことも、彼はやはりずっと気づかずにいた。テクラニカ川の激流を念入りに調べながら、マッカンドレスはこうして判断をあやまり、東岸に着くことは不可能だと結論したのだった。帰路が遮断されたと思いこみ、バスに引きかえした――地形を知らなかったとすれば、それは妥当な行動である。しかし、そのあと、なぜバスにとどまって、餓死したのだろうか？　八月になってから、なぜもう一度テクラニカ川を渡ろうとしなかったのか？　そのころには、水位はかなりさがり、安全に浅瀬を徒渉できただろう。

こうした疑問がわき、どうしても解けないまま、私はフェアバンクスの１４２番バスの錆びた残骸からなにか手がかりがえられるかもしれないと思っていた。しかし、バスまで行くのに、私もまた川を渡らなければならない。ところが、アルミのゴンドラはいまだに対岸に鎖でつながれていたのだ。

私はケーブルの東端をつなぎ留めているやぐらのうえに立って、ロッククライミングの用具でケーブルに自分を結びつけ、登山家たちがチロリアン・トラヴァースと呼んでいるやり方で、腕を伸ばしては手繰りよせ、腕を伸ばしては手繰りよせながら渡りはじめた。これには、予想以上の努力を要することがわかった。渡りはじめてから二十分後に、ようやく対岸の露出した岩のうえへたどり着いた。くたくたに疲れきり、ひどく体力を消耗して、腕もほとんどあげられなかった。やっとひと息ついて、それからまた、ゴンドラ――幅二フィート、長さ四フィートの長方形のアルミのゴンドラ――に乗りこみ、鎖を切って、仲間を渡すために、峡谷の東側へ引きかえしはじめた。

ケーブルは川の真ん中あたりで、はっきりとそれとわかるほど弛《ゆる》んでいた。そのために、露出した岩から切りはなすと、ゴンドラはそれ自体の重みで加速していき、いちばん低いところをめざして、ケーブル上の滑車の回転がどんどん速くなっていく。スリル満点だった。急流のうえを時速二、三十マイルのそうとうなスピードで突っ走っていき、私は思わず恐怖の叫び声をあげていたが、べつに危険ではないと気づいて、冷静さをとりもどした。

四人全員が峡谷の西側に渡ったあと、三十分間、難渋《なんじゅう》しながら森のなかを歩きまわり、結局はスタンピード・トレイルにもどってきた。これまで歩いてきた十マイルは――車を停めた場所から川までの道――なだらかで、わかりやすくて、比較的多くの人が通っていた。しかし、このさきの十マイルはまったく様子がちがっていた。

　春と夏には、テクラニカ川を渡る者の数はごくわずかだから、道の大部分は藪に覆われて、はっきりしなくなる。川を越えてすぐに、道は南西にカーブし、流れの速いクリークの川底をさかのぼっていく。ビーバーがクリークに網の目のように作っている精巧なダムのせいで、三エーカーほどの広さが水浸しになっていて、道はそこをまっすぐ突っきっているのだ。ビーバーの池はせいぜい胸までの深さしかなかったが、水は冷たかった。全員がバシャバシャ音を立てて進んでいくと、底の泥がかきまわされ、腐敗したヘドロが悪臭を放った。

　小道はいちばん上流にある池を越えたところで、丘をのぼっていき、やがて曲がりくねった岩だらけのクリークの川底とふたたびいっしょになり、そのあと、もう一度密生している雑木のなかを登っていった。進むのにとくべつ苦労することはなかったが、高さ十五フィートのハンノキがからみ合うように繁茂し、それが両脇から迫ってきていたから、あたりは薄暗く、閉所恐怖症を起こさせるような感じで圧迫してくる。むしむしと暑く、蚊の群れがとつぜん現われる。蚊の鋭い羽音は数分おきに、遠雷のとどろきにかき消された。タイガの地平線上に壁のようにそびえたつ黒い入道雲のあたりで、ゴロゴロ鳴っていたのだ。

　アメリカヤマタマガサの茂みで、私は向こうずねに斜め模様のかき傷を作った。道に大量のクマの糞があり、ある場所には、グリズリーのあたらしい足跡がいくつかあって、不安に駆られた――足跡は九サイズのブーツの足跡の一・五倍である――誰も銃を携行していなかった。「おーい、グリズリーよ！」鉢合わせしないように、私は下草に向かって叫んだ。「おーい、クマよ！　さあ、通りすぎるぞ！　腹を立てるな！」

この二十年間に、私は二十回ほどアラスカにやってきていた――山に登ったり、大工やサケ漁師やジャーナリストとして働いたり、仕事をずるけて、ぶらぶらしたりしていた。その間、多くの時間をひとり田舎で過ごし、たいていはその場所が気に入った。実際、私はこのバスを訪ねる旅も単独でするつもりでいたのだ。友人のローマンがほかのふたりをつれて押しかけてきたので、迷惑に思っていたのである。いまは、しかし、彼らがいっしょにきてくれたことを感謝している。生い茂る草におおわれたこのゴシック風の景色には、なにか不穏なものがあった。ほかの、私が知っているアラスカの辺鄙な場所にはない敵意が感じられたのだ――ブルックス山脈の一面氷にとざされた斜面、アレグザンダー諸島の雲霧林、デナリ中央山塊の強風にさらされている凍った高地でさえ、これほどではない。私はここへ単独でやってこなくて、よかったと思っている。

午後九時、私たちは小道のカーブを曲がった。そこにすこし開けた場所があり、その端にバスがあった。ピンク色のダンドボロギクが固まって生えていて、車軸のうえまで伸び、バスのホイールを隠している。フェアバンクスの142番バスはひと群れのポプラのかたわらに停められていた。十ヤードさきには、ちょっとした崖があり、スーシャナ川の合流点と細い支流を見おろす高台の行きどまりになっている。広々としていて、陽当たりもよく、魅力的な場所である。マッカンドレスがここをベースキャンプにした理由はよくわかる。

私たちはバスからすこし離れたところで足をとめ、しばらく黙りこくって、バスをじっと眺めていた。ペンキが白っぽく色褪せ、剝離《はくり》している。窓ガラスが何か所かなくなっていた。何千ものヤマアラシの針の間に、何百もの細い骨がばらまかれ、バスの周囲の開けた場所に散乱している。小さな猟鳥の残骸で、マッカンドレスの主食になったのである。この墓場の周辺に、ひどく大きな骨が一個だけあった。彼が射止めたヘラジカの骨で、その後、彼はこのことで心を痛めていた。

ゴードン・サメルとケン・トンプソンがマッカンドレスの遺体を発見し、しばらくして、私が彼らから話を聞いたとき、大きな骨はカリブーのものである、と二人は主張した――頑固に、きっぱりと――そして、殺した動物をヘラジカと思いこんでいた未熟者の無知を嘲笑った。「狼が骨を散らしたんだ」と、トンプソンは言った。「だが、カリブーであることはまちがいない。若いのは自分がやっつけた相手を知らなかったのさ」

「あれはたしかに、カリブーだった」と、サメルは軽蔑するように甲高い声で言った。「奴がヘラジカを撃ったつもりでいたことを新聞で読んで、アラスカの人間じゃないとすぐにわかった。ヘラジカとカリブーはひどくちがう。実際、まったくちがうんだ。そんな区別もつかないようじゃ、かなりの間抜けにちがいない」

私は数多くのヘラジカやカリブーを仕留めてきたアラスカのベテラン・ハンター、サメルとトンプソンの話を信じて、〈アウトサイド〉誌の記事では、マッカンドレスの思いちがいだったとはっきり書いた。それによって、マッカンドレスはとんでもない準備不足であったとか、彼にはいかなる荒野にも、ましてや最難関の人跡未踏の荒野に入っていく資格はないという数多くの読者の意見が寄せられた。アラスカから投書してきたひとりなどは、こんな見方をしている。マッカンドレスはただ単に間抜けだったから、死んだのではない。「自分では冒険だと言っているが、その範囲は哀れに思えるほどちっぽけなもので――ヒーリーから数マイルのところにあるバスの残骸のなかに居座って、カケスやリスを撃ったり、カリブーをヘラジカとまちがえたりしていただけのことだ（まちがえることなどめったにない）――この若者にふさわしい言葉は、無資格者のひと言である」

私は実際、マッカンドレスへの非難の投書を受けとったが、それらのすべてが、僻地で生きていくうえで、彼には基本的な知識がなかった証拠として、カリブーの誤認をあげていた。ただ、憤慨している投書家たちには知らなかった事実があり、マッカンドレスの撃った有蹄《ゆうてい》動物はまさしく彼が言っていたものだったのである。〈アウトサイド〉誌に私が書いた内容とは逆に、動物はヘラジカであった。骨を詳細に調べたうえで、いまではそういう結果が出ているし、後に、数枚の獲物の写真によって確認され、それは疑う余地がなかった。若者はスタンピード・トレイルでいくつかミスを犯しているが、ヘラジカについては、カリブーと混同するミスは犯していなかった。

ヘラジカの骨がある場所を通りすぎ、私はバスに近づいて、後部の非常口からなかに入った。ドアのすぐそばに破れたマットレスがあった。汚れて、形が崩れている。そこで、マッカンドレスは息を引きとったのだ。マットレスのカバー地に彼の所持品がならべられているのを目にして、なぜか、私はぎょっとした。グリーンのプラスチックの食器。浄水錠剤の小ビン。リップクリームの使いきったチューブ。軍の放出品をあつかっている店で売られているような防寒用のフライトパンツ。本の背が壊れている、ベストセラーのペーパーバック『オー、エルサレム!』ウールのミトン。防虫剤マスコルのビン。いっぱい詰まっているマッチ箱。横に黒のインクで薄くガーリエンと名前が書かれている茶色のゴムの作業ブーツ。

窓ガラスがないのに、バスの内部は、洞窟のように空気がむっとしていて、かび臭かった。「ワーッ」と、ローマンが声をあげた。「このなかは、鳥の死骸の臭いがするな」すぐに、私は臭いの元を突きとめた。ポリ袋に、何羽かの鳥の羽根と綿毛と切断された翼が詰めこまれていたのだ。どうやら、マッカンドレスは衣服を防寒用にするか、あるいは羽根枕でも作ろうとして、それらを溜めこんだらしい。

バスの前部のほうには、灯油ランプのかたわらにあるテーブル代わりのベニヤ板に、鍋と皿が積み重ねられていた。革の長い鞘《さや》には、R・Fのイニシャルがみごとな手並みで細工されている。ソールトンシティを去るとき、ロナルド・フランツからもらったマチェーテの鞘だった。

ブルーの歯ブラシが残っていて、その横に、半分ほど使われたコルゲート歯磨きのチューブ、デンタルフロスの袋、臼歯の金冠がある。日記によれば、金冠は、滞在三週間目に取れたものである。数インチ離れたところに、西瓜《すいか》ほどの頭骨があり、白くなった上顎骨《じょうがくこつ》から太い象牙色の牙が突き出している。クマの頭骨で、マッカンドレスがここをねぐらにする何年かまえに、バスに立ち寄った何者かが仕留めたグリズリーの骨であった。頭骨を貫通している弾丸の穴を括弧《かっこ》でくくるように、クリスがきちんとした文字でメッセージを書いていた。「クマの霊に幸いあれ。ぼくたち全員のなかにある獣性。一九九二年五月、アレグザンダー・スーパートランプ」

見あげると、バスの金属板の壁は、ここ数年間に立ち寄ったおおぜいの者たちが書き残していった落書だらけであることに気づいた。ローマンは四年まえにアラスカ山脈を縦走し、バスに滞在したときにしたためたメッセージを指し示した。「クラーク湖へ向かう途中で、ヌードルを食べている者、一九八九年八月」ローマンのように、ほとんどの者は名前と日付を走り書きしている程度だった。いちばん長くて感銘深い落書は、マッカンドレスが書いたものである。それは喜びの宣言であり、彼の大好きなロジャー・ミラーの歌への共感からはじまっている。「二年間、彼は地球を歩いている。電話もなく、プールも、ペットも、タバコもない。窮極の自由。極端な人間。路上が住居の美の旅人……」

この宣言の真下に、錆びた石油缶で作ったストーブがうずくまっていた。十二フィートのトウヒの丸太がその開かれた入口にむりに押しこまれ、丸太には破れたリーバイスが二本かけられ、乾かそうとしていたかのように広げられている。一本のジーンズ――ウェストサイズ三十、股下サイズ三十二――には、銀色の配管用テープのつぎが無造作に当てられている。もう一本のほうはもっと丁寧に、色褪せたベッドカバーの切れっぱしで膝と臀部《でんぶ》の大きな破れ目がつくろわれていた。このジーンズのベルトは、毛布を細長く切って作ったものだった。ズボンがずり落ちてしまうほど痩せてしまったので、やむなく自分で作ったのだろう。なんとなくそんな気がした。

ストーブの向かい側にあるスチール製の簡易ベッドに腰をおろし、不気味なその場の様子をじっと眺めた。私の視線がとまるところには、かならずマッカンドレスのいた証拠があった。こっちには爪切りがあり、向こうにはグリーンのテントが前部のドアのガラスのない窓に張られている。Ｋマートのハイキングブーツがストーブのわきにきちんとそろえられている。すぐに紐を締めにもどってきて、いまにも小道を歩いていきそうだ。自分が侵入者、つまり、マッカンドレスがちょっと留守にしている間に、ベッドルームへ忍びこんだのぞき趣味の男のようで、落ち着かなかった。とつぜん、気分が悪くなり、私はバスからよろめき出て、川沿いを歩き、新鮮な空気をすこし吸った。

一時間後、私たちは日が暮れていく戸外で焚火をした。すでに風はやんでいたが、雨まじりの突風であたりの靄《もや》はすっかり吹きはらわれていた。遠くの丘陵に逆光があたり、細部まではっきりと見える。北西の地平線にある雲の下では、夕焼け空が細長く輝いている。ローマンは去年の九月にアラスカ山脈で撃ち殺したヘラジカの肉の包みをひらき、黒ずんだグリルのうえに載せて焼いた。マッカンドレスが獲物を焼くときに使っていたグリルである。ヘラジカの脂肉ははじけ、ジュージュー音を立てて、黒くなった。手づかみですじの多い肉を食べながら、私たちは蚊をピシャッと叩いたり、会ったこともない風変わりな人物について語り合って、この失敗の顚末をしっかり把握しておこうとしたり、ここで死んだことで、ひどく彼を軽蔑しているらしい人々がいるけれども、その理由を理解しようとしたりした。

マッカンドレスは故意に不十分な食糧しかもたずにここへやってきたのだ。多くの地元民には必携と考えられている装備でも、携帯していないものがいくつかあった。つまり、大口径のライフル、地図とコンパス、斧である。これはただ単に愚かというだけでなく、もっと罪深い傲慢の証と見なされていた。批判している人々のなかには、北極地方でいちばん不名誉な悲劇的人物、独善と傲慢から自分自身と約百四十人の部下を死に追いやった十九世紀のイギリス海軍将校ジョン・フランクリン卿とマッカンドレスとの類似点をあげている者もいた。

一八一九年、イギリス海軍省はカナダ北西部の原野探検隊の隊長にフランクリンを任命した。イギリスを出発してから二年、少人数の一行が広大なツンドラを重い足どりで進んでいたとき、冬が到来した。あまりにも広く、住民もまったくいないところだったから、彼らはそこをバレンスと命名し、いまでも、その地名で知られている。一行の食糧は尽きていた。猟獣はほとんどいなくて、フランクリンと部下たちは玉石から掻きとった地衣類を食べたり、鹿革を焼いて食べたり、動物の骨をしゃぶったり、自分の革のブーツを食べたりして生きのび、最後には、やむなく仲間の人肉を食べた。試練が終わるまでに、すくなくとも二人が殺され、食べられた。殺人の疑いをかけられた者はその場でただちに処刑され、ほかの八人は病気と飢えに倒れた。フランクリン自身、ほかの生存者たちとともに、フランス人とアメリカ先住民の混血児に助けられたときには、あと一日か二日の命だった。

物腰のやわらかなヴィクトリア朝の紳士フランクリンは、へまをやらかした好人物、子どもじみた単純素朴な理想に燃えながら、田舎者を軽蔑し、その知恵を身につけようとしなかった頑固な愚か者だと噂された。お粗末なことに、北極地方探検隊の隊長になる器ではなかったのである。イギリスに帰還すると、彼は靴を食った男として有名になった――けれども、そのニックネームは、冷やかしよりも畏怖とともに口にされることのほうがはるかに多かった。彼は国民的な英雄として迎えられ、海軍省の計らいで大佐に昇進し、苦しい体験談を本に書いて、大金を懐にし、一八二五年には第二次北極地方探検の命令を受けた。

その旅は比較的平穏無事だったが、一八四五年には、いよいよ伝説的な北西航路を発見しようとして、フランクリンは三たび北極地方へもどるというミスを犯した。彼と百二十八名の部下は、二度と非難されることはなかった。派遣された四十人余の捜索隊が発見した証拠によって、全員が壊血病と飢えと言語に絶する苦難のために死んでいったことが裏づけられたのである。

マッカンドレスが遺体で見つかったとき、彼はそのフランクリンに擬せられたのだ。ただ、ふたりとも餓死したというだけでなく、なくてはならぬ謙遜の心がけが足りなかったと考えられたからである。大地への敬意が不十分だったという気がするのだ。フランクリンの死後一世紀、高名な探検家ヴィルヒャウルマー・ステファンスンは、アメリカ先住民やイヌイットたちが実践していたサバイバル法を、イギリス人探検家がけっして学ぼうとしなかった点を指摘している――フランクリンが落命した同じ苛酷な土地で、「何代にもわたって、子どもを育て、老人の世話をして」、元気に生きてきた人々である（アメリカ先住民やイヌイットたちもやはり多数が、北の土地で餓死していることについては、ステファンスンは意識的に目をつぶって言及していない）。

マッカンドレスの傲慢は、しかしながら、フランクリンとは同種のものではなかった。フランクリンにとって、自然は敵対者であり、力や優秀な家系やヴィクトリア朝の秩序にかならず服従するものと見なしていた。大地と協調して生きていくのでもなく、土着の人間たちのように食べものを土地に依存することもなく、彼は役に立たない軍隊の道具と伝統を頼りに北の環境から自らを孤立させようとしたのである。これに反して、マッカンドレスはそれとは逆の極端に走った。彼は完全に土地のものを食べて生きていこうとしたのである――しかも、大事なサバイバル法をあらかじめしっかり身につけようともしないで、それを実行に移そうとした。

とはいえ、準備不足だとしてマッカンドレスを酷評すれば、たぶん、問題点を見落とすことになるだろう。彼は未熟なうえに、自らの回復力を過信していたが、才覚と五キロの米程度で十六週間も耐えたわけだから、けっこう知恵をもちあわせていたのだ。森に入っていくときには、危険を十分承知しつつ、自らにミスを犯す余地をあたえていたのである。なにが賭けられていたかも、正確に把握していた。

年長者たちには無謀とも見える楽しみに若者たちが惹きつけられるのは、さして珍しいことではない。危険な行動に出るのは、ほかの多くの行動と同様、私たちの文化における通過儀式である。危険はつねに確かな魅力をもっている。こんなに多くのティーンエージャーたちが車を暴走させたり、大酒を飲んだり、ドラッグにふけったりする理由も、大部分はそれであり、だから、国家が新兵を募って、若者たちを戦場へ送るのも、いつだって簡単なのである。若者の勇敢な行動は事実、進化論的にも適合しているし、遺伝子にも組みこまれていることは立証できる。マッカンドレスはマッカンドレスなりに、ただ限界と思われるところまで危険を冒そうとしたにすぎない。

彼はさまざまに自己を試したいと思っていたのだ。「それは重要だよ」と言うのが、口癖だった。彼は大きな精神的野心をいだいていた——崇高な、と言う者もあるだろう。マッカンドレスが信じていた精神主義からすれば、成功が保証されている挑戦は挑戦でもなんでもなかった。

冒険に惹かれるのは、なにも若者だけにかぎらない。ジョン・ミュアはもともと現実的な自然保護主義者、環境保護団体シエラ・クラブの初代会長として記憶されているが、同時に、勇敢な冒険家、山頂や氷河や滝をよじ登る豪胆な男でもあった。よく知られている彼の挑戦のなかには、一八七二年にカリフォルニアのリッター山に登ろうとして、転落死しかけたというハラハラさせられる話もある。ほかにも、猛烈なシエラの強風に耐えぬいたこと、それもよりによって、百フィートのアメリカマツのてっぺんの枝のうえで耐えぬいたことを、ミュアは熱っぽい調子で書いている。

これまで、こんなに興奮する運動を思う存分楽しんだことはなかった。上の細い枝はかなり垂れさがり、はげしい風のなかでヒューヒュー音を立て、前後にたわみ、ぐるぐる回り、垂直と水平の曲線の名状しがたい組み合わせを描いている。その間、私はアシの茂みのコメクイドリのように、筋肉をぎゅっと引きしめて、しがみついていた。

彼は当時、三十六歳だった。ミュアだったら、マッカンドレスのことをとんでもない変わり者だとか、不可解な人間だとかは考えなかったのではないかと思う。真面目で神経質なソローは「コンコードをあちこち旅した」だけでもう十分だときっぱり宣言していたが、そんな彼でさえ、十九世紀のメイン州のもっと恐ろしい荒野を訪ねずにはいられなくなり、カターディン山に登っている。頂上の「荒涼とした、恐ろしいけれども、美しい」峰への登攀は衝撃的な体験、驚きの体験であった。それはまた、めまいをおぼえるような畏怖の念をも引きおこした。カターディン山の高い花崗岩《かこうがん》のうえで経験した感動は、彼のいくつかの力作にインスピレーションをあたえ、粗野な飼いならされていない大地にたいする彼のその後の考え方に深い影響をおよぼしている。

ミュアやソローとちがい、マッカンドレスが荒野に入っていったのは、主として、自然や世界についてじっくり考えるためだった。というより、自分自身の魂の内部への探検でもあった。そして、すぐに気づいたことがある。しかし、ミュアやソローたちはとっくに気づいていたことで、それは荒野に長い間滞在していれば、とうぜん、人の注意は内部と同様、外部にも向けられるということである。土地とそこに存在するものにたいする緻密な理解と感情的な強い絆を同時に広げていかなければ、その土地があたえてくれるものを食べて生きていくことはできないのだ。

マッカンドレスの日記に書かれたものには、荒野に関する抽象概念はすくない。さらに言えば、どのような種類のものであれ、思索的な内容はすくないのである。周辺の風景の記述がわずかにあるだけだ。実際、ローマンの友人アンドリュー・リスケは日記のコピーを読んで、「ここに記されているのはほとんど全部、食べたものだ。食べもののほかは、なにも書かれていないに等しい」と指摘している。

アンドリューは誇張しているわけではない。日記はほぼ、採集した植物と殺した獲物の記録だけである。しかしながら、このことから、マッカンドレスには周辺の土地の美しさがわからなかったとか、風景の活力に心を動かされなかったとか結論をくだすのは、たぶん誤りだろう。生態学者ポール・シェパードは、こんなことを述べている。

遊牧民のベドウィンは風景を愛《め》でることはないし、風景画も描かない。あるいは、実用的でない自然誌を編集することもない……その暮らしは、自然との交流に深く根ざしているために、抽象概念とか、美の哲学とか、実際の生活と切り離せるような「自然哲学」の入りこむ余地はない……自然とベドウィンの関係はまことに重要な問題であり、しきたりと神秘と危険によって規定されている。ベドウィンの個人的な余暇は、くだらない気晴らしに向けられることはなく、自然の歩みをみだりに変えることもけっしてない。ベドウィンの生活に組み入れられることは、自然の歩みの存在、大地、予測不可能な天候、生きていくことのきびしさに気づかされることである。

スーシャナ川のかたわらで数か月間過ごしていたマッカンドレスについても、ほぼ同じことが言える。

クリストファー・マッカンドレスを感受性の鋭いとくべつな若者とか、本を読みすぎてすこし頭のおかしくなったまったく常識のない若者とか、そういった類型に当てはめることは簡単だろう。しかし、ぴったり当てはまらないのである。彼は無責任な怠け者ではなかったし、さ迷っても、途方に暮れてもいなかった。実存的な絶望におちいって、苦悩してもいなかった。それどころか、彼の生活は実に有意義で、目的もしっかりしていた。けれども、彼が存在からむりに引きだした意義は、快適な道とは程遠いものであった。簡単に手に入るものに価値があるとは思えなかった。彼は自分にたいしてきびしかったのである——結局は、能力以上のものを自分に要求していた。

マッカンドレスの特異な行動を解釈しようとして、なかには、ジョン・ウォーターマンのように、背が低く、「チビであることにコンプレックスをいだいて」悩んでいたという事実を重要視する人々もいる。根本的な自信のなさから、極端な肉体的挑戦へと走り、そうすることで男らしさを立証しようとしたというわけだ。ほかにも、彼の命がけの冒険旅行の根底には、エディプス・コンプレックスがあり、それがずっと心のなかで葛藤していたと見ている人々もいる。どちらの仮説にも多少の真実があるとはいえ、死後におこなわれるこの種のありきたりの精神分析はうさん臭くて、きわめて不確かなものである。それは俎上《そじょう》にのせられている故人の品位を落とし、平凡化せずにはおかない。クリス・マッカンドレスの奇妙な精神の遍歴を精神疾患のせいにし、それらを適当に数えあげても、たいして意味のあることでないのは明らかである。

ローマンとアンドリューと私は残り火をじっと見つめて、夜おそくまでマッカンドレスのことを話し合った。好奇心旺盛で、ずばずば物を言う三十二歳のローマンは、スタンフォード大学で生物学の博士号をとっていた。そして、一般通念をけっして信じようとしなかった。マッカンドレスと同じワシントンＤＣの郊外で思春期を過ごし、そこが窮屈きわまりない場所であることを知っていた。九歳のとき、はじめてアラスカにやってきて、ウシベリの炭坑で働いていた三人の叔父を訪ねている。ウシベリはヒーリーから東へ数マイルのところにある大きな露天鉱で、たちまち彼は、北の大地にすっかり魅せられてしまった。その後、数年間、四十九番目の州に何度ももどってきている。一九七七年、十六歳でハイスクールをクラス一番の成績で卒業したあと、彼はフェアバンクスへ引っ越し、アラスカを永住の地と定めた。

現在ローマンはアンカレッジのアラスカ・パシフィック大学で教鞭《きょうべん》をとり、長いこと奥地への無謀な冒険旅行をつづけてきたことで、アラスカでは名が知られ、当人もそのことを喜んでいる。彼は全行程千マイルのブルックス山脈を徒歩と櫂で旅し、冬の氷点下の寒気のなかをスキーで国立北極野生動物保護区を二百五十マイル横断し、アラスカ山脈の尾根を七百マイル縦走して、人に先駆けて北の山々の頂上と険しい岩山を三十一座以上登っている――偉業はそれだけではないが。ローマンは広範な尊敬をえている自分の行為とマッカンドレスの冒険との間にさほど大きな差異はないと見ている。ただ、マッカンドレスは不運にも命を落としただけだった。

私はマッカンドレスの思いあがりと彼が犯した愚かなミスをあげつらっている――簡単に避けられた二、三のしくじりで、結局、彼は命を落としたのだ。

「たしかに、たいへんなへまをしでかしたよ」と、ローマンが応じた。「だけど、彼がやろうとしたことには感心しているんだ。あのように何か月も、土地があたえてくれるものだけを食べて生きていくなんて、なかなかできることじゃない。私にはそんな経験は一度もない。マッカンドレスを無資格者呼ばわりしている連中のなかで、同じような経験をした者がたとえごく少数いるにしても、せいぜい一週間か二週間程度だろう。長期にわたって内陸部の森で暮らし、猟や採取したものだけで生きていくことが、実際どれほど難しいことか、ほとんどの人々はまったくわかっていない。だけど、マッカンドレスはそれをあらかたうまくやってのけたんだ。私はつい自分と彼を重ねあわせて見てしまっているような気がするよ」とローマンは枝木で燃えさしをかきたてながら言った。「自分としては認めたくないんだが、私も同じような窮地におちいりかけたことがあってね。それも、そんなに何年もまえのことじゃないんだ。私が最初にアラスカへ出発したときには、たぶん、マッカンドレスにひどくよく似ていただろうと思う。まさに未熟なところも、熱意に燃えていたところも。彼を批判している多くの人々もふくめて、アラスカの住民たちだって、やはりはじめてここにやってきたときには、きっとマッカンドレスとたいして変わらなかった人々がたくさんいるにちがいない。だから、よけい彼にたいして辛辣《しんらつ》なのかもしれないよ。ひょっとすると、昔の自分の思い出したくない部分まで思い出させられるからかもしれない」

ローマンの意見は、大人の月並みな関心事しか頭にない私たちにとって、若さの情熱と憧れにはげしく翻弄《ほんろう》されたころのことを思い出すのが、いかに困難かをはっきり示している。エヴェレット・ルースの父親が、二十歳の息子が荒地で姿を消した何年かあとで、感慨をこめて言ったように、「年配の者には、若い者の奔放な情熱はわからない。誰にもエヴェレットの気持ちはよく理解できないと思う」

ローマン、アンドリュー、そして私はマッカンドレスの人生と死の意味を理解しようとして、真夜中すぎまで起きていた。だが、彼の本質はつかみどころがなくて、曖昧で、やはりわかりにくかった。皆しだいに言葉すくなになり、会話は弾まなくなっていく。私が寝袋を置く場所を探しに、焚火のところからゆっくり離れていったころには、夜明けの光がかすかに滲んでいて、北東の空の縁がすでに白みはじめていた。今夜は蚊がひどく多くて、もちろん、バスは避難所にもならなかったが、私はフェアバンクス142番バスのなかで寝る気にはなれなかった。そして、ぐっすり眠りこんでしまい、ほかのふたりがなにをしていたのかも覚えていない。

第十八章　スタンピード・トレイル

狩猟で暮らしを立てることがどのようなものか、現代人にはほとんど想像することができない。猟師の生活はつらく、どうやら旅また旅の生活のようである。……つぎの猟はうまくいかないかもしれないとか、罠や狩りに失敗するだろうとか、今年はシーズンになっても、動物の群れが現われないかもしれないとか、心配の絶えない生活。とりわけ、猟師の生活には、欠乏と餓死の恐怖がつきまとう。

ジョン・M・キャンベル
『飢えた夏』

さて、歴史とはなんだろうか？　何世紀にもわたって、死の謎が組織的に探求され、死に打ち勝とうとしてきた。だから、数理的な無限大や電磁波が発見されたのだし、シンフォニーが作曲されたのだ。ところで、確かな信念なしに、この方向に進むことはできない。精神的な素養なしに、そうした数々の発見はありえない。この素養の基本要素は福音書のなかにある。その要素とは、なんだろうか？

まずは、隣人愛であり、それは生命力の最高の形である。人の心が隣人愛で満たされれば、それは溢れだして、使い尽くされるにちがいない。つぎは、現代人のふたつの基本的な理念——この理念なしに、現代人の存在は考えられない——つまり、自由な個人という理念と犠牲としての命という理念である。

ボリス・パステルナーク
『ドクトル・ジバゴ』

クリストファー・マッカンドレスの遺品とともに発見された書物の一冊のなかで強調されていた一節。
マッカンドレスはアンダーラインを引いている。

荒野を出ようとして、テクラニカ川の増水で阻まれ、マッカンドレスは七月八日、バスにもどった。日記にはなにも書かれていなかったから、そのとき、彼がどのような心境であったかはうかがい知ることができない。どうやら、脱出路を遮断されても、平然としていたようである。実際、そのときは、心配することなどほとんどなかったのだ。真夏で、あたり一帯は多種多様な植物や動物にめぐまれていた。食糧は十分に確保できた。好機が訪れるのを待って、彼が八月までいたとすれば、テクラニカ川の水位がさがり、徒渉できるようになることはわかっていたのだろう。

マッカンドレスはフェアバンクス142番バスの錆びた車体のなかで元気をとりもどし、ふたたび猟と採取の日々をはじめた。彼はトルストイの『イワン・イリイチの死』とマイクル・クライトンの『ターミナル・マン』を読んでいる。日記には、一週間、雨が降りつづくという記述がある。猟鳥・猟獣は豊富であったようだ。七月の三週間で、リス三十五匹、ハリモミライチョウ四羽、カケスとキツツキ五羽、カエル二匹を殺し、それらのほかにも、アメリカホドイモ、野生のダイオウ、さまざまな種類のベリー、たくさんのキノコを採取している。だが、たしかに自然は気前がよかったけれども、彼が仕留めた獲物の肉は栄養分がすくなく、摂取カロリーは活動に必要な量に足りなかった。ぎりぎりの食糧で三か月間生活したあと、マッカンドレスはかなりひどいカロリー不足におちいった。危険な刃のうえでバランスをとっていたのである。その後、七月に入って、ミスを犯し、身体を衰弱させた。

ちょうど『ドクトル・ジバゴ』を読みおえたころで、彼は本に感動し、余白に高ぶる気持ちを走り書きのメモに残しているし、何か所かにアンダーラインを引いている。

ラーラは巡礼者たちに踏みあらされた道路、さらにそれにつづく小道を歩いていき、やがて向きを変えて、野に入っていった。そこで立ちどまり、目を閉じて、広大なその場所で花の香りのする大気を深く吸いこんだ。それは、親族よりも大切なものであり、恋人よりもすばらしいもの、書物よりも賢いものだった。やがて、彼女は自分の人生の目的にあらためて気づいた。自分がこの大地のうえにいるのは、魅力的な自然の意味を理解し、ひとつひとつの事物を正しい名前で呼ぶためであり、あるいは、彼女の力ではそれが無理だとすれば、生命への愛のために、自分の代わりにそれをやってくれる後継ぎを生むことであった。

「自然／純粋」彼はページのうえに太字の活字体で書いている。

ああ、無意味で退屈な人間の饒舌《じょうぜつ》などもう結構だ、崇高な言葉などもうなにも要らない、そんな気持ちになるときがどれだけあるだろう！　自然、見かけはまったく口のきけない自然のなかで安らぎたい、あるいは、骨の折れる長時間労働とか、熟睡とか、ほんものの音楽とか、感動のあまり言葉を失った人間の悟性といった沈黙のなかで安らぎたい、そんな気持ちになるときがどれだけあるだろう！

マッカンドレスはそのパラグラフに星印をつけて、括弧に入れ、黒のインクで「自然のなかで安らぎ」の箇所を丸で囲っていた。

「そんなわけで、自分たちの周囲の人々の生活と同じ生活、さざなみを立てることもなく合流しあえる生活だけが、正真正銘の生活であり、分かちあえない幸福は幸福ではないことがわかった……そして、これがもっとも厄介なことなのである」の横に、彼は書いている。

「幸福は分かちあえたものだけが、ほんものである」

長い孤独な休息は、もっと以前から、なにかをいわくありげに、マッカンドレスを変えていたのだ。この後者のメモが、その裏づけとなるような気がしている。つまり、ひょっとしたら、これは彼が心にまとっていた鎧を多少でも脱ぐ気になっていたという意味にもとれるし、都会に帰ることで、孤独な放浪生活に終止符をうち、人との交わりを徹底的に避けてきたのをやめて、社会の一員になるつもりでいたという意味にもとれるのである。しかし、断定はできない。『ドクトル・ジバゴ』はクリス・マッカンドレスが読んだ最後の本だったからだ。

本を読みおえた二日後、七月三十日の日記には、不吉な記載がある。「ひどく弱っている。近距離から撃ちそんじる。莢《さや》。立ちあがるのもひどく辛い。腹ぺこだ。危機的な状態」このメモ以前に、マッカンドレスが悲惨な状況におちいっていることを連想させるものは、日記のどこにもない。彼は飢えていた。低カロリーの貧弱な食糧のために、彼の肉体は削りとられ、野獣のように痩せて、すじと骨だけになっていたが、まずまず元気であるように思われた。七月三十日を過ぎたあたりから、彼の体調はとつぜん、最悪の状態になった。そして、八月十九日までには亡くなっている。

そんな風に急速に衰弱した原因について、さまざまな憶測がなされた。遺体がマッカンドレスであることが確認されたあと、何日かして、ウェイン・ウェスターバーグは、クリスが北へ向かうまえに、サウスダコタでなにかの根茎《こんけい》を購入したことをぼんやりと思い出した。たぶん、そのなかには種ジャガイモもあって、森に落ち着いたあとで、菜園に植えるつもりでいたにちがいない。ある仮説によれば、それを菜園に植える暇がないまま（バスの近くに菜園があった形跡はない）、七月下旬になって、飢えの状態がひどくなり、根茎を食べざるをえなくなった。その毒にあたって死んだというのである。

種ジャガイモは事実、芽が出ると、わずかに毒性をおびる。含まれているのは、ソラニンというナス科の植物に生じる毒で、嘔吐、下痢、頭痛、短期間の無気力を引き起こし、長期にわたって摂取していると、心搏《しんぱく》や血圧に悪影響をあたえる。この仮説は、しかしながら、重大な欠陥がある。マッカンドレスが種ジャガイモで体調をくずすには、大量に食べなければならないからである。ガーリエンが彼を車から降ろしたとき、バックパックが軽かったとすれば、種ジャガイモをいくらかもっていたとしても、大量にということはまず考えられない。

ところが、ほかのシナリオでは、まったくべつの種類の種ジャガイモが必要となる。そして、このシナリオのほうが筋が通っているのである。『タナイナの植物伝承研究』の百二十六ページと百二十七ページには、デナイナ族がワイルド・ポテト（アメリカホドイモ）と呼んでいた植物に関する記述がある。アメリカ先住民はそのニンジンのような植物の根を収穫していたのだ。植物学者には「ヘディサルム・アルピヌム」として知られている植物は、この地域一帯の砂利だらけの土壌に自生している。

『タナイナの植物伝承研究』によれば、「アメリカホドイモの根は、たぶん、野生の果物以外では、デナイナのもっとも大切な食糧であっただろう。彼らはさまざまな方法でそれを食している――生のまま食べたり、煮たり、焼いたり、あるいは油で揚げたりして――とくに好まれたのは、オイルかラードにちょっと浸す食べ方である。彼らはまたオイルやラードに漬けて保存している」引用文はつづけて、つぎのように述べている。アメリカホドイモを掘るのに最適な時期は、「春、凍っていた大地が解けだした直後である……夏には、それらはまちがいなく乾いて、固くなる」

『タナイナの植物伝承研究』の著者、プリシーラ・ラッセル・カリは、こう説明している。「デナイナの住民にとって、春はほんとうにきびしい季節であった、とくに昔は。彼らが食糧にしている猟鳥・猟獣が姿を現わさないことがよくあったし、魚が時節どおり群れをなして移動をはじめないこともよくあったのだ。だから、魚がやってくる晩春まで、彼らはアメリカホドイモを主食にしていたのである。味は非常に甘い。実際、それは彼らの好物であった――現在も、そうであるが」

アメリカホドイモの地上の部分は、草むらのように生い茂っている。丈は二フィート、小ぶりのスイートピーの花に似た繊細なピンクの花梗《かこう》がついている。カリの本に教えられて、マッカンドレスは六月二十四日、アメリカホドイモの根を掘って、食べはじめているが、悪影響はなかったようだ。さらに七月十四日には、エンドウ豆のようなその莢を食べはじめている。たぶん、根が固くなりすぎて食べられなくなったからだろう。この時期に彼が撮った写真には、その莢があふれんばかりに詰めこまれている一ガロン入りのビニールのジップロックバッグが写っている。その後、七月三十日の日記には、「ひどく弱っている。近距離から撃ちそんじる。莢……」

『タナイナの植物伝承研究』の、アメリカホドイモの項目の一ページあとには、それにきわめて近い種の、ワイルド・スイートピー、ヘディサルム・マッケンジイに関する記述がある。ほんのわずか小さいものの、アメリカホドイモと酷似しているために、専門の植物学者でさえ、ときには見分けるのに苦労する。ただひとつだけ、確実に区別できる明確な違いがある。アメリカホドイモの小さな緑の若葉の裏には、側脈がはっきりと見える。ところが、ワイルド・スイートピーの若葉では、そのような葉脈は目に見えないのである。

カリの本では、ワイルド・スイートピーとアメリカホドイモの見分けが非常にむずかしく、しかも、ワイルド・スイートピーには「毒があると言い伝えられている」ため、アメリカホドイモを食糧として利用するときには、あらかじめ気をつけて、しっかり選別すべきであると注意をうながしている。H・マッケンジイを食べて、毒にあたった人々の体験談は、現代の医学文献には載っていないけれども、北部地域の先住民たちは、ワイルド・スイートピーが有毒であることを何千年もまえから知っていたようだし、いまでも、H・アルピヌムとH・マッケンジイを混同しないようとくに用心している。

私はワイルド・スイートピーによる中毒の資料をもとめて、はるか十九世紀の北極探検の記録にまでさかのぼらなければならなかった。有名なスコットランド人の軍医で、博物学者・探検家のジョン・リチャードソン卿の日記のなかに、探していたものが見つかった。彼は不運なジョン・フランクリン卿の第一次・第二次探検隊の隊員で、二度とも生還している。

最初の探検の際に仲間を殺して食べてしまった容疑者を銃殺刑に処したのが、リチャードソンだった。また、彼はたまたま植物学者であったから、H・マッケンジイについてはじめて自然科学上の解説を書き、学名もつけている。一八四八年には、捜索隊を指揮し、そのころ行方不明になっていたフランクリンを探して、北極地方をあちこち歩きまわった。そのとき、H・アルピヌムとH・マッケンジイを植物学的に比較して、日記にその感想を書いている。

長いしなやかな根を有し、カンゾウのような甘い味がする。先住民は春に多く食べるが、さらに季節が進むと、それは木のようになり、水気と新鮮さが失われる。〈ヘディサルム・マッケンジイの茎は灰白色の微毛におおわれていて、地面を這い、優雅さには欠けるものの、大きめの花をつける。根は有毒で、フォートシンプソンのアメリカ先住民の老婦人がそれで死にかけたことがある。上記の種とまちがえたのだ。さいわい、嘔吐を催し、胃に呑みこんだものをすべてもどして、彼女は元気を回復した。しばらくの間、その回復は信じられなかったけれども。

クリス・マッカンドレスが先住民の婦人と同じまちがいをして、やはり健康を悪化させたことは、容易に想像できる。入手できたあらゆる証拠からして、マッカンドレスが——生まれつき、せっかちで、軽率だった——うっかりミスを犯して、ほかの植物とそれを混同し、その結果、命を落としたことはほとんど疑いないように思われる。〈アウトサイド〉誌の記事には、私はH・マッケンジイ、つまりワイルド・スイートピーが原因で若者は亡くなったとかなり確信をもって書いた。事実、マッカンドレスの悲劇をとりあげているほかのジャーナリストたちも全員、同じ結論を引きだしている。

しかし、数か月が経ち、その間、長いことマッカンドレスの死についてじっくり考えているうちに、この多数意見が信憑性に欠けるように思われてきたのだ。六月二十四日から三週間、マッカンドレスはアメリカホドイモの根をたくさん掘りだして食べているが、なにごともなかったし、H・マッケンジイとH・アルピヌムを取りちがえてもいない。ところが、根の代わりに、莢を採取しはじめた七月十四日になって、とつぜん、なぜふたつの植物をまちがえたのだろうか?

マッカンドレスは有毒なH・マッケンジイを用心深く避けて、その莢も、ほかの部分もいっさい食べていないという確信を、私は徐々に深めていった。毒にあたったことは確かだが、彼を死にいたらしめた植物はワイルド・スイートピーではなかった。死因は、『タナイナの植物伝承研究』ではっきり無毒とされている種、アメリカホドイモつまりH・アルピヌムであった。

本には、アメリカホドイモの根は食用になると書かれているだけである。莢が食べられるとは、どこにも述べられていないが、それが有毒であるという記述もまた、どこにもない。マッカンドレスのために公平を期して言えば、出版されているどの本にも、H・アルピヌムの莢の毒性については触れられていないことを指摘しておくべきだろう。医学と植物学の文献を詳細に調べても、H・アルピヌムには有毒な部分があると指摘しているものはひとつもないのだ。

ところが、マメ科（レギュミノサエ。H・アルピヌムはその科に属している）の植物には、あいにくアルカロイドを作りだす種が多いのである――この化合物は人間や動物に強力な薬物効果をもたらす（モルヒネ、カフェイン、ニコチン、クラーレ、ストリキニーネ、それにメスカリンは、どれもアルカロイドである）。しかも、アルカロイドを作りだす多くの種は、有毒な部分がはっきり限定されている。

「太平洋のマメ科の場合」と、フェアバンクスにあるアラスカ大学の化学生態学者、ジョン・ブライアントは説明してくれた。「夏の終わりに、アルカロイドを種皮に集め、動物に種子を食べられないようにしているんだ。時期によっては、根は食べられても、莢には毒がある植物だって、めずらしくない。秋が近くなり、アルカロイドが作られる場合、いちばん毒が見つかりやすいところが莢なんだよ」

スーシャナ川を訪ねたときに、私はバスのまわり数フィート内に自生しているH・アルピヌムのサンプルを採取して、アラスカ大学化学科のブライアント教授の同僚、トム・クローセンにサンプルの莢を送った。スペクトル分析法による最終的な結果はまだ出ていなかったが、クローセンと大学院生のエドワード・トレッドウェルがおこなった予備検査では、莢にはたしかにアルカロイドが含まれていることがわかった。さらに、アルカロイドは牧童や獣医にはロコ草の毒として知られている化合物、つまりスウェインソニンの可能性が濃厚であった。

有毒なロコ草には、約五十の変種があり、そのほとんどはレンゲソウ属で――ヘディサルムとごく近い属である。ロコ草のもっとも顕著な中毒症状は神経を冒すものである。〈アメリカ獣医学会機関誌〉に発表された論文によれば、ロコ草の中毒症状には、「鬱病、歩行困難、荒れ肌、どんよりした目つきに愚鈍な表情、削痩《さくそう》、協調運動不能、神経過敏（とくに、緊張したときに）。くわえて、毒にやられた動物は孤立し、扱いにくくなり、食餌《しょくじ》・摂水《せっすい》行動に困難を示す」

クローセンとトレッドウェルの分析で、アメリカホドイモの莢には、スウェインソニンか、その種の毒の化合物が蓄えられていることがわかり、とうぜんのことながら、莢が死因である可能性が出てきたのである。それが事実であれば、マッカンドレスはこれまで考えられてきたほど向こう見ずでも、無能でもなかったことになる。うっかりして植物を混同したのではなかったのだ。彼を中毒死させた植物は、有毒であることが知られていなかった――実際、彼は何週間も、その根をなにごともなく食べていたのである。飢餓状態に追いこまれ、マッカンドレスはただその莢を食べるミスを犯しただけだった。植物学の基礎知識がもっとあれば、たぶん、食べなかっただろうが、それは無知によるミスであった。しかし、彼を殺すには十分だった。

スウェインソニンの中毒症状が出るには、時間がかかる――アルカロイドで即死することはめったにない。毒は糖蛋白《とうたんぱく》の代謝に欠くことのできない酵素を抑制するのであり、その作用は潜行性のもの、間接的なものである。それが組織内で広範囲にベーパーロック（内燃機関で燃料の供給がさまたげられる現象）を引きおこす。あたかも哺乳類の燃料パイプでも、それが起きるかのように。身体は食べたものを役に立つエネルギーの熱源に変えることができなくなるのだ。スウェインソニンを大量に摂取すると、たとえどんなに食べものを胃に入れても、かならず餓死するのである。

動物の場合は、ロコ草を食べるのをやめると、スウェインソニン中毒から回復することもよくあるが、回復できるのは、もともとかなり健康であった動物にかぎられる。有毒物質が尿中に排出されるには、まず、利用可能なごくわずかのブドウ糖かアミノ酸と結びつかなければならない。毒を消して、身体からそれをしぼり出すには、蛋白質と糖の大量の蓄えがなければならないのだ。

「問題なのは」と、ブライアント教授は言っている。「最初から痩せて、飢えている場合、とうぜん、ブドウ糖や蛋白質をそっちへ割けるだけの余裕はない。器官から毒を追いだす手立てはないわけだ。飢えた哺乳動物がアルカロイドを摂取すれば——カフェインと同様、良性のものでも——、毒を排出するのに必要なだけのブドウ糖の蓄えがないので、健康時にくらべて、受けるダメージは大きくなる。アルカロイドは器官のなかに蓄積されていく一方だ。すでに半分飢えた状態にいたとき、マッカンドレスがその大きなナメクジ型の莢を食べていれば、それは破滅の始まりだっただろう」

有毒な莢にやられて、マッカンドレスはとつぜんひどく弱ってしまい、森を出ていくことも、自らを救うこともできないことを悟った。いまや、衰弱しきって、実際に狩りをすることもできなかった。そんなわけで、さらにますます弱っていき、餓死のほうへすべり落ちるようにどんどん近づいていった。おそろしいスピードで螺旋《らせん》下降していく命はもう止められなかった。

七月三十一日あるいは八月一日の日記には、なんの記述もない。八月二日には、ただひと言「ものすごい風」とある。間もなく秋になろうとしていた。気温はさがり、日が目立って短くなってきた。地球が自転するたびに、昼時間が七分短くなり、寒さと闇が七分長くなる。一週間で、夜が一時間近く長くなった。

「百日だ！　やったぞ！」八月五日には、そんな意義深い節目にたどり着いたことを誇りに思い、彼はうれしそうに書いている。「しかし、体調は最悪だ。死が重大な脅威となって不気味に迫ってきている。衰弱がはげしくて、出歩くことができない。文字どおり荒野の罠に捕らえられてしまったのだ――獲物なし」

マッカンドレスがアメリカ地質調査所の地形図をもっていれば、スーシャナ川の上流に国立公園部の小屋があることに気づいただろう。小屋はバスの真南六マイルのところにあり、ひどく弱った彼にも歩いていける距離だった。デナリ国立公園内にある小屋には、緊急時の食糧、寝わら、それに、冬のパトロール勤務につく僻地のレーンジャーたちが利用する救急用の補給物資が少量備蓄されていた。いずれも地図には記載されていなかったが、そこより二マイル、バス寄りのところに、二棟の個人所有の小屋があった――一棟はヒーリーの有名な犬橇使い、フォースバーグ夫妻ウィルとリンダの小屋、もう一棟はデナリ国立公園の職員、スティーヴ・カーワイルの小屋だった——そこにも、多少の食糧があるはずであった。

マッカンドレスが確実に助かる道は、要するに上流へ三時間歩くしかないようだった。この哀れな皮肉は、死の直後に、広く注目された。だが、たとえ彼がこれらの小屋のことを知っていたとしても、禍《わざわ》いをまぬがれることはなかっただろう。春の雪解けで、犬橇旅行やスノーマシーンによる旅がおぼつかなくなったために、最後の一軒の住人がいなくなった四月中旬すぎのある日、何者かが三棟の小屋に侵入して、めちゃくちゃに荒らしていった。なかの食糧は動物の餌になったり、陽気のせいで腐敗したりした。

七月末に、ポール・アトキンソンという名の野生動物専門の生物学者がアウター山脈を十マイル歩きまわり、へとへとに疲れきって、道路からデナリ国立公園へ入っていき、国立公園部の小屋へ着いた。容赦なく破壊されたその様子を目にして、彼は衝撃を受け、困惑した。「あれはまちがいなくクマの仕業じゃなかった」と、アトキンソンは言った。「私はクマの専門家だ。だから、クマの被害がどんなものかは知っている。あれは何者かが釘抜きハンマーで小屋を襲い、手あたりしだいに打ち壊したようだ。外に放りだされていたマットレスの下から生えだした雑草の丈からして、何週間もまえに破壊されたことは明らかだった」

「徹底的に破壊しつくされていたんだ」自分の小屋について、ウィル・フォースバーグはそう語っている。「釘づけされていなかったものが、すべてめちゃくちゃにされていた。電灯は全部、窓ガラスはほとんど割られていてね。寝わらとマットレスが戸外へ引きだされ、放り投げられて、山積みにされていたし、天井板は引きはがされ、燃料缶は穴があけられ、薪ストーブはなくなっていた――大きな絨毯でさえ引きずりだされて、使いものにならなくなっていたんだ。食糧はそっくりなくなっていた。だから、アレックスが小屋を発見したとしても、たいして役には立たなかっただろう」

フォースバーグはマッカンドレスをもっとも有力な容疑者と見なしていた。五月の第一週にバスのところまでやってきて、そのあと小屋を偶然見つけ、彼の貴重な荒野の経験に文明が割りこんできたことに腹を立て、計画的に建物を破壊した、とフォースバーグは思いこんでいたのである。しかしながら、それではなぜ、マッカンドレスがバスを打ち壊さなかったかという点については、この仮説では説明がつかない。

カーワイルもまた、マッカンドレスを疑っていた。「単なる直感だがね」と、彼は言っている。「彼は『荒野を自由の地に』したいと考えている若者だったという気がするよ。小屋の破壊はそれを実現するための行動だっただろう。あるいは、政府にたいするはげしい嫌悪だったかもしれない。掲示板でその小屋が国立公園部のものだということを知り、三棟全部が政府の建物と思いこんで、独裁国家への反抗を決意したわけだ。たしかに、その可能性はありそうだという気がするな」

ただ、当局としては、マッカンドレスが破壊したとは考えていない。「誰の犯行か、実際、目星はついていない」と、デナリ国立公園のチーフレーンジャー、ケン・ケーラーは言っている。「しかし、国立公園部はクリス・マッカンドレスを容疑者とは見ていない」事実、日記にも、写真にも、彼が小屋の近くへ行ったことを示唆するものはなにもない。五月はじめには、バスの向こうへ危険を冒して出かけていったが、彼が向かっていたのは、小屋とは反対の方角の北であり、スーシャナ川沿いの下流のほうであったことが、そのときの写真からわかるのである。なにかの拍子に偶然小屋を発見したとしても、建物を打ち壊した彼が、日記にその行為を得意げに書かないでいることは考えられない。

八月六日、七日、八日の日記には、なんの記載もない。九日の日記には、クマを狙って撃ったものの失敗したことを書きとめている。十日には、カリブーを見つけながら、発砲しなかった。そして、リスを五匹仕留めている。スウェインソニンが体内にたっぷり蓄積していれば、ありがたい獲物でも、こんな小ぶりなものではほとんど滋養にはならなかっただろう。八月十一日には、ライチョウを一羽殺して、食べている。八月十二日には、バスを離れている間に、ありそうもないことだったけれど、誰かが立ち寄るかもしれないので、救助の要請文を貼ったあと、彼は重い足を引きずりながら、ベリーを採りに外に出かけていった。ゴーゴリの『隊長ブーリバ』から破りとったページに、きちんとしたブロック体の文字で書かれた救助の要請文は、つぎのようなものである。

SOS。助けてほしい。怪我をしている。重傷で、ひどく弱っており、ここから脱出できないでいる。ぼくは独りぼっちです。これは悪ふざけではない。お願いだから、どうか待っていて、ぼくを助けてください。すぐ近くへベリーを採りに出かけていて、夕方にはもどってきます。よろしく。

彼は「クリス・マッカンドレス。八月？」とサインしていた。自分が容易ならぬ窮地におちいっていることを認め、何年も使ってきた気取った偽名アレグザンダー・スーパートランプを捨てて、誕生時に両親がつけてくれた名前でサインしていた。

アラスカの人々の多くは、マッカンドレスが必死になって、その場所で火事を起こし、どうして遭難の合図をしなかったのか、不思議に思っていた。バスには、ほぼ二ガロンの灯油が残っていたのだ。たぶん、通過する飛行機の注意を引く程度の火事を起こすとか、すくなくとも湿地で火を燃やし、巨大なＳＯＳの文字を書くことは簡単だっただろう。

しかし、一般に信じられているのとちがって、バスがある場所は定期航空路の下ではなく、その上空を飛ぶ飛行機はきわめてすくなかった。私が四日間、スタンピード・トレイルで過ごした間に、二万五千フィート以上の高高度を飛んでいる旅客機以外、一機の飛行機も見かけなかった。もちろん、ときにはバスから見えるところを、小型機が飛んでいくこともあっただろうが、相手に確実に知らせるためには、かなり大がかりな火事を起こさなければならなかった。カリーン・マッカンドレスが言ったように、「クリスは自分の命を救うためであっても、ぜったいに森を焼きつくすようなことはしないわ。見当ちがいな発言をしている人たちは皆、兄さんの肝腎なところがわかっていないのよ」

餓死は楽な死に方ではない。肉体が肉体そのものを消費しはじめる飢餓の進んだ段階では、犠牲者は筋肉痛、心臓障害、抜け毛、めまい、息切れ、寒冷過敏、肉体的・精神的消耗に苦しめられる。肌は血の気がなくなる。必須栄養素の不足で、深刻な化学的アンバランスが脳内で進行し、痙攣と幻覚を引きおこす。もっとも、餓死寸前まで行って生還した何人かの報告によれば、死に近づくと、ひもじさは消え、恐ろしい苦痛はやわらぎ、苦しみは至福感、異常に澄みきった心境をともなう落ち着きはらった意識に取ってかわられる。マッカンドレスがそうした恍惚感を経験していればいいのだが。

八月十二日には、最後の言葉とされているものを日記に書きつけている。「美しいブルーベリー」八月十三日から十八日にかけての日記には、日にちしか記録されていない。その週に、彼はルイス・ラムーアの回想録『放浪男の教育』から最後のページを破りとっている。そのページの片側には、ロビンソン・ジェファズの詩「不運なときの賢い男たち」から、ラムーアが引用した何行かがあった。

死は凶暴なマキバドリ。でも、筋肉や骨ではなく、
数世紀も長持ちするなにかになって
死んでいくには、大事なのは弱さを切り捨てること。
山々は死せる石、人々は
その高さ、その尊大な静寂に敬服もし、嫌悪もおぼえる。

山々が温和になることはなく、思い悩むこともない。そろって腹立たしく思っている死者たちもいなくはないのだ。

ページの反対側は白紙で、マッカンドレスは短い別れの挨拶を書いている。「ぼくの一生は幸せだった。ありがとう。さようなら。皆さんに神のご加護がありますように！」

そのあと、母が縫ってくれた寝袋にもぐりこみ、いつしか意識不明におちいった。そして、たぶん、八月十八日に亡くなったのだろう。荒野に分け入ってから、百十二日後のことであり、アラスカの住民六人が偶然バスを見つけ、そのなかで遺体を発見する十九日まえのことであった。

死をまえにして、いろんな行動をしているなかで、彼は高いアラスカの空の下、バスの近くに立って、片手で最後のメモをカメラのほうに向け、もう一方の手をあげて、雄々しくさも満足げに別れの挨拶をしている姿を写真に撮っている。顔はほとんど骸骨のようであり、がりがりに痩せ衰えている。しかし、このつらい土壇場の数時間に、彼が自分を哀れに思っていたとしても――ひどく若かったし、孤独だったし、肉体的にも腑甲斐《ふがい》なく、精神的にも意気地がなかったからである――それは、写真からははっきりわからない。写真に写っている彼は微笑んでいて、その目の表情は一見してあきらかだ。クリス・マッカンドレスは安らかで、神に召された修道士のようにおだやかだった。

エピローグ

あいかわらず、最後の悲しい思い出がさ迷っていて、ときには、浮遊する靄《もや》のように漂いながら横切り、陽の光をさえぎって、幸せだったころの記憶に冷水をあびせる。えも言われぬ喜びがいくつかあったし、あえてくどくどとは書かなかったが、深い悲しみもあった。それらを記憶にとどめたうえで、私は言う。その気があれば、登るがいい。だが、慎重さを欠いた勇気と体力は無価値であり、一瞬の油断が幸福な一生を台なしにすることを忘れてはならない。事を急いてはならないのだ。一歩一歩気をつけるがいい。最初から、結末がどうなるかを考えるのだ。

エドワード・ウィンパー
『アルプス登攀記』

われわれは時間のハーディガーディ（弦楽器）にたいして鈍感になっている。気づくことがあるとしても、われわれが気づくのは神の沈黙だ。それから、遠くに時間の岸辺が存在していないことに気づいたり、さらに、時間の遠い斜面全体が不意にまぶしいほどの闇に閉ざされたりするときには、理性や意思にふさわしい行動をとり、すべてを放棄して、いそいでわが家をめざすべきである。

心配事と、無情な心変わりと、心が愛すべき土地や人間をなかなか学びとれないでいること以外に、重要な出来事はなにもない。あとは単なるゴシップであり、どうでもいいときに話題にされる無駄話にすぎない。

アニー・ディラード
『尊ばれるべき堅実さ』

ヘリコプターはヒーリー山の肩のうえをブルンブルンとあえぐように上昇していく。高度計の針がすうっと五千フィートを越え、私たちは泥の色をした尾根に達する。地球ははるか眼下にあり、息を呑むような広大な針葉樹林がプレキシガラスの風防いっぱいに広がっている。遠くのほうに見わけられるスタンピード・トレイルは、風景を東から西へ横切る湾曲した筋としてかすかに刻まれている。

ビリー・マッカンドレスは前の座席、ウォルトと私は後ろの座席を占めている。クリスが亡くなったことを知らせに、サム・マッカンドレスがチェサピーク・ピーチの戸口の上がり段に姿を現わしたときから、苛酷な十か月が経っていた。そろそろ息子の終焉の地を訪ねて、現場をこの目で見てみよう、と彼らは決心したのだ。

ウォルトは十日まえにフェアバンクスにきて、ＮＡＳＡから請け負った仕事をし、遭難救助任務用の空中レーダーシステムの開発に取り組んでいた。樹木の密生した何千エーカーもの森林地帯の真ん中に墜落した飛行機の残骸でも、捜索・発見が可能になるレーダーである。数日間、彼はずっと不機嫌で、怒りっぽくて、苛々していた。二日まえにアラスカに到着したビリーの話では、なかなかバスを訪ねようとしなかったのはウォルトのほうだったらしい。意外なことに、彼女の気持ちは冷静で、すっかりその気になっており、しばらくまえからこの旅を楽しみにしていたという。

ヘリに搭乗したのは、土壇場で計画が変更になったからだ。ビリーは陸路を進みたいと思っていたし、なんとかクリスと同じようにスタンピード・トレイルをたどって行きたいと思っていた。そのために、彼女はブッチ・キリアンに連絡をとった。クリスの遺体が発見されたときに、現場に居合わせたヒーリーの炭坑労働者である。彼はバスまでウォルトとビリーを全地勢走行車で送っていくと言ってくれた。ところが、昨日、キリアンからホテルに電話がかかってきて、テクラニカ川はまだ水量が多く——あまりに多すぎて、彼の水陸両用の八本タイヤのアーゴでも、安全に渡河できるかどうか、自信がないと伝えてきた。それで、ヘリになったのだ。

ヘリの着陸橇の二千フィート下には、湿地とトウヒの森がまだらなグリーンのツイードのように、なだらかに起伏している大地を一面におおっている。テクラニカ川は無造作に地上に放り投げられた長い茶色のリボンみたいに見える。不自然に輝いているものが、二本の細い川の合流点のあたりに見えてくる。フェアバンクスの142番バスだ。クリスには徒歩で四日かかった距離を十五分できてしまったわけだ。

ヘリは騒々しい音を立てて着陸し、パイロットがエンジンを切ると、私たちは砂地に飛びおりた。ヘリはただちに、ローターが巻きおこすはげしい乱れた風のなかを飛び立っていく。残された私たちはとほうもない沈黙につつまれた。ウォルトとビリーはバスから十ヤードのところに立って、黙りこくったまま奇妙な車をじっと見つめている。近くのポプラの木には、三羽のカケスがいて、けたたましい鳴き声をあげている。

「思ったより小さいわね」と、ビリーがやっと口を開いた。「そのバス」そして、周囲を見まわした。「ほんとうにすばらしい場所だわ。信じられないくらいわたしの育った場所に似ている。ねえ、ウォルト、アッパー半島そっくりでしょ！　クリスはきっとここが気に入ったにちがいないわ」

「アラスカは嫌いだね、理由は山ほどあるよ、わかるかい？」ウォルトは顔をしかめて言った。「だが、私も同じことを思ってたんだ――たしかに、ここは美しい。クリスが魅せられたのも無理はない」

それから三十分間、ウォルトとビリーはオンボロ車の周囲を静かに歩きまわったり、スーシャナ川のほうへゆっくり下っていったり、近くの森を訪ねたりした。

最初にバスのなかへ足を踏みいれたのはビリーだ。ウォルトが川からもどってくると、ビリーはクリスが亡くなっていたマットレスに腰をおろして、みすぼらしいバスの内部を眺めていた。長いこと、彼女はストーブのところにある息子のブーツ、壁の落書、歯ブラシを黙って見つめていたのである。しかし、今日は涙を流していなかった。テーブルのうえに散乱しているもののなかから、スプーンを手にとり、屈みこんで、柄《え》の特徴的な花模様をじっくりと確かめている。「ウォルト、これを見てちょうだい」と、彼女が言う。「アナンデールの家にあった銀器よ」

バスの前部で、ビリーはクリスのつぎの当てられたボロボロのジーンズを手にし、目を閉じて、顔に押しあてた。「匂いがする」彼女は悲しげに微笑して、夫に言った。「まだクリスの匂いがしているようだわ」長い間合いがあり、彼女はほかの誰かというより自分自身に向かって、そう言った。「彼はきっと最後までとても勇敢で、たくましかったにちがいない。自殺なんかする子じゃないわ」

ビリーとウォルトはさらに二時間、バスのなかや外をうろつきまわった。ウォルトはバスのドアを入ったすぐのところに、記念になる短い言葉を記した簡単な真鍮板《しんちゅうばん》を取りつけた。その下に、ビリーがダンドボロギクとヨウシュトリカブトとノコギリソウとトウヒの枝でブーケを作った。バスの後部のベッドの下には、救急箱、缶詰、ほかに緊急時用のいろいろな食糧、読んでくれるかもしれない相手にたいして「できるだけ早く両親に連絡するように」

勧めるメモを入れたスーツケースを置いた。スーツケースにはまた、クリスが子どものころ使っていた聖書もしまわれていた。彼女自身、「息子を亡くして以来、ずっと祈っていない」ことも、確かだったが。

ウォルトは考えこんだ様子で、ほとんどなにもしゃべらなかった。ただ、これまでとちがい、ほっとしているようだ。「このことに自分でもどう対処したらいいかわからなかったんですよ」と、彼は身ぶりでバスのほうを指さしながら言った。「だが、いまはここにきてよかったと思っている」この短い訪問で、息子がなぜこの地にやってきたのか、いくらか理解できた、と彼は言った。クリスについては、まだわからないことだらけだし、それは永遠にわからないだろうが、これで、わずかながら納得できたこともあったのだ。こうして多少でも気持ちが慰められたことを、彼は感謝していた。

「クリスがいたのがここで、よかったわ」と、ビリーは言った。「たしかに、彼はこの川の畔《ほとり》で暮らし、この一画に立ってたのね」この三年間、わたしたちはいろんな場所へ訪ねていったんです——ひょっとしたら、そこにクリスがいるかもしれないと思って。行方がわからないこと——見当もつかないことは、恐ろしいことです。

彼がやろうとしたのはすごいことだって、おおぜいの人が言ってくれました。彼が生きていたら、わたしもそう思ったでしょう。でも、生きてはいない。この世に呼びもどすことはもうできません。取り返しのつかないことです。ほとんどのことはやり直しがきくものだけど、これればかりはね。あなたもこういう不幸に打ち克ったことがあるかどうかは知りませんんけど。クリスが亡くなったのは事実ですし、わたしはそのことで毎日毎日ひどくつらい思いを味わっています。ほんとうに耐えがたいことです。いくらかましな日もときにはありますけど、これからは一生、毎日がつらいでしょうね」

ヘリのけたたましいエンジン音がいきなり静寂をやぶり、旋回しながら降下してきて、ダンドボロギクの生えている一画に着陸した。私たちが乗りこむと、ヘリは肩で押しわけるように空へ上昇していき、やがて一瞬空中で停止し、いきなり南東へ機体をかたむける。数分間、生育の悪い木々の間に、バスの屋根が見えていた。それは緑の荒海のなかに小さくきらめいていたが、どんどん小さくなっていき、やがて見えなくなった。

謝辞

マッカンドレス家の方々からすくなからぬご協力をいただかなければ、この本を書くことはできなかっただろう。ウォルト・マッカンドレス、ビリー・マッカンドレス、カリーン・マッカンドレス、サム・マッカンドレス、そして、シェリー・マッカンドレス・ガルシアといった方々には、たいへんお世話になった。クリスの日記、書簡、写真をぞんぶんに拝見させていただいたし、長時間、私との話にも付き合ってくださった。内容によっては、活字にすることはきわめてつらいことがわかっていながら、家族のどなたも本の内容および方針に制限をくわえようとはしなかった。家族の方々の要請で、『荒野へ』の売りあげから生じる印税の二〇パーセントは、クリス・マッカンドレス名義の奨学資金に寄付されることになっている。

ランダム・ハウス社のヴィラード・ブックスの原稿として採用してくださったダグ・シュタンプ、ダグのすばやい決定のあとを受けて、配慮の行き届いた立派な本作りをしてくれたデイヴィッド・ローゼンタールとルース・フェシックに謝意を表する。また、ランダム・ハウス社のヴィラード編集部の方々で、今回協力してくれたアニック・ラファージュ、アダナ・フロスト、デボラ・フォリー、アビゲイル・ウィノグラッドにも感謝する。

この本は最初、〈アウトサイド〉誌の記事であった。記事を依頼し、実に手際よく具体化してくれたマーク・ブライアントとローラ・ホウンホールドにお礼を申しあげる。アダム・ホロヴィッツ、グレッグ・クライバーン、キキ・ヤブロン、ラリー・バーク、リーザ・チェイス、ダン・フェラーラ、スー・スミス、ウィル・デイナ、アレックス・ハード、ドノヴァン・ウェブスター、キャシー・マーティン、ブラッド・ウェツラー、ジャクリーヌ・リーといった方々にもやはり、記事のことではお骨折りをいただいた。

きわめて貴重な助言と批判をいただいたリンダ・メアリアム・ムーア、ローマン・ダイアル、デイヴィッド・ロバーツ、シャロン・ロバーツ、マット・ヘイル、エド・ワード、すばらしい地図を描いてくれたマーガレット・デイヴィッドスン、類いまれなエージェント、ジョン・ウェアには、とりわけお世話になった。

また、デニス・バーネット、クリス・フィッシュ、エリック・ハサウェイ、ゴーディ・クルー、アンディー・ホロヴィッツ、クリース・マキシー・ギルマー、ウェイン・ウェスターバーグ、メアリー・ウェスターバーグ、ゲイル・ボウラ、ロッド・ウルフ、ジャン・バーレス、ロナルド・フランツ、ゲイロード・スタッキー、ジム・ガーリエン、ケン・トンプソン、ゴードン・サメル、ファーディ・スワンソン、ブッチ・キリアン、ポール・アトキンソン、スティーヴ・カーワイル、ケン・ケーラー、ボブ・バローズ、バーリー・マーサー、ウイル・フォースバーグ、ニック・ジャンス、マーク・ストッペル、ダン・ソリー、アンドリュー・リスケ、ペギー・ダイアル、ジェームズ・ブレイディー、クリフ・ハドソン、故マグズ・スタンプ、ケイト・ブル、ロジャー・エリス、ケン・スレイト、バド・ウォルシュ、ローリ・ザーザ、ジョージ・ドリースゼン、シャロン・ドリースゼン、エディ・ディクソン、プリシーラ・ラッセル、アーサー・クラッケバーグ、ポール・ライカート、ダグ・ユーイング、セイラ・ゲージ、マイク・ラルフズ、リチャード・キーラー、ナンシー・J・ターナー、グレン・ワグナー、トム・クローセン、ジョン・ブライアント、エドワード・トレッドウェル、リュー・クラカワー、キャロル・クラカワー、カリーン・クラカワー、ウェンディ・クラカワー、セイラ・クラカワー、アンドリュー・クラカワー、ルース・セリグ、ペギー・ラングロールにも、大いに力添えをいただいた。

ジョニー・ドット、クリス・キャップス、スティーヴ・ヤング、W・L・ラッショー、チップ・ブラウン、グレン・ランドル、ジョナサン・ウォーターマン、デブラ・マッキニー、T・A・バッジャー、アダム・ビーゲルといったジャーナリストたちには、出版されている著作を参考にさせていただいた。

カイ・サンドバーン、ランディ・バビッチ、ジム・フリーマン、スティーヴ・ロットラー、フレッド・ベッキー、メイナード・ミラー、ジム・ドウアティ、デイヴィッド・クワンメン、ティム・カーヒル、ロザリー・スチュアート、シャノン・コステロ、アリソン・ジョー・スチュアート、モーリーン・コステロ、エアリアル・コーン、ケルシー・クラカワー、ミリアム・コーン、デボラ・ショー、ニック・ミラー、グレッグ・チャイルド、ダン・コーソーン、キティ・カルフーン・グリソム、コーリン・グリソム、デイヴ・ジョーンズ、フラン・カウル、デイヴィッド・トライオン、ディエル・ハヴリス、パット・ジョーゼフ、リー・ジョーゼフ、ピエレット・ヴォウト、ポール・ヴォウト、ラルフ・ムーア、メアリー・ムーア、ウッドロー・O・ムーアといった方々からは、インスピレーションをあたえられたり、手厚いもてなしを受けたり、友情を寄せられたり、有益な助言をしていただいたりした。お礼を申し述べたい。

訳者あとがき

本書は、冒頭の「作者ノート」にあるように、アラスカの荒野に単身分け入り、四か月後に腐乱死体となって発見されたひとりの若者について、その生い立ち、放浪の旅に出る経緯、そして、アラスカの荒野で亡くなるまでの軌跡を綿密に追跡調査してまとめたノンフィクションである。

若者の遺体が見つかったのは一九九二年の九月のことであり、その当初からマスコミにセンセーショナルに取りあげられて、かなりの間世間をにぎわしたようだ。

しかし、このひとりの無名の若者の死がそれほどまでに人々の関心を集めたのは、いったいなぜだろうか。

荒野で死んだのが、恵まれた境遇にいた若者（クリス・マッカンドレス）であったことが、やはりその理由として挙げられるだろう。父親はいわゆる立身出世をした人物である。貧しい家に生まれながら、苦学して大学を出、ＮＡＳＡの航空宇宙エンジニアとなって、出世の階段をのぼっていき、その後独立して、自らも企業家となり、苦労の末に会社を軌道に乗せることにも成功していた。つまり、クリスはその父親が築きあげた裕福な家庭で育ったのだ。

ところが、大学を優秀な成績で卒業した直後に、彼はとつぜん、なにもかも捨てて、理由も告げずに家を出ていき、姿を消す。傍目《はため》には、それはおそらく、多くの人々が望んでいる理想的な家庭をなんとも不可解な行動によって敢然と否定したとも受けとられただろう。しかも、家を出てから二年後に、まるで人々に衝撃的なメッセージでも伝え残そうとするかのように餓死という無残な死に方をしているのである。それによって、最後にもう一度きっぱりと家庭を否定してみせたと言えなくもない。いわば世間に背を向けたとしか見えないその行動が、彼とは直接関わりのない人々の価値観をもはげしく揺さぶり、おそらく不安と共感を呼び覚ましたにちがいない。

しかし、そうした人々にくらべれば、「とりわけ気になったのは……はっきりしないけれども、いくつか彼と私の人生がどことなく似ている点があることだった」と書いている著者の立場は最初からきわめて明確であったと言えよう。そして、そんなこともあってか、「クリス・マッカンドレスを変人であると見なさなければ、クラカワーはどうかしています」といった非難の投書が寄せられることにもなった。著者自身、これは「私の個人的な見解であり、悲劇を公平無私に解釈することはできなかった」と認めている。それを認めたうえで、しかし、「著者はできるかぎり出しゃばらないようにしている――それは十分成功していると思う」とも自信ありげに述べている。これはとりもなおさずノンフィクション作家としての彼の姿勢でもあっただろう。

ジョン・クラカワーが本書を書きすすめるにあたって、資料としているのは、クリス・マッカンドレスの日記、写真、遺品、彼の家族や学生時代の友人たちや放浪の旅先で知り合った人々から集めた証言である。著者はマッカンドレスが亡くなった現場も実際に訪ねている。しかし、もちろん、それらを勝手に組み立て、都合のいい物語にまとめあげているわけではない。できるだけ主観を排して、事実と証言をそのままの形で伝えようとするのが、クラカワー流のやり方のようである。

著者のその姿勢を端的に表わしているのが、自己の体験を告白している部分だろう。証言や日記に記されている事実からさまざまなことが明らかになっていくけれども、その種のものをいくら集めても、マッカンドレスの心のなかが実際どうであったかについては、容易にはかりがたいのも、残念ながら、もどかしい皮肉な事実なのだ。「根本的な自信のなさから、極端な肉体的挑戦へと走り、そうすることで男らしさを立証しようとした」とか、「彼の命がけの冒険の根底には、エディプスコンプレックスがあり、それがずっと心のなかで葛藤していた」とか結論をくだす人々はいるけれども、クラカワーの言葉を借りれば、それは「きわめて不確かなもの」、「故人の品位を落とし、平凡化せずにはおかない」ものである。いずれにしても、行きつく先は、他者の立場から一歩もぬけだせない「個人的見解」でしかないのだ。著者が途中で自らの体験を唐突に語りださずにいられなかったのは、やむをえない、むしろ当然の帰結だったのだろう。

ところで、マッカンドレスが家出をして、放浪生活をはじめ、二度と家に帰ることもなく、荒野で野垂れ死にに近い死に方をしたというと、いかにも人生に絶望して、最後には自ら死を選んだような印象をもたれるかもしれない。当時、そういった世俗的な見方をした人々も、実際、すくなくなかっただろう。しかし、彼自身の日記やロナルド・フランツ宛ての手紙にしても、放浪の旅の途中で知り合った人々の証言にしても、厭世的な陰鬱さからは程遠いし、とても世捨て人とは思われない積極的な生き方をしているのだ。たとえば、「これは経験であり、思い出であり、精一杯生きることのすばらしい勝利の喜びである。そのなかに、真の意義があるのだ。神よ、生きていることはすばらしい！」といった日記の言葉からもわかるように、マッカンドレスが命を落としたのは偶然としか思われないのである。

つまり、自ら死を選んだのか、あるいは偶然の死だったのかということが、彼の行動を見ていくうえで、重要な問題として浮上してくる。

ジョン・クラカワーはそこで自分の体験を引き合いに出して、こう書いている。「アラスカ冒険旅行で、私が生き残り、マッカンドレスが命を落としたという事実は、ほとんど偶然にしかすぎない……私がスティキーン氷冠からもどってこなかったら、死を望んでいたという噂がたちまち飛びかっただろう——現在、マッカンドレスについて、噂されているように……だが、自殺の衝動には駆られていなかった……ただ、死すべき運命という謎めいた神秘には、心を揺さぶられた。死の間際までそっと近づいていき、崖っぷちから覗きこまずにはいられなかった……私の場合——そして、クリス・マッカンドレスの場合も、そうだと思うが——それは死の願望とはまったく異なるものであった」と。

これは自他の区別を曖昧にした一瞬のすり替えではないかと思われるかもしれないが、著者は確かな証拠を突きとめることによって、その死が偶然であったことを証明してみせるのだ。そこのくだりはミステリーにおける謎解きのようなものだから、ここで明らかにするわけにはいかないが、実に明快な結論を導きだして、読者を納得させてくれる。

それにしても、人はなぜ命がけの冒険に挑むのだろうか。ジョン・クラカワーは「うまくいっていない人生を根底から変えてくれるものと思いこんでいた」と述べている。しかし、「結局は、ほとんどなにひとつ変わらなかった」とも言っている。マッカンドレスの場合は、父親への反発から家を出たように見えるが、それは単なるきっかけにすぎなかっただろう。彼の身体の内部には、すでに本能的とも言える奔放な情熱がうごめいていて、それにうながされるように、やむにやまれず家を飛びだしていったのだ。荒野へ、冒険へと。あたかも一人前のまっとうな人間になるためには、そうした苛酷な体験を自らに課す必要があるかのように、無一物になって、荒野を放浪し、冒険に挑む。それは社会への「巣立ち」とともに試されるべき、真の男、真の人間への「巣立ち」であったにちがいない。

なお、この作品は映画化され、近いうちに公開されるとのことである。監督・脚本はショーン・ペン、二〇〇一年の『プレッジ』以来、メガホンをとるのは五年ぶりだという。クリス・マッカンドレスを演じるのは、『ガール・ネクスト・ドア』や『ロード・オブ・ドッグタウン』のエミール・ハーシュ。また、父親のウォルト役は、一九八五年に『蜘蛛女のキス』でアカデミー賞の主演男優賞を受賞した名優のウィリアム・ハートである。映画でマッカンドレスがどのように描かれるか――それは彼の生き方にたいするひとつの見方でもあるわけだから、その意味でも、大いに注目されるだろう。

　最後に、著者のジョン・クラカワーについて、簡単に紹介しておきたい。彼はワシントン州シアトル在住の有名な山岳家であり、同時に、雑誌や新聞で幅広く活躍している文筆家でもある。〈アウトサイド〉誌に掲載されたクリス・マッカンドレスの記事は、一九九四年度のナショナル・マガジン賞にノミネートされた。アメリカ山岳会文学賞の受賞作家で、作品には、ほかに『アイガーの夢――人間と山の冒険』、『空へ』、それから、最新作としては二〇〇三年に刊行された『信仰が人を殺すとき（*Under the Banner of Heaven*）』がある。これは、モルモン教原理主義者が引きおこした殺人事件を通して、宗教の本質、信仰者のいつわりのない実像とその特異な精神世界を見事に浮き彫りにしてみせたノンフィクションの傑作であり、アメリカ国内はもちろん、ヨーロッパ各国でもベストセラーとなっている。

本書は一九九七年に集英社より『荒野へ』（単行本）として刊行されました。

集英社文庫

荒野《こうや》へ

2007年3月25日　第1刷
2019年6月24日　第10刷

定価はカバーに表示してあります。

著　者　ジョン・クラカワー
訳　者　佐宗鈴夫《さそうすずお》
編　集　株式会社 集英社クリエイティブ
東京都千代田区神田神保町2-23-1　〒101-0051
電話　03-3239-3811
発行者　徳永　真
発行所　株式会社 集英社
東京都千代田区一ツ橋2-5-10　〒101-8050
電話　【編集部】03-3230-6095
【読者係】03-3230-6080
【販売部】03-3230-6393（書店専用）
印　刷　図書印刷株式会社
製　本　図書印刷株式会社

フォーマットデザイン　アリヤマデザインストア　　マークデザイン　居山浩二

ISBN978-4-08-760524-2 C0197